a SOCIEDADE SUPERSECRETA de BRUXAS *Rebeldes*

SANGU MANDANNA

a SOCIEDADE SUPERSECRETA de BRUXAS Rebeldes

Tradução
Mel Lopes

2ª edição

Galera
RIO DE JANEIRO
2024

CAPA
Adaptada do design de Katie Anderson

IMAGEM DE CAPA
Lisa Perrin

PREPARAÇÃO DE TEXTO
Emanoelle Veloso

REVISÃO
Liane Motta

CIP-BRASIL. CATALOGAÇÃO NA PUBLICAÇÃO
SINDICATO NACIONAL DOS EDITORES DE LIVROS, RJ

M238s Mandanna, Sangu
A sociedade supersecreta de bruxas rebeldes / Sangu Mandanna ; tradução Mel Lopes. - 2. ed. - Rio de Janeiro : Galera Record, 2024.

Tradução de: The Very Secret Society Of Irregular Witches
ISBN 978-65-5981-371-1

1. Ficção inglesa. I. Lopes, Mel. II. Título.

CDD: 823
23-85786 CDU: 82-3(410.1)

Meri Gleice Rodrigues de Souza - Bibliotecária - CRB-7/6439

Texto revisado segundo o Acordo Ortográfico da Língua Portuguesa de 1990.

Direitos exclusivos de publicação em língua portuguesa somente para o Brasil
adquiridos pela
EDITORA GALERA RECORD LTDA.
Rua Argentina, 120 – Rio de Janeiro, RJ - 20921-380 - Tel.: (21) 2585-2000,
que se reserva a propriedade literária desta tradução.

Impresso no Brasil

ISBN 978-65-5981-371-1

Seja um leitor preferencial Record.
Cadastre-se e receba informações sobre nossos
lançamentos e nossas promoções.

Atendimento e venda direta ao leitor:
sac@record.com.br

Para Steve,
porque já passou da hora de dedicar um destes a você

CAPÍTULO UM

A Sociedade Supersecreta de Bruxas se reunia na terceira quinta-feira do mês a cada três meses, mas essa era a única coisa que nunca mudava. Elas jamais se encontravam duas vezes no mesmo local. A última reunião, por exemplo, tinha acontecido na sala de estar de Belinda Nkala — com direito a pãezinhos recém-saídos do forno e tudo — e a anterior, no ensolarado jardim de Agatha Jones. *Esta* reunião, numa tarde fria e úmida de outubro, estava sendo realizada num pequeno píer abandonado nas ilhas Hébridas Exteriores.

Um píer. Nas Hébridas Exteriores. Em pleno outubro.

É óbvio que elas não se chamavam realmente Sociedade Supersecreta de Bruxas. Na verdade, não se chamavam de nada, razão pela qual Mika Moon havia decidido criar ela mesma um nome. Tinha pensado em várias alternativas, entre elas a Liga das Bruxas Extraordinárias e a Sociedade Altamente Secreta das Bruxas Bruxérrimas. Ela ainda gostava bastante dessa última.

Os nomes ridículos existiam sobretudo para irritar Primrose, a antiquíssima e respeitável líder do grupo, posição que, ao que tudo indicava, Primrose concedera a si mesma em algum momento nos últimos cem anos ou mais. (Essa última parte poderia ser um exagero de Mika, mas era impossível dizer quantos anos Primrose de fato tinha. Ela não revelava.)

Naquele momento, encolhida ao máximo em seu casaco, Mika se balançava impacientemente na ponta dos pés enquanto outras vinte bruxas se juntavam a ela no píer. Acreditava que essa fosse outra coisa que quase nunca mudava: a quantidade delas. Mika era um dos mais recentes acréscimos à coisa-que-definitivamente-não-é--uma-sociedade, e isso já tinha quase dez anos, o que significava que fazia muito tempo que não recebiam alguém novo. Isso não significava que havia apenas 21 bruxas adultas em toda a Grã-Bretanha. Bruxas eram incomuns, sem dúvida, mas Mika sabia que existiam outras por aí. Primrose, que assumira para si o dever de encontrar e convidar novas bruxas para a não-sociedade, tinha mencionado que algumas a haviam rejeitado ao longo dos anos.

Mika achava difícil acreditar que alguém fosse capaz de resistir ao poder de persuasão de Primrose (poder esse que um alguém maldoso afirmaria estar mais para uma forma refinada de intimidação), mas, ainda assim, era bastante reconfortante saber que aquele pequeno grupo encharcado no píer não era tudo o que restava delas.

Não que a quantidade importasse. As reuniões eram o único momento em que elas deveriam falar umas com as outras. Primrose Beatrice Everly jamais ousaria dizer como alguém deveria conduzir a própria vida (palavras dela), mas tinha plena convicção de que as Regras as manteriam seguras e, portanto, realmente precisavam ser seguidas. Muita magia reunida num mesmo lugar sem o devido controle chamaria a atenção, ela dizia. Pelo bem de todas, bruxas tinham que levar vidas separadas. Não poderia haver nenhuma conexão entre elas, nem visitas, nem mensagens de texto, nem e-mails — para resumir, nada que pudesse levar alguém de uma bruxa até outra.

(Primrose, obviamente, era uma exceção às Regras. Mika imaginava que este era apenas um dos muitos privilégios de ser a mais velha, a mais poderosa e a mais autoritária.)

Portanto, qualquer senso de comunidade e irmandade dentro do grupo precisava ser espremido nessas poucas horas uma vez a cada três meses, o que na verdade o tornava um senso de comunidade bem capenga.

Enquanto a chuva caía sem parar do céu cinza-escuro, Primrose pigarreou e perguntou:

— Como estamos hoje, minhas caras?

— Encharcadas — respondeu Mika, sem resistir a pontuar.

— Sua contribuição foi registrada. Obrigada, bonequinha — respondeu Primrose, imperturbável.

— Estamos fingindo ser um clube do livro, Primrose — continuou Mika, exasperada. — Não precisamos nos esconder no meio do nada! Por que não poderíamos ter nos encontrado para tomar a porcaria de um café em algum lugar com aquecedor?

— Na minha opinião, a nossa segurança é mais importante do que o nosso conforto — retrucou Primrose, e então foi direto na jugular. — Mas, tendo em vista a maneira bastante rebelde como você passa o seu tempo, querida, não me surpreende que não pense da mesma maneira.

Mika suspirou. Ela tinha pedido por isso.

Aos 31 anos, ela era uma bruxa bastante jovem num grupo majoritariamente mais velho. Embora não tivesse uma planilha com a idade de cada bruxa, estava certa de que ela, Hilda Kim e Sophie Clarke eram as únicas com menos de 40, portanto deveria se sentir muito mais intimidada por Primrose do que de fato se sentia. Mas a verdade era que conhecia Primrose bem melhor do que a maioria das outras bruxas ali, e as duas tinham desenvolvido um relacionamento complicado desde o início.

Na verdade, o problema era que as bruxas eram sempre órfãs. De acordo com Primrose, isso se devia a um feitiço que deu errado em alguma época remota. Mika tinha certeza de que essa história era fruto da imaginação de Primrose, mas, por outro lado, ela também não tinha uma explicação melhor para o que continuava acontecendo: quando uma bruxa nascia, ela ficava órfã logo em seguida. Não importava em que lugar do mundo nascesse, e a causa da morte dos pais poderia ser qualquer coisa, desde doenças inócuas até acidentes cotidianos, mas era inevitável. Algumas bruxas eram então criadas pelos avós ou por outros parentes e, com o tempo, descobriam a existência da própria magia. Apesar dos pesares, supondo que não fossem catastroficamente imprudentes com seus feitiços, elas se tornavam adultas e levavam uma vida bastante normal.

No entanto, algumas bruxas, como Mika, eram filhas de bruxas. E, algumas dessas bruxas, como Mika, também eram *netas* de bruxas. Era algo raro, sem dúvida — preocupadas com a ameaça pairando sobre suas cabeças, a maioria delas optava por não ter filhos —, mas às vezes acontecia.

E, assim, quando Mika Moon, a filha órfã de uma filha órfã de uma filha órfã, foi deixada aos cuidados de uma assistente social sobrecarregada na Índia no início da década de 1990, Primrose a encontrou, levou até a Inglaterra e a colocou numa casa perfeitamente adequada e acolhedora com babás perfeitamente adequadas e acolhedoras.

Mika não se lembrava de nada disso, naturalmente, mas se lembrava de ter crescido sob os cuidados de babás e tutores de todos os gêneros, etnias e temperamentos, sendo substituídos sempre que tivessem um vislumbre de algo mágico, o que não demorava muito. Assim, Mika se lembrava de ter a mesa farta, uma cama quente e todos os livros que conseguisse ler, mas muito pouco em termos de afeto ou amor.

E ela se lembrava de Primrose a visitando de vez em quando, em geral para contratar um novo cuidador ou para lembrá-la das Regras. Os sentimentos de Mika em relação a Primrose eram, portanto, contraditórios. Primrose a mantivera em segurança, algo pelo qual era grata, mas Mika também se ressentia de ter uma figura tão inconsistente e autoritária em sua vida. Assim que chegou à idade adulta, as babás e os tutores foram embora e Mika recusou a oferta de Primrose para ficar. Ela saíra de casa e, nos últimos treze anos, praticamente só via Primrose na terceira quinta-feira do mês a cada três meses.

Embora parecesse a Mika que ela nunca havia feito nada que Primrose aprovasse, tampouco havia feito algo que Primrose realmente *desaprovasse*. Pelo menos não até o ano anterior, quando Mika começara a postar vídeos em suas redes sociais.

Vídeos de *bruxaria*.

Daí a atual rixa entre as duas.

Naquele momento, Primrose parecia ter deixado a questão de lado.

— Alguém está com problemas? — perguntou ela ao grupo.

— É bem difícil não contar à minha noiva sobre a minha magia — confessou Hilda Kim. — Sinto que estou escondendo dela uma parte muito importante de mim e detesto isso.

— Você poderia ter tentando *não* ficar noiva ou se casar — disse Primrose, que acreditava ser dever de todas fazer sacrifícios pelo bem maior. — E, enquanto reflete sobre isso, querida — continuou ela, à medida que Hilda abria a boca e depois a fechava, como se tivesse achado melhor não dizer o que quer que fosse dizer —, alguém está tendo problemas *de verdade*? Algum vizinho curioso fazendo muitas perguntas? Rompantes incontroláveis de magia?

Houve uma série de dar de ombros e cabeças balançando em negativa. Primrose foi passando seus olhos penetrantes de uma bruxa a outra, demorando-se um pouco demais em Mika. Pareceu bastante decepcionada quando ninguém falou, como se viesse esperando pela oportunidade de castigar alguma delas por ser descuidada.

— Sendo assim — prosseguiu Primrose, com um livro de feitiços enorme se materializando nas mãos —, alguém tem novos feitiços para compartilhar?

Havia alguns: um feitiço para um sono mais reparador, uma poção que deixaria o pelo de um gato temporariamente rosa (apenas pelo de gato e apenas dessa cor), um feitiço para encontrar algo perdido e outro para fazer olheiras desaparecerem na hora. (Ao ouvir este último, Primrose, que acumulava seus feitiços como um dragão acumula ouro, pareceu bastante aborrecida por não ter sido capaz de descobri-lo primeiro.)

Quando a parte de feitiços terminou, Primrose pigarreou e indagou:

— Por fim, alguém tem alguma notícia que gostaria de compartilhar?

— Pode dizer que é a hora das fofocas, Primrose — disse Mika alegremente. — Todas sabemos que é o que vem depois dos feitiços.

— Bruxas não *fofocam* — contestou Primrose, bufando.

Isso era totalmente inverídico, porque fofocar foi exatamente o que elas fizeram na sequência.

— O meu ex-marido quis reatar na semana passada — contou Belinda Nkala, que estava na casa dos 40 anos e nunca perdia tempo com as besteiras de ninguém. — Quando recusei, ele me informou que, ao que parece, não sou nada sem ele. Depois foi embora — acrescentou calmamente —, mas receio que vá sofrer de uma coceira inexplicável na virilha por algumas semanas.

Várias bruxas riram; Primrose, porém, comprimiu os lábios numa linha fina.

— E *você*, Mika? Anda pregando peças tão mesquinhas quanto essa ultimamente?

— Ai, pelo amor de Deus, Primrose! O que isso tem a ver comigo?

— Não é uma pergunta descabida, minha preciosa. Você de fato gosta de correr riscos.

— Pela milionésima vez — disse Mika, extremamente irritada —, eu posto vídeos on-line *fingindo* ser uma bruxa. É só uma encenação. — Primrose ergueu as sobrancelhas. Mika ergueu as dela em resposta. — Centenas de pessoas fazem a mesma coisa, sabe. Bruxaria está na moda!

— Chamam de *witchcore* — explicou Hilda, assentindo como quem sabe das coisas. — Não é tão popular quanto o *cottagecore*, que tem a ver com o estilo de vida simples no campo, ou o *fairycore*, que remete às fadas, mas está em alta.

Todas olharam para ela.

— Eu não sabia que fadas existiam! — exclamou Agatha Jones, que era quase tão velha quanto Primrose e acreditava que devia falar aos berros com os mais jovens para que não corressem o risco de perder seus pronunciamentos importantíssimos. — Era só o que faltava!

— Está vendo, Primrose? — prosseguiu Mika, ignorando a interrupção. — As pessoas se autodenominam bruxas o tempo todo. Não estou colocando a mim mesma, nem você, nem qualquer outra pessoa em risco. Ninguém que assiste aos meus vídeos acha que sou uma bruxa *de verdade*.

Para o azar de Mika, neste exato momento, a mais de oitocentos quilômetros de distância, dentro de um casarão num canto sossegado e castigado pelo vento na zona rural de Norfolk, um homem velho e magro, usando um magnífico cachecol de arco-íris e enormes pantufas felpudas, dizia exatamente o contrário.

~

— De jeito nenhum!

A frase foi proferida por Jamie, o bibliotecário carrancudo, que não era o tal velho magro de cachecol e pantufas. Esse era o Ian. E a terceira pessoa na biblioteca era Lucie, a governanta, uma mulher gorda e de bochechas redondas na casa dos 50 anos, que suspirou como se soubesse bem o rumo que aquela discussão iria tomar. (Ela sabia mesmo e estava certa.)

Ian alisou a ponta de seu cachecol e respondeu, com o vozeirão que tinha encantado públicos em muitos teatros pequenos ao longo de seus 80 e poucos anos:

— Não banque o difícil, querido. Não lhe cai bem.

Jamie se mostrou indiferente à crítica.

— Você não pode estar pensando seriamente em trazer *isto* — e aqui Jamie apontou o dedo para o rosto iluminado e cintilante na tela do celular de Ian — para dentro de casa!

— Por que não? — questionou Ian.

— Bem, para começar, não tem a menor chance de ela ser uma bruxa de verdade — respondeu Jamie, irritado. O que não era incomum. A maioria das coisas que Jamie dizia eram proferidas com irritação. — Que tipo de bruxa exibiria a própria magia numa plataforma com milhões de usuários?

Mika teria ficado imensamente satisfeita em ouvir aquilo caso estivesse lá, mas, pelo jeito, seu blefe não havia enganado Ian.

— Ela é uma bruxa de verdade — insistiu ele.

— E como diabos você tem certeza disso?

— Tenho excelentes habilidades de observação. Assista só a uma parte do vídeo. — Ian sacudiu o celular como se estivesse balançando um pirulito na frente de uma criança. — Um minuto. É tudo que eu peço.

Jamie continuou de cara amarrada, mas cruzou os braços sobre o peito e se recostou na escrivaninha para olhar por cima do ombro de Ian. Radiante, ele tocou na tela e deu play no vídeo.

A mulher parecia ter uns 30 anos e era bonita do jeito que a maioria das pessoas com olhos brilhantes e sorrisos joviais costuma ser. Jamie estreitou os olhos, tentando descobrir o que havia chamado a atenção de Ian. Nada na mulher parecia fora do comum. O cabelo era de um castanho muito escuro, comprido e cacheado, e caía solto sobre os ombros nus. Os olhos castanhos, grandes como os de uma corça e emoldurados por cílios pretos volumosos, piscavam alegremente no rosto iluminado — que havia sido polvilhado com algum tipo de pó cintilante, sem dúvida para fazê-la parecer mais sobrenatural. Com certeza não era branca, mas era difícil identificar sua etnia: a pele marrom estava meio rosada, meio dourada, mas talvez fosse o glitter. O nome no canto superior do vídeo, @MikaMoon, também não oferecia qualquer resposta.

— O segredo — dizia ela, com um sorriso travesso — é fazer a colheita do luar exatamente dois minutos depois da meia-noite. — O sotaque dela era britânico, mas Jamie não conseguiu relacioná-lo a nenhuma região do país. Ela ergueu uma tigela com um líquido prateado. — Pegue uma colherzinha do luar colhido — continuou, mexendo a substância prateada com uma colher de vidro que tilintava agradavelmente nas laterais da tigela — e adicione ao seu caldeirão.

Quando ela esvaziou uma colherada do suposto luar num caldeirão, pequenas faíscas surgiram lá de dentro, dançando no ar como vaga-lumes antes de desaparecerem.

— Aí está! — exclamou ela, triunfante. — A poção perfeita para um coração partido.

Ian pausou o vídeo. Jamie olhou para ele, confuso, e indagou:

— Era para eu ficar impressionado com os efeitos especiais que ela colocou no caldeirão? Com essa baboseira sobre coração partido?

Ian bufou.

— Caldeirão? — repetiu ele. — Não, não estou nem aí para o caldeirão. É *ela* que me impressiona. Não está vendo? Ela praticamente *brilha* com magia.

Com isso, Lucie falou pela primeira vez:

— Você está usando sua voz de palco, querido — disse ela suavemente, dando um tapinha na mão de Ian. — Nunca funciona com Jamie. Mas — acrescentou, desta vez para Jamie — acho que devemos ouvir Ian. Você sabe que ele leva jeito com esse tipo de coisa. Se ele diz que a moça é uma bruxa, deve estar certo.

— Está vendo? — continuou Ian, parecendo bastante satisfeito consigo mesmo. — Ela seria perfeita!

— Ian! — exclamou Jamie, incrédulo. — Mesmo *se* ela for uma bruxa, a cara dela está espalhada na porcaria da internet inteira! O risco...

Revirando os olhos de forma tão dramática que eles praticamente desapareceram, Ian falou:

— Ela tem catorze mil seguidores. *Eu* sou mais famoso que isso, e você não parece se importar que *eu* esteja aqui. Obviamente — acrescentou depressa, para que Jamie não aproveitasse a oportunidade para informá-lo do contrário —, explicaremos que, se ela vier para ficar, nem a Casa de Lugar Nenhum nem as meninas deverão aparecer nas filmagens.

— E o que te faz pensar que essa fada da floresta vai *topar*?

— Não saberemos até perguntarmos.

Lucie se levantou, visivelmente farta daquela conversa.

— A única forma de resolver isso é com uma votação — declarou.

Ian deu de ombros.

— Então vamos precisar do meu marido, né?

— Ken já deve ter colocado as meninas para dormir — disse Lucie. — Vou buscá-lo.

— Eu tenho o voto de Minerva — Jamie os lembrou.

— O que só serve se houver empate, querido — ressaltou Ian.

A porta da biblioteca fez barulho quando Lucie saiu e a fechou. Com os dentes cerrados, Jamie percorria as fileiras de velhas estantes de madeira, de um lado para outro, guardando os livros em seus devidos lugares. A biblioteca da Casa de Lugar Nenhum tinha sido construída como uma extensão da casa principal cerca de cinquenta anos antes e era linda, com janelas grandes e uma escada caracol que levava ao segundo andar, e abarrotada de livros, manuscritos e globos terrestres. De um lado, as janelas davam para o mar abaixo das dunas e, do outro, era possível avistar as árvores, o balanço e as lavandas no jardim da frente.

Era sem dúvida o lugar favorito de Jamie no mundo, mas, naquele exato momento, ele não conseguia apreciá-lo. Estava ocupado demais imaginando todos os segredos deles sendo desenterrados, e suas vidas, destruídas.

Quando voltou para a frente da biblioteca, Ian estava no mesmo lugar onde o havia deixado, assistindo ao vídeo de novo.

— Queria que pudesse ver o que eu vejo — disse Ian, um pouco melancólico. — Tem tanta magia em volta dela que ela parece estar em chamas. Igualzinha às meninas.

Jamie amava Ian, mas, por Deus, era como se o homem tivesse saído de um livro de poesia e ninguém houvesse tido o bom senso de mandá-lo de volta.

— Já que para mim nenhuma das garotas parece estar em chamas, Ian — respondeu, um tanto ácido —, isso não ajuda muito. E, como falei, não importa se ela *é* uma bruxa. É arriscado demais envolver mais gente nisso.

Ian pôs a mão sobre a de Jamie e a apertou com força.

— É a nossa única ideia, James. Estamos ficando sem tempo.

— Edward vai...

— Não é só o Edward — Ian o interrompeu. — Ele é certamente o nosso maior problema agora, mas também estou pensando no que vem depois. No futuro. Isso tem a ver com o resto da vida das garotas. Lillian, que Deus a abençoe, realmente ferrou com tudo. É esta a vida que queremos para essas crianças lindas e preciosas? Elas não podem ir à escola. Quase nunca saem da Casa de Lugar Nenhum. Tudo o que elas têm é umas às outras.

— E nós.

— E nós. — Por um instante, o brilho sempre presente nos olhos de Ian desapareceu. Ele apontou para um porta-retratos apoiado numa pilha de livros na escrivaninha de Jamie. — Olhe para nós. Mesmo que nos esforcemos muito, não somos capazes de dar às meninas tudo o que elas precisam. Tenho 82 anos. Sei o que é precisar esconder quem se é. Sei como é viver à margem da sociedade. Talvez as garotas tenham que manter uma parte de si mesmas em segredo para sempre, mas ainda assim quero que elas possam sair para o mundo e *viver*. Elas precisam de alguém que saiba como é passar por isso, como é se parecer com elas e sentir o que elas sentem, alguém que possa lhes mostrar como traçar uma rota corajosa e segura para o resto de suas vidas.

— Eu sei — disse Jamie rispidamente. — Eu realmente sei, Ian. Mas isso pode esperar até lidarmos com o Edward. E confiar nessa suposta bruxa para nos ajudar é correr um risco altíssimo. Não sei se compensa.

— A menos que você tenha uma ideia melhor, é um risco que *precisamos* correr.

Quando Lucie voltou para a biblioteca com Ken a reboque, a votação não era mais necessária. Só faltava decidir como convencer Mika Moon a vir para a Casa de Lugar Nenhum. (Ian queria enviar uma mensagem que começaria com as palavras "PROCURA-SE BRUXA". Ele achava que assim estabeleceria o tom logo de cara. Os outros não concordaram.)

Enquanto isso, na Escócia, Mika continuava tremendo em um píer chuvoso, completamente alheia à avalanche que vinha em sua direção.

CAPÍTULO DOIS

"PROCURA-SE BRUXA."

Duas semanas depois, estas eram as palavras que faziam Mika tamborilar os dedos, nervosa, no volante do Vassoura Voadora, seu fiel automóvel, um modelo compacto amarelo-manteiga. Ela havia acabado de passar pela placa que lhe dava as boas-vindas a Norfolk, uma região do país que não visitava desde que passara dois anos estudando na Universidade da Ânglia Oriental, e o navegador GPS preso no canto inferior do para-brisa informava que ela ainda tinha cerca de uma hora de viagem pela frente.

PROCURA-SE BRUXA. Precisa-se de tutora residente para três jovens bruxas. Deve ter nervos de aço. Não é necessária experiência anterior em ensino. Habilidades de bruxaria são essenciais.

Ter catorze mil seguidores não era muita coisa, mas era o suficiente para garantir que as contas de Mika nas redes sociais recebessem diariamente uma série de mensagens estranhas, invasivas ou apenas ofensivas. Atualmente, ela já conseguia saber, só de passar os olhos pela caixa de entrada, por meio da pré-visualização de cada nova mensagem, quais valeriam a leitura ou não.

Uma mensagem que começava com as palavras "PROCURA-SE BRUXA", apresentada assim, em letras maiúsculas, como se anunciasse o nascimento de um bebê da família real, deveria ter ido direto para a lixeira. Mika sabia, mesmo quando clicou na mensagem por pura curiosidade, que provavelmente seria um convite para participar de alguma fantasia sexual pervertida com o remetente.

Imagine a surpresa dela ao descobrir que na verdade era algo ainda mais estranho.

Ela se flagrara achando graça mesmo sem querer. Contra o próprio bom senso, enviara uma resposta:

Nota máxima para criatividade, mas receio que meus nervos sejam feitos de marshmallow.

A tréplica viera quase instantaneamente: **Na verdade, estamos desesperados o bastante para aceitar seus nervos no estado em que estiverem.**

E, então, antes que Mika pudesse zombar, fechar o aplicativo ou fazer qualquer uma das outras coisas que ficara tentada a fazer, uma nova mensagem apareceu. Tinha apenas duas palavras:

Por favor.

E foi assim que, depois de fazer muitas perguntas e obter bem poucas respostas, Mika se viu dirigindo de seu apartamento em Brighton para um lugar com o preocupante nome de Casa de Lugar Nenhum.

Tudo porque alguém na internet tinha sido educado.

Bem, isso e o fato de que seu último emprego havia se encerrado em setembro, o contrato de seis meses pelo apartamento que alugara estava quase no fim e, por mais improvável que parecesse se tratar de uma oferta real, legítima e nem um pouco suspeita, ela precisava de um novo lugar para morar e do trabalho remunerado que vinha no pacote.

E talvez porque a magia, aquela música que nunca a deixava, tivesse lhe dado um leve cutucão também.

Em quatrocentos metros, vire à esquerda, informou o GPS.

Ela já havia passado pelo trecho de rodovias largas e movimentadas e estava numa estrada rural, serpenteando por pequenas cidades e vilarejos pontilhados por pubs, escolas e chalés, onde cada lugar tinha o nome de algo pitoresco e essencialmente inglês, como Catfield ou Hickling. Em pouco tempo, até mesmo essas construções esparsas diminuíram, dando espaço aos riachos e lagoas de Norfolk Broads, campos agrícolas a perder de vista repletos de ovelhas, bois e cavalos e, no horizonte, as dunas cobertas de urze que margeavam a costa. Era quase inacreditavelmente perfeito, um mundo idílico pintado com as suaves pinceladas douradas do sol de novembro.

Conforme o Vassoura Voadora se aproximava cada vez mais do ponto no mapa que indicava a misteriosa Casa de Lugar Nenhum, as plantações foram graciosamente dando lugar a bosques de árvores altas, quase todas nuas, e tapetes de folhas amarelas ao longo de cada margem da estrada estreita.

Você chegou ao seu destino.

Mika diminuiu a velocidade do carro, franzindo a testa. Não conseguia ver nada além de árvores, folhas e a estrada. Tinha caído em alguma pegadinha? Ou pior, estava prestes a ser assassinada na floresta como toda donzela de olhos arregalados em todos os filmes de terror desde sempre? Ela resmungou, repreendendo a si mesma.

Conferiu as últimas mensagens que seu misterioso requerente havia lhe mandado:

Você pode ter dificuldade de encontrar a casa. Olhe com muita atenção.

Certo, ok.

Depois de se certificar de que não havia carros atrás dela, Mika deu ré lentamente, espiando por todas as janelas para ter certeza de que não havia deixado passar nada ao longo da estrada.

Ali estava. Ela *tinha* deixado passar algo: um portão simples de ferro encaixado entre cercas-vivas que estavam meio escondidas pelas árvores. Através do portão, ela podia ver um estreito caminho calçado com seixos cruzando um celeiro e um chalé, terminando em frente a uma grande casa com frontão contra um céu pálido sem fim.

Mika virou à direita e guiou o Vassoura Voadora bem devagar pela entrada de carros, ciente da suposta existência de três crianças, que sem dúvida poderiam correr a qualquer momento, sem aviso, para o caminho de seixos. Mas, quando passou pelos portões, houve um estalo inconfundível no ar.

Magia.

Não poderia ser. Poderia?

Insegura, Mika se perguntou se era tarde demais para dar meia-volta e fugir. Ela lançou um olhar desconfiado para a casa no final do caminho de seixos, mas, antes que conseguisse se decidir, chegou à altura do celeiro e do chalé. Alguém acenava freneticamente para ela pela janela da frente deste último.

Depois de estacionar o Vassoura Voadora à esquerda da entrada tanto quanto possível sem derrubar o muro baixo de pedra que cercava o chalé, ela desligou o motor e saiu nervosa do carro. O chalé era lindo: uma casinha perfeita estilo contos de fadas com uma porta vermelha, um telhado de palha e um pequeno jardim frontal, primorosamente bem-cuidado, plantado de cada lado de um caminho feito com pedras grandes. Havia uma mini-horta num cantinho do jardim, com um punhado de abóboras maduras esperando para serem colhidas, e Mika avistou um homem idoso ajoelhado entre elas.

Ele se levantou quando Mika alcançou o caminho, estreitando os olhos contra o sol. Era careca, de ascendência asiática e parecia ter uns 70 anos. Vestia calça jeans e um suéter listrado com um avental de jardinagem por cima, tinha ombros largos levemente curvados pela idade e um sorriso caloroso que tornava impossível não sorrir de volta.

— Você deve ser a Mika — disse ele, tirando o avental e enxugando as mãos antes de estender a mão direita para ela. — Seja bem-vinda.

— Obrigada — falou Mika, retribuindo o cumprimento. Sua mão era calejada, como a de um homem que trabalhava muito com a terra. — Você é o Ian?

Ele riu. Antes que ele respondesse, a porta da frente do chalé se abriu com tudo e um furacão de pantufas felpudas rodopiou para o lado de fora.

— *Este* é o Ian — informou o homem, dando-lhe um tapinha no ombro com o que ela imaginou ser apoio moral. — Boa sorte.

O furacão era na verdade um homem branco idoso tão exuberantemente cheio de energia que Mika se sentiu exausta só de olhar para ele. Era alto e magro, com uma cabeleira branca, olhos azuis cintilantes e um cachecol de arco-íris enrolado no pescoço comprido. Entre o cachecol e as pantufas felpudas havia, inesperadamente, uma calça preta bem comum e um suéter de tricô preto.

— Ian Kubo-Hawthorn, a seu dispor — declarou o furacão, radiante, envolvendo Mika num abraço que quase esmagou todos os ossos dela. Sua voz era profunda e musical, com a nitidez que ela associava a atores de peças de Shakespeare e apresentadores da BBC. — Por acaso já ouviu falar de mim?

— Ian — advertiu o outro.

— Tem razão, lógico, querido — disse Ian de uma vez só, sem respirar, as palavras disparando na velocidade da luz. — Não é o momento. Você conheceu o Ken, pelo que vejo — falou para Mika, apontando o polegar na direção do outro homem. — Eu sou o marido dele. Ou ele é meu marido. Não sei qual é a definição correta.

— As duas, eu acho — opinou Mika.

— Ian e eu moramos aqui no chalé — explicou Ken, e sua voz calma e suave fazia um contraste quase cômico com a de Ian.

— Isso nos dá um pouco de privacidade — completou Ian, dando uma piscadinha. — Não teríamos nem um pouco na casa principal, posso garantir. Mas *você* — acrescentou apressadamente, como se tivesse acabado de se lembrar de que deveria fazer a casa parecer atraente para ela — terá muita privacidade lá se decidir ficar conosco.

Mika olhou de um para outro, lutou para reprimir um sorriso e informou com muita firmeza:

— Lamento dizer mas vou precisar de algumas respostas antes de decidir *qualquer coisa*. Você foi extraordinariamente misterioso nas mensagens. E, de propósito, desconfio.

— Tem coisas que não devem ser reveladas por escrito — afirmou Ian sem nenhum constrangimento. Seus olhos se enrugaram nos cantos. — Mas estamos muito gratos por ter vindo até aqui só para ter essa conversa, minha querida. Não imagina como precisamos de você.

— Vocês realmente precisam de uma tutora residente?

— Sim — disparou Ken antes que Ian abrisse a boca, possivelmente (e corretamente) adivinhando que Mika tenderia a acreditar mais nele. — Venha conosco até a casa principal e verá por quê.

Ele pendurou o avental sobre o muro e foi andando na frente pelo restante do caminho de pedras.

— Tem problema deixar o carro aqui enquanto estivermos em casa?

— Problema nenhum — garantiu Ian. — Normalmente estacionamos nossos carros no celeiro, o que você poderá fazer caso se mude para cá, mas onde deixou está bom por enquanto.

Mika olhou para trás na direção dos portões, para o local onde tinha sentido aquele crepitar peculiar e inesperado de magia. Estava imaginando aquele lampejo de pó dourado no ar?

— Mika?

Ela desviou o olhar rapidamente, trancou o Vassoura Voadora e seguiu os dois homens, caminhando sobre os seixos desgastados.

Ian apontou com o dedo por cima do ombro.

— Alguma coisa nos portões chamou sua atenção?

— Não, nadinha — respondeu Mika de imediato.

— Hum — murmurou Ian, parecendo achar graça.

Ken se virou para Mika quando ela os alcançou:

— Você sabe alguma coisa sobre Lillian Nowhere? — indagou ele.

Mika balançou a cabeça.

— Deveria?

— Não, provavelmente não. Lillian é arqueóloga e proprietária da Nowhere House, ou Casa de Lugar Nenhum, como a chamamos.

— Ah, eu vou conhecê-la?

— Não, Lillian está fora no momento — informou Ian. — Ela quase sempre está. Costuma passar algumas semanas em casa, depois se ausenta por alguns meses, então volta a ficar algumas semanas aqui e por aí vai. Desta vez, é por conta de uma escavação na América do Sul. É por isso que ficamos responsáveis pela casa e pelas crianças.

— Você e Ken? — perguntou Mika.

Ela franziu a testa, achando difícil acreditar que os dois moravam num chalé enquanto três crianças moravam sozinhas na enorme casa principal.

— E também Lucie e Jamie — acrescentou Ken. — Lucie é governanta e amiga de Lillian há quase trinta anos. Jamie trabalhava na biblioteca quando as crianças chegaram — Ken apontou para o grande anexo do lado direito da casa —, mas agora ele é o mais próximo de um pai que elas têm. Quanto a Ian e eu, sou o jardineiro de Lillian há mais de vinte anos. Lillian e Ian se conheceram num baile de gala beneficente quando ele ainda trabalhava como ator. Ela me contratou e nos vendeu o chalé por um valor irrisório.

— Tudo isso compõe um contexto relevante para o que estamos prestes a te contar — Ian assegurou a Mika.

Uma arqueóloga ausente, uma governanta, um bibliotecário, um jardineiro, um ator aposentado e três improváveis bruxas. Em se tratando de contextos, este era um dos mais esquisitos que Mika já tinha ouvido.

— *Quem* são exatamente as crianças? — perguntou Mika. — Digo, elas têm alguma relação de parentesco com algum de vocês?

— Legalmente, são tuteladas de Lillian — explicou Ian. Ele fez uma pausa, e sua boca se torceu com pesar ao acrescentar: — Mas ela se ausenta com tanta frequência que Jamie e o restante de nós é que temos criado as três, na verdade.

Eles tinham chegado à frente da casa enquanto Ken falava, e Mika a examinou com mais atenção dessa vez. Era uma construção antiga de dois andares, com frontão no telhado e nas janelas, paredes feitas de tijolos cinza-amarronzados e cobertas de heras floridas, e uma chaminé que fumegava vigorosamente. Em ambos os lados da porta de entrada, que era de um branco opaco e ficava aninhada sob o beiral, havia amplas janelas salientes, as duas com frontões como as do segundo andar. E, na frente da casa, estendendo-se por ambos os lados do caminho até sumirem de vista ao redor da casa, ficavam os jardins, que eram tão lindos quanto o pequeno jardim do chalé: com carvalhos, arbustos de lavanda, grama verde recém-cortada, um balanço e uma horta cercada. Parecia um pedacinho do paraíso.

— É linda — disse ela simplesmente.

— Linda o suficiente para se mudar de vez?

— Ian.

Mika reprimiu outro sorriso e se manteve firme.

— Eu ainda preciso das minhas respostas. Vocês não explicaram de verdade por que precisam de mim.

— Vamos entrar — anunciou Ken, abrindo a porta da frente.

Mika se demorou por um instante, com os olhos no jardim. A magia nos portões não tinha sido fruto da sua imaginação. Havia *mesmo* magia no lugar, dava para sentir, e não era só porque *ela* estava ali.

Não haveria de fato três jovens bruxas morando juntas ali, haveria?

— Algo errado? — perguntou Ian, balançando os pés animadamente.

Mika se esquivou de responder fazendo outra pergunta:

— Como as lavandas ainda estão em floração?

Ian pareceu um pouco decepcionado, como se esperasse que ela dissesse algo totalmente diferente, mas Ken sorriu e respondeu:

— Isso não tem nada a ver comigo, lamento admitir. Você vai notar uma série de singularidades fora de época aqui.

É porque existe muita magia aqui.

Mas ela não podia dizer isso. Talvez houvesse *mesmo* bruxas ali. Ou talvez fosse algo completamente diferente, algum tipo de armadilha gótica perversa projetada para atrair bruxas imprudentes e ingênuas que eram incapazes de manter a boca fechada. Era improvável? Sim. Impossível? Não. De qualquer forma, de uma coisa Mika sabia: ela, Ian e Ken estavam sendo intencionalmente evasivos, cada um tentando descobrir quanto o outro sabia, e ela não podia ser a primeira a ceder.

Então fingiu perder o interesse pelas lavandas fora da estação, exibiu seu maior sorriso e sugeriu:

— Vamos entrar, então?

Mika havia desconfiado da existência das crianças, até porque as pessoas na internet em geral não costumam ter muito apreço pela verdade, mas entrar na casa acabou com a maioria de suas dúvidas.

O interior estava abarrotado de poltronas, mantas, plantas e livros. As paredes exibiam um tom branco-creme, interrompido aqui e ali por um rabisco de giz de cera ou uma mancha de tinta de pintura a dedo. Os pares de tênis, sapatilhas de balé e galochas amontoados numa linha desordenada na entrada variavam em tamanhos infantis e adultos. Uma das janelas tinha uma mancha característica indicando que o nariz de uma criança era pressionado contra o vidro com frequência. E, é lógico, havia brinquedos por toda parte.

Era óbvio que haviam trabalhado pesado na casa para mantê-la limpa e acolhedora. Aquecedores novos tilintavam com vigor e uma lareira estava acesa na enorme sala de estar. Almofadas em cores vivas e tapetes aconchegantes davam vida aos sofás e poltronas macios. As escadas, mesas e tábuas do assoalho eram todas feitas de madeira resistente e polida, e vasos de plantas foram colocados em todos os corredores e cômodos pelos quais passaram a caminho dos fundos da casa, onde finalmente pararam numa cozinha rústica e ensolarada.

Havia duas pessoas na cozinha: uma mulher branca, baixa e gorda, na casa dos 50 anos, que Mika presumiu ser Lucie; e um homem branco e carrancudo, de uns 30 e poucos anos, que devia ser Jamie. A mulher, que examinava com um olhar crítico uma bandeja com ervas plantadas em vasos, se virou quando eles entraram, mas o homem permaneceu na soleira das portas francesas abertas do outro lado da cozinha, com os braços cruzados sobre o peito e a cara fechada apontada para o jardim dos fundos.

— Bem na hora! Já pode começar a preparar o jantar — disse a mulher para Ian.

— Mika, essa é Lucie anunciou Ian, atravessando a cozinha depressa. — Alguém liga a chaleira enquanto eu pré-aqueço o forno?

— Ian é o melhor cozinheiro da casa — Ken confidenciou a Mika baixinho. — Mas não conte a ele que eu disse isso. Vai lhe subir à cabeça!

Lucie tinha bochechas rosadas, rugas agrupadas quase que exclusivamente ao redor dos olhos, cabelos castanhos com raízes grisalhas e o que parecia ser uma tiara de papel feita de maneira desleixada posicionada meio torta no topo da cabeça. Ela apertou o botão que ligava a chaleira elétrica e sorriu de um jeito afetuoso para Mika.

— Prazer em conhecê-la, Mika — disse — Poxa, seu sorriso é ainda mais bonito pessoalmente!

— Não é? — disse Ian, com tanto orgulho seria possível pensar que ele tinha uma participação pessoal na construção do sorriso de Mika.

Mika riu, então se dirigiu ao homem nas portas francesas:

— Você deve ser o Jamie. Oi.

Ele se virou, seus ombros magros se movendo quase a contragosto. Não era tão alto quanto Ian, então Mika deduziu que teria cerca de um metro e oitenta — uma cabeça maior que ela. A constrangedora expressão "devastadoramente bonito" brotou no cérebro de Mika antes que ela a expulsasse de imediato. As sobrancelhas dele eram escuras e retas, e o rosto, anguloso. O tom do cabelo curto e despenteado ficava entre o loiro-escuro e o castanho, e a sombra de uma barba era da mesma cor. Os olhos acinzentados eram penetrantes e desconcertantes. Tendo em vista a carranca, ela achou indelicado da parte dele ser tão bonito.

— Jamie Kelly — apresentou-se. Tinha uma voz áspera feito lixa. E um pouco de sotaque irlandês, talvez. — Olá.

Uma resposta perfeitamente educada, mas não simpática. *Nada* simpática. Não havia nada do acolhimento e do entusiasmo naturais que os outros lhe mostraram.

Mika se recusou a levar para o lado pessoal, então simplesmente sorriu para ele:

— Você morava em Belfast?

— Sim.

Ele não sorriu de volta.

Mika se virou para Ken, mais do que pronta para as prometidas respostas.

— Acho que devo mencionar que a única experiência que já tive trabalhando com crianças foi quando extraí uma ervilha do nariz de um menininho num trem, mas não acredito que seja o tipo de coisa que vocês me chamaram aqui para fazer.

— A maior parte da educação das crianças fica por nossa conta — explicou Ken. — Elas estudam em casa. Têm algumas aulas on-line, mas, na maioria das vezes, nós mesmos as educamos. Jamie ensina inglês e história; Ian ensina teatro, culinária e coisas imprudentes, como escalar árvores; Lucie ensina matemática; e eu ensino japonês, ciências, jardinagem e qualquer outra coisa que me ocorrer.

Mika olhou de um rosto para outro, confusa. Tudo parecia extraordinariamente normal.

— Parece que não sobrou nada. Para que precisam de uma tutora?

Houve uma pausa, como se todos estivessem tomando fôlego ao mesmo tempo, e então Ian respondeu:

— Para ensinar *magia* a elas, é claro.

Mika não deveria ter ficado surpresa, levando em conta que a primeira mensagem dele havia expressado muito especificamente o desejo por uma bruxa.

— Magia — disse ela lentamente. — Vocês querem que eu ensine magia a elas.

— Bem, você *é* uma bruxa, não é? — perguntou Ian, como se nada pudesse ser mais óbvio. — Elas também. Portanto, precisam de você.

— Isso é algum tipo de atividade extracurricular em que vocês deixam as meninas decidirem o que querem ser e depois ensinam a elas? — questionou Mika. — Então a escolha da vez foi serem bruxas e vocês encontraram alguém que posta vídeos de bruxaria na internet para entretê-las, é isso?

Outro momento de silêncio. Lucie e Ken pareciam inseguros, e Jamie, desconfiado. Apenas Ian permaneceu imperturbável.

— Tsc, tsc, tsc, Mika Moon — disse ele num tom que não deixava dúvida de que ela estava sendo gentilmente repreendida. — O seu perfil é um de centenas que publica vídeos de bruxas. E não quero nenhuma daquelas pessoas certamente encantadoras. Quero *você*. Sabe por quê?

— Pela proximidade?

— @SilverSpoons mora em Suffolk — informou Ian. — *Muito* mais perto que Brighton. Ela tem 53 mil seguidores contra os seus catorze mil. E, no entanto, como você deve ter observado, ela não está aqui.

Um pequeno tremor de inquietação percorreu o corpo de Mika, mas ela havia passado a maior parte de seus 31 anos aprendendo a lidar exatamente com esse tipo de situação, de modo que se manteve no controle.

— Só para não restar dúvida — disse ela, arregalando os olhos como se estivesse incrédula —, você assistiu aos meus vídeos e agora acha que eu sou uma bruxa *de verdade*? E que faço magia *de verdade*?

Meu bom Deus, que não fosse isso. Primrose iria matá-la.

— Sim — respondeu Ian simplesmente. Ele se aproximou, erguendo o rosto dela para que o olhasse bem nos olhos. Seus olhos eram sinceros e bondosos enquanto procuravam os dela, implorando para que confiasse nele. — Mika. Por favor.

Aquele "*por favor*" outra vez. Droga.

— Muito bem — retrucou Mika, dando um passo para trás e mudando de estratégia. — Digamos, hipoteticamente, que bruxas existam mesmo. Vocês estão dizendo que as três crianças que moram nesta casa são bruxas?

— Isso é *exatamente* o que estamos dizendo a você.

— Não é possível — contestou Mika.

Por um lado, bruxas eram algo raro. Não era todo dia que se deparava com uma, muito menos *três*. E, por outro, três bruxas vivendo juntas era absolutamente *proibido*. Claro que Primrose não era senhora e mestre de todas as bruxas que existiam por aí, mas ela era velha, poderosa e, o mais importante, *persuasiva*. Primrose jamais teria permitido que três crianças bruxas fossem criadas juntas na mesma casa.

A menos que não soubesse da existência delas.

— Ian — começou Lucie, insegura —, eu não acho...

— Ah, eu desisto! — interrompeu Ian, jogando as mãos para o alto. — Esse negócio de ficar se esquivando é desesperador. Mika, acho que você não quer contar a verdade antes que *a gente* conte. Muito bem. Você ganhou.

— Ian...

— Tem três crianças morando nesta casa — declarou Ian com firmeza, encarando Mika. — Essas três crianças são bruxas. Jamie, Ken, Lucie e eu sabemos que são bruxas. Sabemos que existem bruxas de verdade. Lillian nos contou. Porque *ela* é uma bruxa.

— *Ian!* — protestou Lucie.

— Espere aí — disse Mika, realmente surpresa. — *Lillian* é uma bruxa? A dona desta casa? A arqueóloga que nunca está aqui?

— A própria.

— E *ela* contou a vocês sobre as bruxas?

Ian assentiu com entusiasmo.

— Agora você entende? — perguntou ele.

A mente de Mika estava a mil enquanto ela tentava entender no que tinha se metido. Fazia sentido, não é? Havia tanta magia ali que só podia ser a casa de uma bruxa, ou, neste caso, de várias bruxas. E quanto à magia que sentira nos portões? E se o que ela de fato sentiu foi a presença de sentinelas, um conjunto de feitiços de proteção colocados ao redor da casa e dos jardins, para esconder as crianças? A própria Mika havia crescido na casa protegida de Primrose, um lugar onde feitiços e acidentes passariam despercebidos por vizinhos, pedestres e até mesmo outras bruxas. E se as sentinelas da Casa de Lugar Nenhum fossem a razão pela qual Primrose não sabia que essas crianças em particular existiam?

Será que Primrose sabia que *Lillian* existia? Devia saber. Lillian provavelmente era uma das bruxas que, em algum momento, havia recusado o convite de Primrose para se juntar ao grupo que *não* era chamado de Sociedade Supersecreta de Bruxas.

— Você não acredita em mim — observou Ian quando Mika não disse nada.

— Eu não desacredito — respondeu Mika, com cautela.

Bruscamente, Jamie disse:

— Venha cá.

Sem se perturbar com o tom dele, Mika cruzou a cozinha até as portas francesas abertas e parou ao seu lado. Jamie estava olhando para fora de novo. Mika seguiu seu olhar até um grande e belo jardim nos fundos com uma cerca-viva espessa delimitando o lugar e dunas ondulantes de urze além dela. Um trecho de girassóis gigantes interrompia a linha formada pela cerca-viva e, ao lado, havia um pequeno portão de madeira que se abria, presumivelmente, para um caminho que ia além das dunas e descia do outro lado até o mar.

Jamie não estava olhando para o portão, e sim para três meninas brincando numa casa na árvore no canto do jardim. Mika apertou os olhos para vê-las melhor. A mais velha, uma criança com pernas e braços longos, de pele negra retinta e cachos grossos e pretos, presos num rabo de cavalo, não devia ter mais de 10 ou 11 anos. Ela estava sentada com um livro no colo. As outras garotas aparentavam ser mais jovens: uma de pele clara e cabelos pretos lisos e brilhantes até os ombros, e a outra com uma trança castanho-clara bagunçada e pele marrom-clara mais ou menos do mesmo tom da de Mika.

O coração de Mika disparou. Quando Ken revelou que Lillian havia adotado as crianças, ela presumiu que haviam sido adotadas ao mesmo tempo e viessem da mesma família, o que tornaria impossível elas serem bruxas. A menos que fossem gêmeas, o que era incomum — uma bruxa quase nunca tinha irmãs biológicas que também fossem bruxas. Era uma consequência inevitável de toda a questão da orfandade.

Mas aquelas garotas *não* eram da mesma família biológica e, além disso, mesmo de onde estava, Mika conseguia enxergar as inconfundíveis partículas de pó dourado mágico em volta das meninas. O poder cantou para ela, como iguais se atraindo, e foi preciso muito esforço para resistir a ele.

Meu Deus. Elas realmente *eram*...

— A mais velha se chama Rosetta — informou Jamie, interrompendo seus pensamentos tumultuosos, num tom ainda cortante e desconfiado. — Ela tem 10 anos e foi encontrada por Lillian em Londres quando tinha cerca de três meses, depois que um incêndio matou seus pais. A de cabelo preto liso é Terracotta, de 8 anos. Lillian a encontrou numa cidadezinha vietnamita quando ela tinha 1 ano de idade. Seus pais morreram de uma febre que dizimou metade da cidade. Sua avó estava morrendo da mesma febre quando Lillian chegou. E a mais nova, Altamira, tem 7 anos. Lillian a resgatou dos escombros de um hospital palestino quando ela tinha alguns dias de vida.

Mika tinha sentimentos conflitantes sobre tudo aquilo, até porque soava muito parecido com o que Primrose havia feito com ela, mas aquela não era a hora de ter esse tipo de conversa.

— Nomes inusitados — comentou ela.

Os outros também haviam se aproximado das portas, então foi Lucie quem respondeu:

— Lillian as batizou com os nomes de grandes descobertas arqueológicas.

— Pelo menos uma delas já devia ter um nome quando foi encontrada — ponderou Mika. Ela mesma tinha. Não sabia qual era, apenas que não havia nascido com o sobrenome Moon. — Você disse que Terracotta já tinha 1 ano quando Lillian a encontrou.

— Lillian não queria que ninguém conseguisse rastreá-las, levando em conta que são bruxas.

— Como vocês têm tanta certeza? Ou acreditam nisso só porque Lillian disse?

Mas a pergunta não precisou ser respondida, pois, naquele exato momento, enquanto Mika observava as três garotas na casa na árvore, ela viu a mais nova correndo até a escada de corda. No momento em que o pé da criança tocou a escada, esta explodiu em chamas verdes intensas.

CAPÍTULO TRÊS

— Cacete! — exclamou Mika.

— Não precisa se preocupar — disse Ian, animado. — Isso acontece pelo menos duas vezes por dia. Ninguém nunca se machuca. Nem mesmo a escada.

— Porque é fogo de bruxa — explicou Mika, que tinha xingado só porque não dava para acreditar que realmente havia três bruxinhas escondidas na maldita Norfolk — o mais improvável dos lugares —, e não porque temesse pela vida de alguma delas. — O fogo de bruxa só funciona em caldeirões. É completamente inofensivo em todas as outras coisas, embora queime sem parar se não for extinto direito. Lillian não contou isso a vocês?

Ken suspirou.

— Infelizmente Lillian não nos contou quase nada.

Enquanto eles acompanhavam a cena, a criança desceu a escada, imune às chamas verdes, com a trança desarrumada balançando a cada degrau. Ela chegou ao chão, pegou um coelho de pelúcia esfarrapado que estava caído ao pé do carvalho alto e, em seguida, subiu novamente a escada em chamas.

— Sempre temos que abafar o fogo com cobertores para apagá-lo — continuou Ian, praticamente saltitando de empolgação. — É uma chatice. Por acaso você conhece uma maneira melhor?

Como já não havia mais sentido em tentar esconder seu segredo, Mika levantou uma das mãos e estalou os dedos, como se estivesse tentando pegar uma folha no ar. O fogo de bruxa, reconhecendo a evocação de uma entidade mais forte e dominante que ele, veio até ela humildemente, desprendendo-se da escada de corda e desaparecendo na mão fechada de Mika em uma nuvem de fumaça.

— Meu Deus — murmurou Lucie.

— Rá! — exclamou Ian, triunfante. — Viu por que precisamos de você?

— Como você sabia? — perguntou Mika. — Não havia nada nos meus vídeos que pudesse ter me entregado.

Ian encolheu os ombros ossudos.

— Você tinha uma espécie de brilho. Como as meninas têm.

— Se serve de consolo — interveio Jamie, como se pudesse ver o desalento no rosto de Mika —, ninguém mais percebeu nada de diferente.

Ainda assim... Talvez estivesse na hora de sair da internet.

Mika voltou a olhar para a casa na árvore, onde as crianças ainda estavam absortas em suas atividades, alheias ao fato de que o fogo de bruxa havia se apagado sem precisar de um cobertor. Primrose teria um ataque se descobrisse. Ela iria até lá apenas com as melhores intenções e um compromisso vitalício com as Regras — ou, como ela costumava dizer, o Bem Maior —, eliminaria qualquer objeção que alguém pudesse oferecer e encontraria casas seguras e acolhedoras para as crianças.

E longe, bem longe umas das outras.

"Muita magia reunida num só lugar chama a atenção", ela diria. "Mesmo as sentinelas só conseguem ocultá-la até certo ponto. E chamar a atenção, como as bruxas descobriram repetidamente ao longo dos séculos, é perigoso. Apenas sozinhas conseguimos sobreviver."

No entanto, Primrose *não* sabia sobre as crianças, e Lillian obviamente tinha a questão sob controle, então esse era um ponto discutível.

— Chá? — Lucie perguntou a Mika, estendendo uma xícara e sorrindo. — Venha se sentar.

— E então? — perguntou Ian, já numa cadeira, balançando-se ansioso. — Vai ficar?

Mika segurou a xícara entre as mãos, deixando o calor penetrar em seus dedos.

— Ainda não entendo. Por que vocês precisam que *eu* ensine magia às crianças? Lillian não faz isso?

— Lillian nunca fica em casa por tempo suficiente para ensiná-las — respondeu Ian após um som de desdém. Lucie fez um ruído de protesto. — Não, Lucie, isso tem que ser dito. A verdade é que Lillian está sempre obcecada pela descoberta da vez. Sua paixão pelo trabalho é maravilhosa, mas vem em detrimento das crianças. Elas a veem tão raramente que mal a conhecem. Além disso, Lillian tem o péssimo hábito de nos dizer apenas o que acha necessário, por isso muitas vezes não temos as respostas de que as meninas precisam. Acredite em mim quando digo que *precisamos* mesmo de você, Mika.

— Lillian colocou feitiços de proteção na casa e arredores — acrescentou Lucie, parecendo dividida, como se concordasse com Ian mas se sentisse desleal com isso. — Ian está mostrando só um lado dela, mas é importante que você saiba que ela não nos abandonou à própria sorte. Ela pôs as sentinelas. Ninguém pode vir à Casa de Lugar Nenhum sem ter sido convidado e, mesmo assim, as sentinelas dificultam encontrá-la. Toda a nossa correspondência é deixada na caixa de correio grande perto dos portões da frente. Feitiços e acidentes são mantidos em segredo. As meninas estão seguras aqui.

— Seguras, porém limitadas — observou Ian.

— As crianças precisam aprender a controlar o poder enorme e selvagem que possuem, Mika — disse Ken em voz baixa. — Precisam de alguém na vida delas que entenda o que vivenciam.

Mika escolheu suas palavras com cuidado.

— Eu obviamente não conheço Lillian, mas é possível que parte do motivo para ela nunca estar aqui seja por saber que é perigoso.

— Perigoso? Como?

— Bruxas não... As bruxas não deveriam... — Mika hesitou, um tanto desconcertada pela experiência inédita de não precisar mentir, e tentou outra vez. — As bruxas não convivem com outras bruxas.

— Por que não?

— A magia é atraída pelas pessoas que sabem usá-la. E ela pode ser traiçoeira. Quando há muita magia num só lugar, é preciso uma determinação muito, muito forte para mantê-la sob controle. A probabilidade de acidentes é bem maior.

— Com certeza esse é mais um motivo para precisarmos de você — declarou Lucie, arregalando os olhos em sinal de preocupação. — É a *sua* forte determinação que conseguirá manter a magia das garotas sob controle, não é? Você viu o que aconteceu quando Altamira tocou na escada. As meninas têm acidentes desse tipo com frequência.

— Ela não está dizendo que a magia delas está fora de controle porque não têm ninguém para mantê-las na linha — disse Jamie bruscamente, o olhar sério e zangado concentrado em Mika. — O que está dizendo é que a magia delas está fora de controle porque elas estão juntas.

Os outros dirigiram olhares ansiosos para Mika. Ela nem pestanejou:

— Jamie está certo — afirmou. — Toda bruxa tem dificuldade de controlar a própria magia na infância, mas poucas de nós perdem o controle de forma tão drástica como acabou de acontecer com Altamira. A razão pela qual esse tipo de coisa acontece com tanta frequência com as meninas é por elas estarem juntas.

— Então parece que encontramos você na hora certa — afirmou Ian, com uma teimosia admirável. — As meninas *estão* juntas, então me parece que ou podemos deixar as coisas continuarem como estão, ou podemos ter uma bruxa adulta e forte ensinando a elas o controle que precisam ter.

— Mas eu seria mais uma bruxa no mesmo lugar. Isso atrairia ainda mais magia para esta casa e tornaria ainda mais difícil manter tudo em ordem. As sentinelas de Lillian talvez não sejam capazes de conter tanto poder. Nenhum de nós estaria mais seguro comigo aqui.

— Pelo contrário, minha querida — contestou Ian. — O que não é seguro são três garotinhas temendo o que são e que não fazem ideia de como lidar com o próprio poder. Não é um problema fazer uma escada explodir em chamas verdes aqui no quintal delas, mas consegue imaginar o que aconteceria se elas perdessem o controle em qualquer outro lugar? Você vai aonde quer e vive mais ou menos como deseja, mas essas três garotas não podem ir a lugar nenhum sob risco de acidentalmente atear fogo em alguma coisa ou transformar um poste em sapo!

— Postes não podem ser transformados em sapos — tranquilizou Mika.

— Algo que nenhum de nós sabia — retrucou Ian prontamente —, porque não somos bruxas.

— Sei que não é o ideal — disse Mika com delicadeza —, mas quase todas nós crescemos isoladas, separadas do resto do mundo, até aprendermos a lidar com a nossa magia. E todas *conseguimos* lidar com ela por conta própria quando chegamos à idade adulta. Não será diferente com Rosetta, Terracotta e Altamira.

O rosto de Lucie parecia suavizado por algo semelhante à compaixão quando disse:

— Não parece uma boa maneira de passar seus anos mais inocentes e alegres.

— Além disso, elas não têm muito tempo — acrescentou Ken. — Edward é nosso problema mais urgente.

Mika pousou a xícara e olhou confusa para os quatro rostos ao redor da mesa.

— Quem?

Houve uma pausa atônita. Então, com uma expressão no rosto que talvez denotasse culpa, Ian confessou:

— Eu... É... Quer dizer, pode ser que eu não tenha mencionado uma coisinha de nada, bem pequena mesmo, *minúscula*.

Jamie bufou:

— Mas que merda, Ian!

— Você não contou a ela sobre o Edward? — indagou Lucie em tom acusatório.

— Mika poderia não ter vindo se eu tivesse contado a ela sobre o Edward!

— *Ian!* — censurou Ken.

Mika tinha a sensação de que aquele era um bordão frequente na casa.

— Quem é Edward? — ela quis saber.

Jamie olhou com raiva para a xícara de chá. Lucie e Ken se mostraram igualmente descontentes com o rumo que a conversa havia tomado e pareciam não saber o que dizer. A confusão de Mika só aumentou. Depois de um momento, Ian soltou um suspiro triste e falou:

— Edward Foxhaven é o advogado de Lillian. Ele a endeusa, mas detesta o restante de nós.

— Por quê?

Ian levantou uma sobrancelha.

— Porque não somos uma família tradicional.

— Qual aspecto mais o incomoda? — perguntou Mika. — Você e Ken? Ou as crianças estrangeiras?

— É difícil dizer — admitiu Ian, pensando sobre o assunto. — Jamie também entra no balaio, por causa de suas raízes na Irlanda do Norte.

— Por que Lillian não troca de advogado?

— Ela não vê o problema. Edward orquestra tudo com tanta habilidade e *gentileza*... Tenho certeza de que você já viveu esse tipo de coisa. — Ian estava certo. — Mesmo assim, sua intolerância não tinha nenhuma importância até agora. Edward raramente vem aqui, e as crianças eram bem menores da última vez que veio. Mas agora estamos em maus lençóis porque ele virá em dezembro. Precisa pegar alguns documentos confidenciais no escritório de Lillian.

Mika fez uma careta.

— E vocês têm medo de que, quando ele estiver aqui, possa ver as crianças botarem fogo numa escada de corda.

— Ou algo parecido — disse Ian. — Se fosse um advogado diferente, assumiríamos o risco e torceríamos para que, se algo desse *realmente* errado, ele se comportasse de maneira razoável. Mas Edward nos detesta. Se descobrir que as garotas são bruxas, ele será cruel.

— E não tem como *vocês* pegarem esses documentos? E levarem para o escritório dele?

— Não saberíamos nem o que procurar — admitiu Ian, e resmungou. — Como eu disse, Lillian nos conta o mínimo possível. Edward administra seu testamento, seus investimentos e suas ações. Ela diz que esses documentos estão no seu escritório e que apenas ela e Edward sabem o que são, então receio não termos escolha a não ser acreditar na palavra dela. Isso significa que, gostemos ou não, Edward virá para cá.

— Ela não pode simplesmente voltar para casa e pegar esses documentos ela mesma? — indagou Mika, perplexa com a postura displicente de Lillian. — Assim Edward não precisaria vir aqui.

— Isso resolveria o problema, não é? Infelizmente, Lillian não vê dessa forma. Ela diz que não pode abandonar a escavação num momento tão delicado.

— Também não podemos tirar as meninas daqui — completou Lucie, acertando em cheio a próxima pergunta de Mika. — Já se passaram dois anos desde a última vez que deixaram a Casa de Lugar Nenhum. Dois anos desde que a magia delas se tornou imprevisível demais para corrermos o risco de afastá-las da proteção das sentinelas.

— Mas nem tudo está perdido! — exclamou Ian, alegre, interrompendo abruptamente o clima sombrio. — Porque *você* está aqui!

Mika balançou a cabeça.

— Vocês esperam que eu consiga ensinar as garotas a controlar a magia antes da visita de Edward, mas esse é um pedido *grande*.

— Grande, porém crucial.

— Quando ele vem exatamente?

— Dia 26 de dezembro — informou Lucie. — Demos a ele várias desculpas e insistimos que não poderíamos recebê-lo antes, mas ele se recusou a postergar para além dessa data.

— Com certeza não tem nada melhor para fazer nas férias — resmungou Ian.

A visita dele aconteceria cinco dias depois do Solstício de Inverno.

— Não sei se isso é possível — disse Mika sem rodeios. — Faltam o quê? Seis ou sete semanas? Elas podem até avançar bastante em seis semanas, mas a maioria das coisas importantes levará *anos* para ser dominada. Altamira tem apenas 7 anos. Só depois dos 15 eu me senti confiante de que não perderia o controle.

— Mas, se você estivesse aqui — interveio Ken —, não poderia ajudá-las a se controlar enquanto Edward permanecesse na casa? Ou conter o poder delas se de fato perdessem o controle?

Mika apertou os lábios.

— Nunca estive numa situação como essa. E não conheço ninguém que tenha estado. Não posso fazer promessas. *Talvez* eu consiga manter todo o poder na Casa de Lugar Nenhum sob controle, mas, se não conseguir, o rompante de magia será pior que qualquer coisa que vocês já testemunharam. É um risco para todos nós.

Houve um momento de silêncio. Mika ouviu uma gargalhada de criança vinda do lado de fora.

Seu chá tinha esfriado.

— Preciso pensar — disse ela, levantando-se.

Aquela tarde inteira tinha sido um choque enorme, e ela não conseguia raciocinar direito.

— Quer conhecer as garotas antes de ir? — perguntou Ken gentilmente.

— Não — respondeu Mika sem titubear. — Não seria justo conhecê-las se eu decidir não retornar.

Entretanto, quando voltou até o Vassoura Voadora, Mika não foi embora imediatamente. Com as mãos apertando o volante com muita, muita força, ela se pegou pensando não na ira de Primrose (que seria das brabas) nem em como era perigosíssimo se colocar numa posição em que a exposição era uma possibilidade grande (grande *demais*), mas numa menininha dentro de uma casa segura e acolhedora com uma série de babás seguras e acolhedoras.

Às vezes, quando recordava a própria infância, Mika tinha dificuldade de se lembrar de todas elas. Haviam sido tantas que Mika às vezes se pegava esquecendo nomes, ou tendo dificuldades de evocar um rosto, ou então ligando uma memória à pessoa errada.

Se tinha uma coisa de que ela *se lembrava*, em detalhes perfeitos e cristalinos, era da solidão. De como ansiava por companhia. Por um pai, uma irmã, um amigo. Alguém que estivesse lá por querer e não por ser muito bem pago para isso. Ela se lembrava também de como tinha sido aterrorizante e emocionante fazer 18 anos, seguir seu próprio caminho pelo mundo e fazer coisas normais. Ela tinha ido para a universidade (como muitas outras pessoas), feito sexo pela primeira vez depois de uma noite de farra (como muitas outras pessoas), morado em onze cidades diferentes (como bem menos pessoas), feito amigos (apenas por pouco tempo, como provavelmente pouquíssimas pessoas). Ou seja, havia se mantido bastante ocupada. E, no entanto, de alguma forma, a solidão nunca fora embora.

Talvez porque a parte mais solitária de crescer, a parte de que se lembrava com mais detalhes, era a única coisa que nunca havia mudado. A magia. Quando criança, ela havia descoberto sozinha a existência de sua magia, tido medo dela sozinha e depois se apaixonado por ela sozinha, e aprendido a usá-la e controlá-la sozinha. Mesmo agora, treze anos depois de se tornar adulta, ela continuava a experimentar a alegria e a o deslumbramento da magia sozinha.

A não ser quando postava seus vídeos de bruxaria na internet, é claro. *Aquilo* era o mais perto que chegava de compartilhar com alguém quem ela realmente era.

O que ela não teria dado em troca de ter tido uma infância com mais do que isso?

Antes que Mika soubesse o que fazia, já estava fora do carro e de volta à porta da frente da Casa de Lugar Nenhum. Ian devia estar espionando (sinceramente, ela teria ficado decepcionada com ele se não estivesse), porque a porta se abriu antes que ela batesse.

— Preciso entregar o meu apartamento em até um mês — disse ela. — Se eu ficar *aqui*, vou precisar trazer todas as minhas coisas.

Ele gritou feito uma criancinha na festa de aniversário:

— Mas é claro! Qualquer coisa. Tudo. Pode trazer tudo!

— Tipo as minhas plantas.

— Temos muito espaço.

— E a minha cachorra.

— Nós amamos cachorros.

— E as minhas carpas. Com o laguinho delas.

Ian inclinou a cabeça.

— Um laguinho de verdade?

Mika esperou.

— É claro que você pode trazer suas carpas e o laguinho — declarou Ian. — Você pode trazer uma lagoa inteira se precisar!

— Tudo bem — concordou Mika, perguntando-se no que ela havia se metido. — Então vou voltar na sexta.

— Você é um presente dos deuses, Mika Moon.

— Ainda é cedo para ficar sentimental, Ian Kubo-Hawthorn — retrucou ela. — Ou isso vai ser o milagre pelo qual você esperava, ou vai ser um desastre completo.

CAPÍTULO QUATRO

De todos os lugares em que Mika havia morado desde que deixou a casa de Primrose (e, como ela nunca, jamais ficou num lugar por mais de seis meses, a lista era longa), a única coisa que tinham em comum era o mar. Desde a cabaninha que alugou de um simpático casal de idosos na Cornualha até o chalé caindo aos pedaços que encontrou em Lancashire, ela se deixara levar pelo que conseguia ver pela janela. Se existisse pelo menos uma frestinha de vista para o oceano, ela diria sim.

Resumindo: ela amava o mar.

(Bem, dentro dos limites do razoável. Um píer extremamente frio e chuvoso nos confins do país? Não, isso não a agradava nem um pouco.)

Era para o mar que olhava agora, pela janela de seu apartamento, enquanto esperava a chaleira apitar. A Casa de Lugar Nenhum ficava em Norfolk, e ela estava em Brighton, mas o mar ali estava exatamente igual ao de lá quando o observara no dia anterior: agitado, espumoso e de um azul-prateado perfeito e resplandecente.

Não importava se estava olhando através de um jardim com uma casa na árvore, através das venezianas de uma pequena cabana ou pela janela de um apartamento decrépito: o mar era o mar. Ele espumava, brincava e tinha um péssimo temperamento, mas Mika jamais acordaria um dia e descobriria que ele havia ido embora. Ele conhecia todos os segredos dela. Ele a conhecia. E ele ficava.

A chaleira apitou, mas ela nem percebeu. Em vez disso, refletiu sobre as peculiaridades da Casa de Lugar Nenhum.

Na noite anterior, quando chegou ao apartamento e conferiu o celular, já havia um e-mail de Ian na caixa de entrada. A mensagem incluía um contrato, informando-a de que ela fora contratada por um período de experiência de duas semanas, seguido por pelo menos mais seis semanas de tutoria não especificada, que receberia um salário *bastante* bom e que seu empregador era Ian Kubo-Hawthorn.

Eles teriam contado a Lillian sobre Mika? Será que ela sequer se importaria? Era pouco provável, lavando em conta quão displicente era com a casa, os amigos e as crianças que deixara para trás e que não se dava ao trabalho de voltar de sua escavação por alguns dias e separar alguns documentos.

Ainda havia uma série de perguntas sem resposta pairando sobre a coisa toda, mas nenhuma delas impedira Mika de assinar o contrato e enviá-lo de volta por e-mail. Ela não entendia todas as peculiaridades da Casa de Lugar Nenhum, mas sabia que havia três crianças bruxas destreinadas e inseguras vivendo lá, e não podia deixar que suas dúvidas a impedissem de ajudar da maneira que pudesse.

Alguém bateu na porta da frente, trazendo Mika de volta para o momento presente com a chaleira e a angustiante falta de xícaras de chá limpas.

— Pode entrar! — berrou ela, buscando algo em que pudesse servir o chá.

Ao som de sua voz, houve um latido alegre no corredor do lado de fora do apartamento. Em seguida, a porta da frente se abriu e uma grande e linda golden retriever entrou. Com o rabo balançando a mil, a cachorra foi direto para a pequena área da cozinha e bateu a cabeça carinhosamente contra as pernas de Mika, exigindo atenção imediata. Mika obedeceu, agachando-se para acariciar, beijar e apertar sua amada companheira.

— Também senti sua falta, Circe — admitiu. Então se endireitou, sorrindo para o jovem que entrou no apartamento logo atrás de Circe. — Como ela se comportou?

— Como a melhor cadelinha de toda Brighton, como sempre — respondeu Noah, que morava no apartamento ao lado. — E, como alguém que vê praticamente todas as bolas de pelo desta cidade todo dia, você sabe que não digo isso da boca para fora.

No dia em que Mika havia se mudado, apenas cinco meses atrás, ela esbarrara em Noah no corredor. Ele devia ser o homem mais bonito que Mika já tinha visto, com a pele escura resplandecente e olhos castanhos risonhos, e parecera tão instantaneamente arrebatado por ela que Mika havia passado cinco idílicos minutos perdida em fantasias escandalosas... antes de descobrir que Noah estivera admirando Circe, não ela. Os dois riram daquilo, ela o convidara para um chá, e agora ali estavam eles. Noah, que era enfermeiro veterinário, era sem dúvida o cuidador favorito de Circe.

— Pro chão, Circe — ordenou Mika, voltando à sua busca por uma xícara limpa. Teria que lavar uma? Teria, né? Ela suspirou. — Vai ficar para o chá, Noah?

— Como se eu fosse recusar uma xícara do seu chá — respondeu ele, mas soou meio distraído. Mika ergueu os olhos e viu que ele estava passando os olhos pelo apartamento, com a testa franzida. — Onde estão todas as suas coisas?

Mika odiava essa parte, mas já tinha feito isso tantas vezes que as palavras saíam com facilidade:

— Encaixotadas. Vou me mudar.

Noah só conseguiu piscar.

—Você o quê? Quando?

— Sexta.

— Sexta *agora*? Por quê?

— Preciso estar em outro lugar, então não vi motivo para adiar — explicou Mika. — O apartamento já estava mobiliado, assim como o seu, então não demorei muito para empacotar as coisas.

— Você precisa estar em outro lugar? Onde?

Ela chegou o mais perto da verdade que ousou:

— Consegui um emprego, mas não é em Brighton.

Noah sabia que ela vinha procurando trabalho desde que seu emprego de garçonete numa cafeteria se encerrara em setembro. Eles haviam tomado várias xícaras de chá juntos, trocando histórias sobre pedidos de emprego rejeitados e contas de poupança minguando depressa. Mika inclusive o alertara de que provavelmente não teria condições de renovar o aluguel no mês seguinte. (Era verdade, mas ela decidira não mencionar o fato de que nunca tivera intenção de ficar, para começo de conversa.)

Coitado do Noah. Ele a encarava de um jeito tão aturdido... E era compreensível. No mundo dele, as pessoas não se mudavam praticamente sem avisar. Elas tinham patrões aos quais deviam pelo menos um mês de aviso-prévio, familiares aparecendo a fim de ajudá-las a encaixotar a mudança e dezenas de amigos para lhes dar festas de despedida emocionadas. Elas não reuniam seus pertences numa única manhã, diziam "Tô indo" e simplesmente *partiam*.

Noah se jogou numa das cadeiras ao lado da monstruosidade lascada e bamba que se passava por mesa e coçou Circe atrás das orelhas, com um semblante bastante triste.

— Vou sentir falta da melhor de todas as cadelinhas — revelou ele. — E de você, é lógico — acrescentou, como se tivesse se lembrado de repente.

Sem se ofender, porque Circe realmente era a melhor de todas as cadelinhas e merecia mesmo a maior parte da tristeza de Noah, Mika pôs duas xícaras recém-lavadas sobre a mesa e pegou seus potes de folhas de chá.

— O que teremos hoje?

Noah se animou. Ele estudou as etiquetas dos potes, como se fosse uma questão da mais alta importância.

— Sorte — respondeu depois de um momento, assentindo decidido. — Se vou ter que encarar um novo vizinho, que pode ou não ter uma fantasia de palhaço como o cara que morou aqui antes de você, vou precisar de toda a sorte possível.

— Boa escolha — disse Mika, sentindo que também precisava de um pouco de sorte.

Ela desatarraxou a tampa do pote com a etiqueta SORTE, despejou um punhado de folhinhas secas de chá num bule e colocou o pote de volta em seu lugar entre *Sono* e *Quando seu útero dá o showzinho de sempre*.

Mika derramou a água fumegante da chaleira sobre as folhas. Quando fechou a tampa de cerâmica do bule com um tilintar, ela se perguntou, como havia feito centenas de vezes antes, o que Noah diria se revelasse por que ele gostava tanto de seu chá. *Tem mais do que apenas chá nessas folhas*, imaginou-se dizendo. *Quando bebe, você leva um pouco de magia com você por um tempo.* Noah, como todos os vizinhos e quase amigos que Mika havia tido antes dele, não acreditava que o pote com a etiqueta SORTE lhe traria sorte de verdade. E, se acontecesse de ser especialmente afortunado depois de bebê-lo (o que aconteceria), ele iria encarar como uma mera coincidência.

Mika nunca tinha contado a verdade a ele nem a qualquer outra pessoa. Noah não sabia que ela era uma bruxa. Não sabia que ela dormia no sofá porque havia uma estufa e um *laguinho* no seu quarto, que ocupava tanto espaço que ela precisara se livrar da cama que mobiliava o apartamento. Ele não sabia que Mika mudava de endereço a cada poucos meses, nunca voltava ao mesmo lugar e jamais havia encontrado um lugar onde de fato se sentisse em casa.

Ela não guardava esses segredos apenas por causa das Regras de Primrose, para falar a verdade. Depois de uma vida inteira se esforçando para ser aceita pelas pessoas ao seu redor, depois de anos aperfeiçoando uma máscara simpática e normal para esconder quem realmente era, Mika não conseguia mais tirá-la.

Fingir ser uma bruxa na internet? Moleza. Dizer a alguém que ela era uma bruxa de verdade na vida real? Impensável.

Noah bateu sua xícara contra a dela.

— Ao seu novo emprego — brindou ele. — O que você vai fazer?

— Vou ser tutora de crianças.

— Tipo dar aulas? — Ele pareceu cético. — Não sabia que você tinha experiência como professora.

— Não tenho — admitiu Mika.

— Você não está me parecendo muito confiante.

— Estou um pouco nervosa — confessou —, mas vai dar tudo certo. Eu sei lidar com as *minhas* dúvidas. As crianças é que podem ser mais complicadinhas.

~

Acontece que "dúvida" não era uma palavra adequada para o que Terracotta Nowhere estava sentindo. E, como Jamie descobriu naquela noite, ela estava mais do que feliz em expressar isso.

— Só por cima do meu cadáver — anunciou.

Jamie ergueu as sobrancelhas para a aparição acima dele, inabalável.

— E como você planeja executar esse terrível desfecho?

— Tudo bem — continuou ela, cruzando os braços sobre o peito e empinando o nariz. — Que seja sobre o cadáver *dela*, então. Eu prefiro mesmo essa opção. Posso matá-la enquanto dorme na primeira noite dela aqui.

— Já falamos sobre isso — afirmou Jamie calmamente. — Assassinato não pode ser sua primeira escolha toda vez que não gostar de algo.

— *Você* já falou sobre isso — replicou Terracotta. — *Eu* ainda acho que é uma ótima primeira escolha.

Jamie deixou a cabeça pender para trás contra a poltrona e colocou um braço sobre os olhos. Adiantaria dizer a ela que era uma hora da manhã, ele tinha dormido por menos de uma hora e não estava *nem um pouco* a fim de discutir se deveria ou não se livrar, de forma violenta, da nova tutora? Não, provavelmente não. Assim como provavelmente seria inútil lembrar a Terracotta que ninguém gostava de ser acordado no meio da noite por uma criança homicida vestindo uma camisola branca fantasmagórica.

— Jamie — insistiu Terracotta, e se empoleirou no braço da cadeira dele, empurrando-lhe o cotovelo sem cerimônia.

Resignado, Jamie abriu os olhos. Ele havia adormecido lendo na biblioteca, como fazia com frequência, e apagado todas as luzes, exceto a da arandela acima dele. Era uma luz suave e dourada, mas iluminava com perfeição a expressão obstinada no rosto de Terracotta. Mesmo apoiada precariamente como estava, suas costas estavam eretas e seus braços ainda estavam cruzados bem apertados sobre o peito. Ela tinha um olhar direto e inabalável, que costumava empregar com maestria para conseguir o que queria, mas Jamie havia aprendido a não cair em seus truques fazia muito tempo.

— Desista, pirralha — declarou ele, puxando um de seus dedinhos descalços. — Ela vai vir, goste você ou não.

Terracotta franziu o cenho, na óbvia intenção de parecer intimidadora, mas o efeito infelizmente foi tornar o seu rosto ainda mais fofo. Algo que Jamie nunca diria a ela, é claro.

— Por quê? Nós não precisamos dela! *Você* também não a quer aqui.

Ele não negou.

— Qual é o problema?

— Não confio nela — respondeu Terracotta.

Jamie se retraiu. A garota soava exatamente como ele. Teria sido *ele* que a havia ensinado a desconfiar de tudo e de todos? Uma criança de 8 anos?

— Você não a conhece, Terracotta — observou. — Nem eu.

— Mas você esteve com ela, não foi? No dia em que ela veio aqui. Como ela é?

Jamie pensou com certa melancolia em Altamira, que perguntava coisas como "Por que o céu é azul?", e em Rosetta, que fazia questionamentos do tipo "Mas por que nem o Romeu nem a Julieta checaram a pulsação um do outro?", e se perguntou por que Terracotta nunca lhe fazia perguntas fáceis.

Mika não era como ele esperava que fosse. Jamie esperava a fada cintilante e sobrenatural do vídeo, mas a mulher que entrou na cozinha era totalmente comum. Era inconfundível tinha o mesmo cabelo escuro bagunçado, o sorriso luminoso e olhos castanhos de cílios longos de que ele se lembrava, mas não havia o viço, o brilho, nem qualquer fala suave e reconfortante sobre o luar. Estava vestindo uma calça jeans muito comum e um suéter amarelo muito comum com um punho descosturado cujos fios ela ficava puxando. Aliás, tudo tinha sido tão comum que Jamie levou bastante tempo para registrar o fato de que tinha sido *brutalmente* comum. Tão incondicionalmente comum que não podia ser verdade.

Então Ian desembuchou e contou a história toda, e Altamira colocou fogo na escada da casa na árvore, e a ilusão se desfez. Apanhada de surpresa, Mika inadvertidamente dera a eles um vislumbre de uma versão mais corajosa, mais poderosa e menos segura de si mesma. Ele ainda não a *queria* em suas vidas, não importava o que Ian dissesse, mas aquele tinha sido o momento em que admitira (em silêncio e apenas para si mesmo) que talvez, apenas talvez, eles *precisassem* dela.

— É complicado — disse ele em voz alta.

Terracotta enrugou o nariz.

— Os adultos nunca falam assim das coisas *boas*.

Bem, errada ela não estava.

— O que eu sei é o seguinte: — começou Jamie — ela está vindo aqui para ajudar você, Rosetta e Altamira, e está arriscando tanto quanto nós ao entrar em nossas vidas. E vai ganhar muito menos em troca. Portanto, não precisamos confiar nela, mas acho que devemos a ela o benefício da dúvida.

— Não prometo nada — foi a resposta fatídica.

CAPÍTULO CINCO

Na manhã de sexta-feira, Mika novamente passou batida pelos portões protegidos da Casa de Lugar Nenhum. Enquanto dava a ré, ficou pensando se aquilo iria acontecer *todas* as vezes.

Ela guiou o Vassoura Voadora pela entrada de carros. Desta vez, passou pelo chalé de Ian e Ken, pelo celeiro e parou no final do pequeno caminho de pedras em frente à casa principal. Circe, que havia passado a maior parte da viagem dormindo tranquila no banco de trás, enfiou a cabeça entre os dois bancos da frente, lambeu a orelha de Mika e começou a dar uma olhada na hera e na fachada da Casa de Lugar Nenhum.

— O que você acha? — indagou Mika numa voz suave. — Parece um bom lugar para morar por alguns meses?

E, depois desse, ela faria o de sempre: iria para outro lugar, então para outro e depois para outro mais uma vez.

Mika mal teve a chance de desligar o carro antes que a porta da frente se abrisse e Ian se lançasse no caminho de pedras, com Lucie, Ken e duas meninas pequenas logo atrás de si. Os olhos de Mika foram direto até as crianças: Rosetta e Altamira, a mais velha e a mais nova das três meninas. Elas permaneceram um pouco atrás dos adultos, como se estivessem tímidas ou inseguras, mas seus rostos brilhavam de interesse, e Altamira não parava de se balançar na ponta dos pés descalços.

Mika mais uma vez ficou impressionada com a energia amistosa e acolhedora da magia ao redor delas e com a maneira como a atraía.

Ela conseguia ouvir o chamado e ver o pó dourado nos cabelos delas, pousando na ponta dos narizes e enrolando-se nos tornozelos.

Mas onde estava a outra menina? Não havia sinal de Terracotta, nem do irritadiço e carrancudo Jamie.

— Você chegou cedo, minha querida! — saudou Ian alegremente, sorrindo para ela pela janela aberta do carro. — Pensamos que só viesse à tarde. Quando saiu de Brighton?

— Faz uma hora — informou Mika.

Lucie e Ken se entreolharam, confusos. Ian franziu a testa como se estivesse tentando obrigar a matemática a fazer sentido.

— Como é?

— O Vassoura Voadora pode me levar bem rápido — explicou Mika. — É um pouco arriscado, então não faço com muita frequência, mas não queria que Circe e os peixes ficassem quatro horas presos num carro.

— Onde... — falou Ian, olhando em volta — está esta vassoura voadora?

— Eu chamo o carro de Vassoura Voadora.

— Extraordinário — disse Ken atrás de Ian, dando um tapinha no capô do carro amarelo.

— Eu *sou* uma bruxa — lembrou-os Mika, divertindo-se com o espanto deles. Lillian nunca havia lhes mostrado as coisas que as bruxas podiam fazer? — Não é por isso que estou aqui?

Lucie reclamou com Ian:

— Deixe a coitada da menina sair do carro. Você está atrapalhando!

Ian sorriu para ela enquanto se afastava de sua porta.

— Preparada?

Não, Mika *não* estava preparada. Ela quase desejou que Ian permanecesse atravancando sua porta e a fizesse falar até o ano seguinte.

Ao sair do carro, suas palmas começaram a suar e ela foi dominada pela certeza de que isso era, francamente, uma loucura. O que estava pensando? Essas meninas eram *crianças*, ao passo que ela mal chegava a ser uma adulta funcional. Iria mesmo ser uma das primeiras bruxas adultas a entrar na atmosfera delas?

Por Deus, e se ela se tornasse a Primrose delas?

O pensamento foi tão apavorante que Mika quase voltou para o Vassoura Voadora e fugiu, mas era tarde demais para isso.

Então, com um *timing* impecável, Circe passou por Mika e foi saltitando direto para as duas garotas. Os rostos delas se iluminaram.

— Ela é muito mansinha — assegurou Mika. — E adora uma bagunça. Podem brincar com ela sempre que quiserem.

Altamira deu um gritinho e jogou os braços ao redor de Circe imediatamente, e Rosetta se ajoelhou para fazer carinho nas costas dela com um grande sorriso de surpresa no rosto sério. Circe soltou um latido contido, deleitando-se com a atenção, e o gelo foi quebrado de vez.

Francamente, as pessoas não mereciam os cachorros.

— O nome dela é Circe — disse Mika, e lembrou-se, um tanto tarde, de acrescentar —, e eu sou a Mika.

Rosetta desgrudou de Circe e se apresentou educadamente.

— E esta é Altamira — continuou ela. — Terracotta não está... hum... se sentindo muito bem.

— Que pena — declarou Mika, perguntando-se se Jamie também tinha sido vitimado por essa doença misteriosa. — Espero que ela melhore logo.

Satisfeita por Mika tê-las levado para um lugar com excelentes novas amigas, Circe trotou de volta para o seu lado, balançando o rabo. Tanto Rosetta quanto Altamira interpretaram isso como um sinal de que era seguro se aproximar.

Mika lançou um olhar inseguro para Ian, Lucie e Ken, que não esboçaram qualquer intenção de intervir. Presumiu que eles optaram por deixá-la decidir como gostaria de gerenciar seu relacionamento com as meninas, o que era muito legal e tal, com uma única exceção: ela não tinha a menor ideia sobre como *lidar* com crianças.

Certo. Talvez fosse melhor tratá-las como se simplesmente fossem adultos muito pequenos.

— Vocês acham que conseguiriam me ajudar a levar minhas coisas lá pra dentro? — perguntou às meninas. — É que acabei trazendo *muita* coisa.

As garotas acataram o pedido com entusiasmo, ou porque simplesmente eram muito gentis, ou porque estavam morrendo de curiosidade sobre os pertences de Mika. Qualquer uma das duas opções serviria muito bem.

— Eu vou tirar as coisas do carro — continuou ela —, e aí vocês me mostram onde elas vão ficar.

Ian, que estava espiando pelo para-brisa traseiro do carro, comentou:

— Não parece que tem muita coisa aqui, querida. Onde está o laguinho que nos foi prometido, por exemplo?

Mika bufou, o que fez Rosetta e Altamira darem risadinhas.

— Eu sou uma bruxa! Quanto tempo acha que o meu segredo permaneceria um segredo se qualquer um pudesse espiar dentro do carro e ver todos os meus pertences mágicos?

Foi então que Mika tratou de enfiar a mão no veículo e retirar, nesta ordem: duas malas brancas de rodinhas, já bem velhas; um baú desgastado com as palavras COISAS FAVORITAS DA CIRCE gravadas na tira de couro que o fechava; um conjunto de galhos resistentes; um caldeirão feito de ouro maciço; sua coleção de potes de chá; uma caixa com xícaras, bules, geleias caseiras, ervas secas e outros utensílios de cozinha; um caldeirão menor; treze caixotes de madeira cheios até a boca com livros e poções; um livro de feitiços com a costura da lombada quase rasgando; uma cesta de piquenique repleta de colheres de prata, conta-gotas de vidro e pequenos copos medidores; uma estufa dobrável que se *desdobrou* ali mesmo no meio da entrada de carros e se transformou numa estufa de verdade, em tamanho real, lotada de vasos, plantas e ervas; uma meia perdida; e, finalmente, um laguinho.

Mais precisamente um laguinho com pedras e musgo que tinha uns bons dois metros de largura no lado mais estreito, parecia estar *flutuando* e de algum jeito havia chegado intacto, com água, ninfeias e quatro carpas nadando dentro dele.

Satisfeita com o trabalho bem-feito, Mika espanou a poeira do vestido e fechou a porta do motorista do carro amarelo.

— Eu... — Isso foi o máximo que Lucie conseguiu elaborar. — Bem, eu...

Com olhos bem arregalados, a pequena Altamira, de 7 anos, disse com toda a seriedade:

— Isso foi Mary Poppins pra cacete.

Rosetta quase engasgou. Lucie e Ken se viraram ao mesmo tempo para Ian, que parecia mais do que levemente culpado.

E Mika, bem, Mika quase morreu de rir.

— Obrigada, Altamira — disse ela, enxugando as lágrimas dos cantos dos olhos. — Foi *mesmo* bastante impressionante, modéstia à parte. Agora, acha que poderia me mostrar onde eu vou ficar?

Pegando uma das malas de rodinhas pelo puxador, Altamira se virou e foi andando contente até a porta da frente, ainda aberta. Mika a seguiu, com dois caixotes de livros um sobre o outro nos braços, Circe em seus calcanhares e Rosetta logo atrás com a outra mala.

Lá dentro, ela tirou os sapatos ao lado da porta e deixou que as meninas a conduzissem até a escada, passando pela grande e colorida sala de estar, duas portas fechadas e a porta aberta da cozinha. A casa era iluminada, arejada e só um pouco desarrumada, exatamente como se lembrava de ter visto alguns dias antes, e, apesar do tamanho enorme, ela ficou impressionada ao sentir como parecia acolhedora. *Aconchegante*. Mika mudava de casa com tanta frequência que nunca havia morado num lugar que realmente parecesse habitado. Ela havia morado na casa de Primrose por dezoito anos, é verdade, mas isso não contava, porque a sensação sempre fora a de ser a casa de Primrose e, de qualquer forma, ninguém jamais a qualificaria como *aconchegante*.

Mas a Casa de Lugar Nenhum, apesar de seu nome evocar um lugar solitário e sem raízes, era tudo menos isso. Ela tinha, de fato, *muita* vida.

Dando uma olhada mais atenta do que em sua visita anterior, Mika notou que havia nas paredes dezenas de fotos emolduradas

das meninas em várias idades, desde que eram bebês até o momento presente: das três com um ou mais dos adultos e até mesmo algumas fotos fofas, caóticas e não posadas delas com os quatro adultos todos juntos.

Lillian, por outro lado, quase não estava presente. Nas poucas fotos em que aparecia (ou pelo menos Mika presumiu que fosse ela), ela estava à margem, em movimento e desfocada, como se não quisesse ser incluída e tivesse tentado sair da cena no último minuto. Mika, que não tivera sorte em encontrar uma foto decente de Lillian quando pesquisara seu nome no Google na noite anterior, ficou com a impressão de que era uma mulher de meia-idade, com pele branca, cabelos claros e um corpo esguio, mas isso era tudo.

— Lillian não gosta que tirem fotos dela — explicou Rosetta, interpretando corretamente a confusão de Mika enquanto ambas examinavam as paredes. — Diz que é por causa do que ela é.

Mika assentiu; conhecia pelo menos duas bruxas da Sociedade que se recusavam categoricamente a serem fotografadas. Ela não entendia bem, porque não era como se as bruxas fossem criaturas imortais e eternamente jovens temendo que alguém pudesse desenterrar uma foto antiga delas de duzentos anos atrás e expor tudo, mas não cabia a ela questionar como outras bruxas conservavam seus segredos.

No topo da escada, um grande patamar se ramificava em vários cômodos. Havia uma única janela saliente na parede oposta à escada, que deixava mais luz entrar, e Mika olhou para fora a fim de se orientar. Ela segurou uma risada quando viu Ian lá embaixo agitando os braços lentamente sobre o flutuante laguinho de carpas como se estivesse determinado a encontrar as linhas invisíveis que o seguravam.

— Este é o meu quarto — anunciou Altamira com orgulho, apontando um dedo pela porta aberta de um dos quartos que davam para o patamar.

Mika teve um vislumbre de uma barraca de brinquedo com estampa de arco-íris, um videogame portátil e um número absurdo de bichos de pelúcia antes de ser arrastada para a porta do quarto ao lado, um cômodo muito mais suave e calmo com pilhas de livros por toda parte.

— Este é o quarto da Rosetta — continuou a menina. — E este aqui é o da Terracotta.

Mika notou que o quarto ousado e colorido de Terracotta tinha personagens de Pokémon de pelúcia, um ferrorama cheio de detalhes e absolutamente nenhuma Terracotta. Ela também notou o olhar envergonhado no rosto de Rosetta.

— Ela não está doente de verdade, né? — perguntou Mika.

Com as bochechas muito vermelhas, Rosetta balançou a cabeça.

— Não quis vir conhecer você — admitiu. — Ela falou que eu poderia te dizer isso, mas eu não queria.

— Você estava com medo de que isso pudesse me chatear — afirmou Mika. — Foi muito gentil da sua parte, Rosetta. Juro que não estou chateada. A Terracotta pode vir me conhecer quando estiver pronta.

— Aham — interrompeu Altamira impaciente, a mão livre coçando a cabeça dourada de Circe. — Ainda não te mostrei os outros quartos!

— Au-au! — concordou Circe.

— Me desculpe — disse Mika. — Vá na frente.

— Bom, aquele é o quarto da Lucie, e o outro é o do Jamie — continuou Altamira, cheia de pompa. As portas de ambos os quartos estavam apenas ligeiramente entreabertas, de modo que Mika não conseguia ver o que havia dentro. — Esta é a porta do banheiro de cima. Tem outro lá embaixo. E aqui — acrescentou ela, agitando-se de novo na ponta dos pés — é onde você vai ficar!

O motivo da empolgação de Altamira era uma porta branca no fim do corredor. Ela a abriu para mostrar um pequeno lance de escada, que presumivelmente levava a um loft ou sótão.

— Eu vou ficar no sótão? — perguntou Mika, empolgada. — Nunca morei num sótão antes! Que *romântico*! Uma bruxa num sótão!

— Não me parece romântico — disse Altamira, incerta.

Mas havia um pequeno sorriso no rosto sério de Rosetta.

— Fiquei com medo de você achar que a gente queria transformar você na louca do sótão — confessou a Mika.

— Nem me passou pela cabeça — retrucou Mika, sorrindo. — Mas aprecio muito uma criança com espírito literário, Rosetta!

Com um latido entusiasmado, Circe decidiu que seria a primeira a examinar o novo quarto e desapareceu escada acima. Mika deixou as meninas irem em seguida, arrastando as malas, e ela seguiu com os caixotes.

O sótão era espaçoso, *enorme* em comparação com os lugares em que estava acostumada a morar. Parecia se estender por metade da casa, com o teto começando alto no pico do telhado e descendo até a parede oposta. Estava impecavelmente limpo e tinha vigas de madeira envernizada, assoalho de madeira e paredes pintadas de um amarelo quente e ensolarado. Um tapete claro e felpudo cobria parte do chão. O que quer que tivesse sido armazenado ali antes obviamente fora retirado, porque não havia uma única caixa, teia de aranha ou esteira ergométrica empoeirada ao alcance da vista. Em vez disso, havia uma escrivaninha, uma cadeira de balanço, uma cômoda, uma mesinha de cabeceira e uma cama de casal cuidadosamente arrumada com lençóis branquíssimos, quatro travesseiros e um edredom estampado com um jardim de grandes margaridas brancas sobre um fundo amarelo.

Era simples, com todos os itens essenciais, deixando muito espaço para os seus pertences e a possibilidade de decorar como bem entendesse. Os aromas fracos de tinta, móveis novos e produto de limpeza cítrico permaneciam no ar, o que significava que o quarto devia ter sido ajeitado no dia anterior, e Mika ficou comovida com a dedicação deles.

Mas a verdadeira beleza do sótão estava na varanda. Ficava depois das portas duplas de vidro na parede dos fundos do cômodo e haviam sido deixadas abertas para o frio e a maresia entrarem. Assim que a viu, Mika correu para ver melhor. A varanda era pequena, com uma minúscula colmeia crescendo nas empenas acima e uma grade simples de ferro branco ao redor das tábuas do assoalho. A vista era incrível. Se ela olhasse para a esquerda ou para a direita, conseguia enxergar por cima das árvores e ao longo da costa, onde uma ou outra casa e barco quebravam uma paisagem de dunas amareladas cheias de urzes. À frente, ela podia ver o jardim dos fundos, com os gloriosos girassóis e a casa na árvore das meninas, e então, depois da cerca-viva, as dunas selvagens, os arbustos de cardo-marítimo de um azul vívido, a trilha que descia até a praia deserta de areia branca e o mar em si.

— É perfeito — suspirou, voltando-se para as garotas que a esperavam e detendo-se no meio do caminho.

Altamira pairava a cerca de trinta centímetros do chão. O pó dourado de magia ao seu redor estava mais brilhante que antes. Ela obviamente havia se sentado em algum momento nos últimos minutos, porque agora flutuava com as pernas cruzadas, o queixo apoiado na mão enquanto esperava impaciente que Mika terminasse de examinar o cômodo. Não parecia ter notado que havia se elevado do chão. Rosetta, que também observava Mika, tampouco tinha percebido.

Ok, aquilo não era nada bom. Mika tinha 5 anos na primeira vez que saíra flutuando sem querer. No dia seguinte, tinha ganhado uma nova babá e uma rara visita não programada de Primrose.

Aquilo não havia se repetido muitas vezes. Ela aprendera a controlar rapidamente *aquela* pai te específica de travessura mágica.

Mas, bem, ela vivia sozinha. Precisava lidar com muito menos magia ao seu redor. Altamira, com apenas 7 anos, numa casa com outras duas crianças bruxas e mais magia do que Mika já vira num só lugar, não tinha a mínima chance.

Mas era por isso que *ela* estava ali, não era?

— Você consegue voltar para o chão, Altamira? — perguntou Mika.

Rosetta se virou, surpresa. Altamira piscou, olhou em volta e caiu na gargalhada.

— Estou flutuando! Olhe, Rosetta!

— Infelizmente, vou ter que ser muito chata e adulta por um momento — disse Mika, desculpando-se. — Sei que você está se divertindo, mas a levitação não é segura se você não souber como controlá-la.

Altamira a encarou, confusa.

— É porque eu posso cair? Mas estou só um pouquinho acima do chão. Não vou me machucar.

— É mais sobre conseguir descer ou não. Você consegue?

Altamira descruzou as pernas e as balançou. Nada. Ela fechou os olhos e franziu o rosto, se concentrando. Nada.

— Você já lançou um feitiço antes? — perguntou Mika. — Digo, de propósito?

— Acho que sim — respondeu Altamira. — Já aconteceu algumas vezes, não foi, Rosetta? Teve uma vez que eu queria muito uma ameixa da árvore, mas estava alta demais para eu alcançar, então apenas me concentrei nela por um minuto, mexi os dedos e *pedi* que ela caísse na minha mão. E ela caiu!

Mika sorriu.

— Isso é bom! Significa que você já sabe que a primeira coisa que todo bom feitiço precisa é de intenção. Você quer algo, então descobre uma maneira de fazer acontecer. No seu caso, você queria a ameixa, mas só olhar para a fruta e pensar "*Eu quero*" não seria suficiente. Um feitiço precisa tanto do *como* quanto do *quê*. Você teve que descobrir *como* conseguir a ameixa. E foi o que fez. Você pediu que ela caísse na sua mão.

Mika tinha certeza de que estava explicando muito mal, até porque seu próprio entendimento sobre bruxaria era nebuloso, mas sabia que precisava tentar, ou não faria nenhum sentido estar ali.

Ela continuou:

— Às vezes, para feitiços simples, isso é tudo de que você precisa. Do *como* e do *quê*. E toda a energia mágica que está dentro de você e ao seu redor fará o que você pediu.

— Então está dizendo que, quando lançamos um feitiço, basicamente estamos falando com a magia? — perguntou Rosetta.

— Mais ou menos — respondeu Mika. — A parte complicada é fazer a magia nos ouvir.

Altamira agora estava de cabeça para baixo, com a trança pendendo cerca de dois centímetros acima do chão. Parecia estar se divertindo muito.

— Então por que eu não consigo descer?

— Já tentou pedir de novo, como fez com a ameixa? Em vez de pensar "*Eu quero descer*", experimente algo como: "*Eu gostaria de voltar suavemente ao chão, por favor.*"

Mais uma vez, Altamira fechou os olhos, contraiu o rosto e tentou executar o feitiço. Mika vinha usando a magia havia tanto tempo que lançar feitiços simples já era natural para ela, mas nem sempre tinha sido. Aprender a usar a magia era algo desajeitado e imprevisível, sem encantamentos fáceis ou truques. Os feitiços registrados no livro de feitiços de uma bruxa estavam mais para trechos de conversas que a bruxa tinha descoberto por si mesma ou aprendido com outra bruxa. Os feitiços não eram comandos organizados e nítidos para agitar sua varinha e dizer "Abracadabra!", eram mais como dicas amigáveis, do tipo: *Se você quer que a aranha desapareça de um canto do seu quarto, certifique-se de pedir à magia que a coloque em algum lugar específico ou então poderá descobrir que ela foi depositada debaixo do seu travesseiro.*

Mika tinha aprendido *essa lição* da maneira mais difícil.

— Não consigo — assegurou Altamira por fim, sem aparentar qualquer incômodo com isso.

Ainda estava de cabeça para baixo.

— Tudo bem — disse Mika.

Ela estreitou os olhos para os lampejos de ouro ao redor de Altamira. A criança foi devolvida ao chão imediatamente.

— O problema da magia — explicou Mika enquanto Altamira se levantava — é que ela gosta bastante da gente. Há um pouco dentro de todas as bruxas, que é o que nos torna diferentes das outras pessoas, mas a maior parte da magia que usamos existe como energia fora de nós. Você consegue até enxergá-la se prestar atenção. Ela se parece com ouro em pó. E é atraída para nós porque somos capazes de usá-la. Ela *quer* ser usada. Mas também é travessa, como um cachorrinho brincalhão — acrescentou. — E, se a gente se esquece de ser muito firme e mandona com a magia, ela tende a fluir sem controle.

Altamira achou hilária a comparação com o cachorrinho, mas o rosto de Rosetta se iluminou com o interesse de alguém ávido por saber mais.

— É por isso que estamos sempre perdendo o controle e lançando feitiços sem querer? — perguntou ela. — Porque não estamos mandando o suficiente na magia?

— É mais porque tem muita magia aqui que fica muito mais difícil para bruxas da idade de vocês a controlarem — explicou Mika. — Desde que cheguei, eu a tenho mantido na linha. Estou tão acostumada a fazer isso para mim mesma que no começo nem percebi que tinha começado a fazer aqui também, mas sou capaz de senti-la se prestar atenção. É como se eu mantivesse uma mão na coleira do cachorrinho o tempo todo.

— Mas ainda assim ela pode escapar — disse Rosetta, gesticulando para Altamira. — Então você tem que pegar a coleira antes que ela vá longe demais.

— Exatamente.

Altamira havia se agachado no tapete para acariciar Circe, como se tivesse perdido o interesse nas explicações e metáforas duvidosas, então Mika decidiu interromper a lição inesperada. Ela notou que Circe não perdera tempo em se sentir em casa; estava estendida no tapete e parecia prestes a cochilar.

— Eu descobri muitas dessas coisas sozinha — contou às meninas, — mas felizmente vocês não vão precisar passar por isso. Podem me perguntar o que quiserem, a qualquer momento.

— Você não chegou a dizer por que não era seguro eu flutuar — observou Altamira, surpreendendo-a. Então ela *estava* prestando atenção. Seus olhos brilhantes se ergueram a fim de encontrar os de Mika. — É divertido.

— Eu sei — falou Mika —, e você provavelmente teria ficado bem porque estamos dentro de casa. Mas, se estivéssemos do lado de fora e você começasse a levitar e não conseguisse descer para o chão, poderia ter flutuado alto demais, indo além das sentinelas, e alguém poderia ter te visto. Ou, pior, o vento poderia ter te empurrado sabe Deus para onde.

— Mas que merda — xingou Altamira.

Mika mordeu o lábio para reprimir um sorriso. Por que palavras impróprias eram sempre tão engraçadas quando saíam da boca de uma criança? Foi bem difícil fazer uma cara de reprovação. Rosetta suspirou.

— Você *tem* que parar de falar essas coisas — disse ela à irmã.

— Vou parar quando Ian e Jamie pararem — retrucou Altamira alegremente, o que pareceu justo para Mika. A menina ficou de pé num pulo. Como Ian, ela parecia ter a energia inesgotável de uma bola de quicar. — Vamos trazer o resto das suas coisas!

— Tem certeza de que não se importa de ficar no sótão? — indagou Rosetta a Mika, meio angustiada. — Jamie e Lucie queriam que você usasse um dos quartos deles, mas eu disse que talvez você fosse preferir ficar aqui. — Seus olhos baixaram timidamente para o chão e ela acrescentou, hesitante: — Por causa da varanda. E da vista.

Mika a olhou surpresa.

— Eu *realmente* prefiro ficar aqui em cima. Como você sabia?

— Nenhuma de nós gosta de ficar entocada — respondeu Rosetta. — Quer dizer, eu adoro ficar coberta e encolhidinha na cama lendo um livro, mas sempre com a janela aberta. Mesmo no inverno. E Altamira gosta tanto de estar ao ar livre que nem calça *sapatos*, a não ser que alguém a obrigue.

— Eu gosto de sentir a terra entre os dedos dos pés — explicou Altamira, já na metade da escada.

— Ian diz que deve ser coisa de bruxa — completou Rosetta.

Ele talvez esteja certo. Era na natureza que a magia se fortalecia, afinal. Ao pensar nas outras integrantes da Sociedade Supersecreta de Bruxas, Mika identificava o mesmo padrão entre elas. Sabia que Belinda se recusava a viver em grandes cidades industriais, por exemplo, ao passo que Primrose dava ao seu roseiral mais atenção e carinho do que Mika jamais a vira dar a alguém. Como Rosetta, Mika adorava se aconchegar em sua cama quentinha e também sempre deixava uma janela aberta. Mesmo no inverno.

Naquele momento, porém, enquanto seguia as meninas escada abaixo, o que Mika achou mais interessante não foi o gosto de Altamira pela sensação da terra entre os dedos dos pés. Foi o que Rosetta havia comentado:

Ian diz que deve ser coisa de bruxa.

Ian parecia saber muito mais sobre bruxas do que deveria.

CAPÍTULO SEIS

No caminho até o carro, as meninas aproveitaram para mostrar a Mika o restante da casa. As duas portas fechadas no térreo, entre a porta da frente e a cozinha nos fundos, levavam à suíte de Lillian e ao seu escritório. O quarto era simples e desinteressante, impessoal como um quarto de hotel, e estava evidente que era no escritório que Lillian passava o tempo.

Alguém tinha obviamente feito um esforço para tirar a poeira do cômodo, mas havia se deparado com o obstáculo intransponível dos papéis espalhados e desarrumados, livros de referência e fósseis de Lillian. As meninas comentaram com Mika que podiam ficar na porta e espiar o interior, mas não eram autorizadas a tocar em nada no escritório porque "existem muitas coisas importantes lá dentro, Lillian gosta que fique tudo como está e ela pode voltar a qualquer momento".

Mika resistiu à tentação de apontar que, se Lillian fosse um *pouco* menos controladora, seu advogado não precisaria ir até ali e colocar em risco o segredo de três crianças bruxas.

— Vamos — disse ela, animada. — Precisamos checar se Ian não caiu no laguinho.

Altamira já havia corrido para fora na frente delas. Ian no fim das contas *não* havia caído no laguinho, mas parecia ter feito amizade com as carpas.

— Vocês demoraram — comentou Lucie, sorrindo para as meninas. — Tudo certo?

— Comecei a flutuar — informou Altamira —, então Mika teve que me resgatar.

— Bem, eu não iria tão longe a ponto de dizer que te *resgatei*...

Ian deu um tapinha no ombro de Mika, parecendo extremamente satisfeito consigo mesmo.

— Melhor ideia que já tive — afirmou ele, orgulhoso.

— Obrigado — disse Ken para Mika, com os olhos brilhando. — Ele vai ficar insuportável agora.

— Por que não nos conta sobre outros feitiços que você conhece? — perguntou Ian, entusiasmado. As expressões de Ken e Lucie se tornaram aflitas, como se estivessem com receio de que Ian fosse muito intrometido, mas Mika não se importou. — Qual é, digamos, o seu feitiço mais *espetacular*? Você consegue respirar debaixo da água? É capaz de se transformar num peixe, ou num pássaro, ou em outra pessoa? Você pode…

— Onde o laguinho vai ficar? — interrompeu Altamira, com os olhos tão perto das carpas que seu nariz praticamente tocava a superfície da água. — Vai colocá-lo no sótão?

— Estava pensando em deixá-lo ao ar livre — respondeu Mika, olhando para Ken. — Se não tiver problema.

— Problema nenhum — disse ele imediatamente. — Podemos deixar no jardim dos fundos. A estufa também. Tem um lugarzinho lindo e ensolarado perto do muro, e o lago pode ficar na sombra dos girassóis.

— Mas... — Ian começou a protestar.

— Podemos falar sobre feitiços depois — declarou Lucie com firmeza, pegando-o pelo cotovelo. — Deixe a coitada se acomodar primeiro.

Então Mika fez o laguinho e a estufa flutuarem ao redor da casa até os fundos, onde, como Ken havia prometido, eles encontraram o lugar perfeito para cada um. Assim que Mika pôs os dois no chão e quebrou o feitiço que os mantivera suspensos no ar, sentiu um peso quase físico saindo de si. Girou os ombros, relaxando os músculos.

Depois disso, foram necessárias apenas mais algumas viagens para carregar o restante dos pertences de Mika até o sótão. Então ela saiu de novo para estacionar o Vassoura Voadora no celeiro enquanto Ken e as meninas ficaram no andar de cima desencaixotando seus livros (ou foi o que disseram; Mika sabia que pelo menos as meninas só queriam brincar com Circe), e Lucie e Ian começaram a preparar o almoço.

Quando Mika voltou para o sótão, carregando meia dúzia de vasos de plantas que decidira trazer da estufa, Ken havia saído e as meninas estavam rolando uma bola pelo chão para Circe pegar.

Mika foi fazendo suas tarefas em torno delas. Colocou as plantas ao lado da cama, na escrivaninha e na varanda, posicionou os caldeirões e as ferramentas sobre a escrivaninha e guardou as roupas. Assim que terminou, Circe saiu a fim de explorar a casa e o jardim. As crianças ficaram.

— Já que estão aqui — disse Mika —, gostariam de me ver lançar um dos meus feitiços favoritos?

Os semblantes das meninas se iluminaram.

— Sim, por favor!

Sentindo uma empolgação inédita (*alguma vez* na vida já pudera exibir sua magia assim antes? Não conseguia se lembrar de uma única vez, nem mesmo com Primrose. *Muito menos* com Primrose), Mika pegou na escrivaninha um estojo organizador em forma de rolo com estampa de girassóis.

— Isso não é para pincéis? — perguntou Rosetta, curiosa.

— Normalmente — disse Mika, desenrolando o tecido para revelar oito pequenos frascos de vidro presos sob os elásticos internos. — Mas eu uso para guardar o que chamo de Itens Essenciais.

Cada frasco estava rotulado, é claro, e Mika observou as meninas lerem os rótulos com grande interesse: os relativamente comuns LAVANDA, HORTELÃ-PIMENTA e CEDRO; os mais curiosos PÓ DE COGUMELO, PÓLEN DE PAPOULA e PÉROLA TRITURADA; e, por fim, os totalmente empolgantes LUAR e POEIRA DE ESTRELAS.

— Vou contar tudo sobre cada um deles outra hora — prometeu Mika, tirando o frasco de essência de hortelã-pimenta de seu bolsinho. — Por enquanto, quero mostrar uma maneira diferente de lançar um feitiço. Vocês devem ter percebido que usar magia é como correr, subir em árvores ou pintar. É uma ação que usa energia.

Elas assentiram.

— Sempre preciso tirar um cochilo depois de botar fogo em alguma coisa sem querer — admitiu Altamira.

— Eu também era assim — revelou Mika. — Se tentássemos fazer um feitiço que precisa ser mantido por horas, talvez até dias, seria impossível termos energia para sustentá-lo. Mas se tem algo que eu gostaria que tivessem me contado, anos antes de eu finalmente descobrir sozinha, é que vocês podem usar ferramentas para manter um feitiço funcionando. Como as sentinelas da Casa de Lugar Nenhum. Lillian está a milhares de quilômetros de distância, mas os feitiços que lançou ainda estão ativos. Isso porque ela vinculou as sentinelas a algo que tem sua própria energia mágica. Se eu tivesse que adivinhar, diria que usou as árvores maiores e mais antigas como âncoras.

— É por *isso* que ela vai até a floresta toda primavera? — indagou Rosetta. — Ela está relançando o feitiço das sentinelas?

— Provavelmente, sim. Todos os feitiços perdem o efeito mais cedo ou mais tarde, por mais poderosa que seja a bruxa ou a âncora. Fazer um feitiço durar um ano inteiro é excelente.

— Acho que é um ano e um mês, na verdade — explicou Rosetta, meticulosa. — Sabemos disso porque teve um ano que Lillian não voltou de uma viagem a tempo, e as sentinelas ficaram inativas por uma semana inteira.

— Achei que *você* fosse lançar um feitiço — disse Altamira, sem interesse em desviar a conversa.

— Eu vou lançar. — Mika ergueu o frasco. — Isso é essência de hortelã-pimenta. Como as árvores lá fora, ela tem sua própria energia mágica. Vejam.

Ajoelhada na soleira da porta da varanda, Mika deixou três gotas da essência caírem no chão, bem nos cantinhos. Pareciam completamente comuns, como gotas de água, mas então ela traçou as linhas de uma runa no ar e lançou seu feitiço.

Imediatamente, as gotas de essência começaram a brilhar. Altamira arquejou. A essência reluziu com intensidade, parecendo ouro puro, e então diminuiu para um brilho fraco, quase imperceptível.

— Acabei de vincular meu feitiço a essas gotas de essência — explicou Mika. — Então agora ele vai ficar ativo até que a magia da essência desapareça. Não tem tanto poder quanto uma árvore viva, então geralmente adiciono uma nova gota e completo o feitiço antes de dormir todas as noites.

— O que isso faz? — perguntou Rosetta, curiosa. — Para que serve o feitiço?

— Para manter aranhas e insetos fora do cômodo.

As meninas caíram na gargalhada.

— Somos bruxas! — gritou Altamira, quase rolando no chão de tanto rir. — Devemos *abraçar* a natureza!

— Eu abraço a natureza — afirmou Mika, estremecendo. — *Do lado de fora.* Mas o meu quarto está fora do limite para bichinhos rastejantes.

Essa declaração pareceu provocar cócegas sem fim nas duas meninas. Mika sorriu, nem um pouco surpresa. Houvera um tempo em que ela também não se sentia incomodada por aranhas e perseguia sapos pelo jardim, como sem dúvida Altamira fazia. Credo.

— O almoço está servido! — a voz de Ian ressoou, dois andares abaixo delas.

Mika ficou pasma com o fato de o som ter chegado até elas do outro lado da casa, mas supôs que essa fosse uma das vantagens da experiência dele no teatro.

Lá embaixo, na cozinha, as meninas começaram a trabalhar tirando os pratos da lavadora enquanto Mika era conduzida até a mesa.

Mika tinha acabado de se sentar quando Terracotta, a última das meninas, entrou. Ela foi direto para a mesa e, para surpresa de Mika, sorriu para ela.

— Olá — cumprimentou, com a voz firme, jovem e doce.

— Oi — disse Mika, retribuindo o sorriso.

Ao contrário de Altamira, que parecia não ter se dado ao trabalho de tirar o pijama esta manhã, e Rosetta, que usava calça jeans e uma camiseta cor-de-rosa velha, Terracotta estava bem-vestida. Seu cabelo preto e liso estava preso num rabo de cavalo alto e apertado, e ela trajava um vestido formal preto na altura dos joelhos com babados nas mangas.

Ela ficou observando Mika com os olhos castanhos firmes e inabaláveis, mas não disse mais nada. Mika se perguntou se ela estava esperando que alguém reparasse na sua roupa.

— Que vestido lindo! — elogiou Mika.

Terracotta sorriu radiante.

— Obrigada. Estou usando isto porque talvez eu vá a um funeral mais tarde.

— Talvez?

Ela deslizou com agilidade para a cadeira, mostrando-se satisfeita por seu traje ter sido devidamente notado.

— É. Vai depender de uma coisa.

— De quê?

— De você — disse Terracotta, sorrindo de maneira angelical.

Mika supôs que deveria ter previsto isso, com base em tudo o que Rosetta havia lhe contado. Analisou a criança do outro lado da mesa.

— Como você faria? — indagou ela, curiosa.

— Estava pensando que seria melhor esperar você dormir — respondeu Terracotta sem pestanejar. — Daí você nem iria sentir. Sou competente, mas não sou cruel.

— É muita consideração sua — ressaltou Mika, perguntando-se se o restante da família sabia que havia uma pequena psicopata entre eles.

Antes que a conversa prosseguisse, a voz áspera de Jamie, o bibliotecário, as interrompeu:

— Gostei do look — disse ele, parecendo achar graça.

Ele puxou o rabo de cavalo de Terracotta, e Mika observou fascinada a expressão perturbadoramente intensa no rosto da menina se transformar numa carranca infantil em menos de um segundo.

— Jamie! — reclamou ela, inclinando a cabeça para trás para encará-lo com raiva. — Está estragando tudo!

— Tudo o quê? Seu plano diabólico para espantar a nova tutora? E então poupando você do trabalho de assassiná-la?

Terracotta lançou a Jamie um olhar traído e indignado.

— Eu já te disse — sibilou, sem fazer qualquer esforço para manter a voz baixa. — Não quero ela aqui!

O rosto de Jamie, que que só exibiu uma cara amarrada permanente da última vez que Mika o vira, agora se mostrava paciente e nada carrancudo enquanto olhava para Terracotta, mas Mika podia ver, pela maneira como a mandíbula dele se contraiu, que não tinha a menor intenção de deixá-la se safar com esses péssimos modos.

Mika surpreendeu a todos, inclusive a si mesma, ao cortar o silêncio com:

— Aceita que dói menos.

— O que foi que você disse? — questionou Terracotta, incrédula.

— Aceita que dói menos — repetiu Mika, alegrinha. — Não faz mal você não me querer aqui, mas acho que vai ter que se acostumar com isso, porque eu assinei um contrato. Não vou a lugar nenhum. E também não aconselho se aproximar furtivamente de mim quando eu estiver dormindo — acrescentou ela, pensando seriamente sobre o assunto por um momento. — Eu tenho uma cachorra *muito* protetora, sabe?

Terracotta cruzou os braços sobre o peito e transferiu sua carranca para Mika, mas não parecia ter mais nada a dizer.

— Ah, ela com certeza copiou essa carranca de você — disse Mika a Jamie, maravilhada com a semelhança. — É impressionante.

Agora ambos estavam olhando de cara feia para ela. Mika respondeu com um sorriso.

Então Lucie se aproximou agitada, seguida de perto pelos outros, de modo que não houve mais tempo para discutir a morte hipotética de Mika.

O almoço foi composto por uma grande jarra de chá gelado, tigelas de sopa cremosa de cogumelos e pedaços amanteigados de pão caseiro quentinho e crocante. Mika, que estivera nervosa demais para tomar o café da manhã antes de deixar Brighton, descobriu que estava absolutamente faminta e se contentou em comer num silêncio feliz, enquanto os outros mantinham um diálogo fácil e constante.

Por fim, a conversa se voltou para as aulas particulares das meninas.

— Já que está aqui — disse Lucie a Mika —, decidimos reduzir as aulas normais das meninas para que elas tenham as manhãs livres para trabalhar com você. Se achar adequado.

— Ótimo — concordou Mika. Ela se perguntou se Terracotta, que a estava fuzilando com o olhar, apareceria para as aulas. — Começaremos amanhã depois do café.

Mas por *onde* começariam? Mika não fazia ideia. Não parava de pensar nisso havia dias e ainda não tinha certeza de como iria abordar essas lições. Ela não era professora, muito menos professora de *magia*, e não era como se houvesse planos de aula disponíveis para baixar on-line. Sim, havia ensinado um pouco a elas hoje, mas tinha sido por necessidade.

Aquilo estava além de suas capacidades. Ela faria o possível, mas sabia que estava fora de sua alçada. Tinha cometido um erro ao não contar a Primrose?

Felizmente, antes que pudesse se perder em suas inseguranças, Ken lançou uma pergunta para ela:

— Já sabe o que gostaria de fazer esta tarde? Você é mais do que bem-vinda a tomar um chazinho no chalé, se estiver de bobeira.

— Eu adoraria — concordou Mika. — Posso aparecer lá depois de levar Circe para passear. — Ela sorriu para as meninas. — Pensei em deixá-la dar uma corridinha na praia. Vocês três gostariam de vir com a gente?

Ela esperava que Terracotta rejeitasse a proposta na mesma hora, mas se surpreendeu quando foi Jamie quem respondeu, rápida e um pouco bruscamente:

— Não.

Surpresa, Mika só conseguiu piscar. Os outros ficaram em silêncio. Jamie pareceu arrependido de ter falado, mas pigarreou e continuou, sem olhar para ninguém:

— Preciso da ajuda das crianças na biblioteca esta tarde.

— Fica para a próxima, então — disse Mika para as meninas, o sorriso congelado no rosto para que elas não percebessem sua frustração.

Estava bem óbvio para ela e, provavelmente para todos, exceto para as próprias crianças, que Jamie não precisava da ajuda delas na biblioteca.

Ele apenas não queria que fossem a lugar algum com Mika.

CAPÍTULO SETE

Mika seguiu até o mar como havia planejado naquela tarde. Ela foi de galochas (porque espinhos eram espinhos mesmo quando se é uma bruxa), com o celular e uma tesourinha para ervas nos bolsos do vestido. *Todas* as suas roupas tinham bolsos, mesmo que ela mesma tivesse que costurá-los.

Circe tomou a dianteira, avançou sobre as dunas e desceu até a praia vazia, indo direto para a água, enquanto Mika fez uma pausa a fim de cortar um punhado de cabeças de cardo-marítimo de um arbusto, logo acima do nó, para que crescessem novamente. Ela ficou surpresa por continuarem brotando; como os girassóis dourados exuberantes no jardim dos fundos, o cardo-marítimo estava florescendo fora da estação. Só podia ser por causa da enorme quantidade de magia reunida em torno da Casa de Lugar Nenhum.

Quando finalmente chegou à praia e tirou as galochas, Circe estava brincando na água, latindo em sintonia com duas focas lá longe. Um vento frio soprava do mar, espirrando gotículas salgadas, e Mika pôs a língua para fora para prová-las.

Ela ficou maravilhada em como o mundo parecia deserto dali. Havia um barco de pesca longe na água, mas a única outra pessoa que Mika conseguia ver era apenas um pontinho muito, muito distante na praia. Era agradável, mas inesperado. Novembro certamente não era a estação dos picolés e das famílias besuntadas de protetor solar, mas onde estavam os passeadores de cães idosos com seus casacos de tweed e os artistas com suas telas e os cabelos desgrenhados pelo vento?

A única explicação em que ela conseguia pensar era que as proteções das sentinelas de Lillian se estendiam até ali. Se fosse esse o caso, ela era uma bruxa *muito* poderosa.

Circe correu até ela, latindo animada. Saltou para colocar as patas salgadas e cheias de areia nos ombros de Mika e dar-lhe um beijo bem molhado. Então se afastou para socializar com as focas mais uma vez, e Mika riu e a deixou ir.

Depois de Circe estar bem cansada, as duas voltaram juntas para a casa. A cadela se sacudiu com a intenção de se secar (mais ou menos) e foi até um local quente e ensolarado na sala de estar para tirar um cochilo. Mika se viu tentada pela possibilidade de também tirar um cochilo, mas, em vez disso, subiu para o sótão.

Lá, ela tirou as cabeças de cardo-marítimo do bolso e separou com cuidado suas partes. As pétalas, o pólen a seiva de dentro dos caules — em geral essas eram as partes mais úteis de qualquer planta, e ela as guardava de maneira segura nos minúsculos frascos de vidro do seu kit de poções.

Sentada de pernas cruzadas no chão com tudo disposto a sua volta, ela estendeu a mão para os finos fios dourados de magia no ar e acendeu um pequeno fogo de bruxa debaixo do menor de seus caldeirões. Então abriu seu livro de feitiços numa página em branco, mordeu a ponta do lápis e foi rabiscando algumas ideias. Finalmente, depois de algumas tentativas, ela ficou satisfeita com a pequena lista que havia elaborado:

2 pétalas de cardo-marítimo
1 gota de seiva de cardo-marítimo
1/2 colher de chá de pérola triturada
1 gota de luar

Mika mediu cuidadosamente cada um dos ingredientes e os despejou no caldeirão. Enquanto o fogo de bruxa o aquecia, ela observava a mistura se combinar e se transformar numa calda brilhante e azulada. Fazer poções era mais arte do que ciência, e dependia dos instintos da bruxa, mas Mika vinha experimentando e praticando havia tanto tempo que agora seus instintos estavam ótimos.

Ela transferiu o líquido para um frasco e o examinou com satisfação. O xarope tinha um cheiro fraco, porém inconfundível, e a única palavra em que Mika conseguiu pensar para descrevê-lo foi "*harmonia*". Ela sabia, daquele jeito profundo e íntimo que as bruxas normalmente sabiam, que, se esse xarope fosse adicionado ao chá, acalmaria os ânimos e suavizaria as arestas afiadas dos sentimentos negativos.

Tinha sido um experimento, uma pequena explosão de inspiração que surgira em sua mente quando vira o cardo-marítimo. Uma flor de aparência tão espinhosa não deveria ter evocado uma visão de paz, harmonia e outros sentimentos calorosos, mas Mika tivera um palpite e apostara nele. A já calmante pérola triturada e o luar, um poço sem fim para encantamento, ajudavam, com certeza.

Ela suspirou feliz. Em momentos como aquele, Mika realmente amava ser uma bruxa. Adorava se perder por horas no zumbido da magia, no brilho do pó dourado no ar, no calor suave do fogo de bruxa, nas ideias, na criatividade e na *diversão*. Por que alguém iria querer fazer algo além daquilo?

A única coisa que poderia torná-los melhor seria não precisar fazer tudo sozinha.

Lembrando-se de que era esperada no chalé de Ian e Ken para o chá, ela guardou seu kit, apagou o fogo de bruxa e desceu até a cozinha a fim de pegar um de seus potes de folhas de chá antes de sair pela porta da frente.

Ken a recebeu no chalé, parecendo genuinamente satisfeito em vê-la. Lucie já estava lá, reclamando da aversão crônica de Ian a tirar a poeira e fazendo isso ela mesma. Ian, por sua vez, estava sentado numa poltrona tricotando o que parecia ser um cachecol num tom chamativo de rosa-flamingo.

— É para o Ken — contou alegremente para Mika, gesticulando com suas agulhas.

Mika olhou para Ken, que não parecia um homem inclinado a usar uma cor tão berrante que era quase neon, e ele deu uma encolhida de ombros levemente desamparada em resposta.

— As coisas que a gente faz por amor — disse ele.

— Ian, guarde o tricô e prepare uma boa xícara de chá para Mika — ordenou Lucie, agora se equilibrando precariamente no braço de uma cadeira para conseguir espanar a luminária.

— Ah, podem deixar comigo! — disparou Mika. — Se me mostrarem a chaleira, preparo um chá para nós.

Ela ergueu o pote de folhas de chá que trouxera. Ian soltou um gritinho.

— Isso é chá *mágico*?

— Mais ou menos. — Mika riu. — É bom para ossos doloridos.

— Nesse caso, vou precisar de um bule inteiro — informou Lucie.

— O que você sabe sobre ossos doloridos? — perguntou Ian, as sobrancelhas erguidas como se em desafio. — Toda jovem e vigorosa desse jeito?

Mika achou graça.

— Você não faz ideia! Foi como se, no instante em que completei 30 anos, meu corpo dissesse: "*Chega, cansei de aturar tanta negligência. Cuida de mim direito ou eu vou quebrar feito um motor velho.*" Desde então tenho levado a ameaça muito a sério.

Ela saiu da sala ao som das risadas deles e logo tropeçou numa pilha de tábuas de madeira parcialmente montadas no corredor.

— Estou construindo um apiário! — gritou Ian, desculpando-se. — Quero me meter com apicultura.

Ken, que a seguiu até a cozinha para ajudar, disse, um tanto secamente:

— Sim, ele está construindo um apiário. Assim como estava construindo um anfiteatro no verão passado. Metade do palco ainda está largado no celeiro!

Mika sufocou uma risadinha.

— Parece que ele gosta de ter um projeto.

— Ele nunca fica sem projetos — concordou Ken. — Também nunca termina nenhum. E que Deus ajude o desavisado que ele conseguir convencer a embarcar neles.

Equilibrando quatro xícaras numa bandeja, Mika retornou para a sala. Lucie aparentemente havia decidido que o cômodo estava livre de poeira o bastante para o seu gosto, porque agora segurava um novelo de lã para Ian enquanto ele tricotava. Mika distribuiu as xícaras de chá e se sentou ao lado de Ken no sofá. Ela passou uma hora ali, ouvindo as histórias de Ian dos tempos do teatro (a julgar pelas expressões afetuosas, porém sofridas, nos rostos de Ken e Lucie, eles já tinham ouvido aquilo mil vezes), e então ela e Lucie voltaram juntas para a casa principal.

— Acha que as meninas já terminaram de ajudar Jamie na biblioteca? — perguntou Mika, com o rosto sério.

Lucie ofereceu a ela um sorriso triste.

— Seria esperar demais que você acreditasse nele, né?

— Ele não foi sutil.

— Jamie pode ser difícil — disse Lucie, mas sua voz era suave, cheia de amor maternal. — Não é fácil conquistar sua confiança. Ele tem sido um pai para essas crianças desde que elas chegaram e as protege feito um leão. Existe um coração de ouro dentro daquele peito, se você conseguir aguentar a cara amarrada.

— Como *ele* acabou nessa posição? — indagou Mika. — Devia ter uns 20 e poucos anos quando Rosetta apareceu, não é? Não o imaginaria como uma escolha óbvia para cuidar de três crianças pequenas.

Houve uma pausa um tanto hesitante de Lucie, como se estivesse decidindo quanto revelar.

— Tenho uma dívida com Lillian que nunca poderei pagar — disse ela por fim. — Não me sinto bem em falar mal dela, mas a verdade é que Lillian tem uma determinação ferrenha, não liga para nada que não queira ouvir, e ela... — Lucie se interrompeu, hesitante de novo. Ela suspirou. — É melhor eu desabafar logo. Ken e eu estamos aqui há tanto tempo que somos da família, e Lillian sempre disse isso, mas ela ainda... Bem...

— Ah — disse Mika gentilmente, compreensiva. — Ela ainda trata você e Ken como funcionários.

— Nós *somos* pagos para trabalhar aqui, então ela não está errada em nos tratar assim. Mas sempre sentimos que tínhamos que nos manter no nosso lugar. É o jeito dela. Autoritária ao extremo. Então, quando ficou óbvio naquela época que Lillian não tinha nenhuma intenção de criar as bebês que havia trazido para casa, não soubemos como intervir. — Os olhos de Lucie se enrugaram num sorriso. — Mas quanto ao Jamie... Bom, ele Lillian não conseguiu colocar no lugar dele. Ele era o único que conseguia enfrentá-la e sair vencedor. Todos nós criamos essas garotas, mas foi Jamie quem as meninas reconheceram como pai.

— E ele não me quer aqui — apontou Mika.

— Dê tempo ao tempo. Ele vai mudar de ideia.

Naquela noite, encolhida sob o edredom quente com Circe estendida a seus pés, Mika estava quase dormindo quando ouviu passos esmagando folhas sob sua varanda. Curiosa, ela relutantemente deixou o calor de sua cama, pegou um casaco de moletom velho, macio e extralargo no encosto de uma cadeira e saiu para o frio.

— Olá?

— Jesus! — A voz rouca e assustada de Jamie veio de algum lugar lá embaixo. — Onde diabos você está?

— Ah, é você. — Mika ficou na ponta dos pés e se debruçou sobre o parapeito da varanda. Jamie estava no jardim dos fundos, dois andares abaixo dela, iluminado por um feixe de luz da cozinha. — Estou na varanda. — Ela fez uma pausa. Lucie tinha dito que Jamie poderia ser difícil, mas talvez este fosse um bom momento para abrandar um pouco o processo. — Espere aí. Desço num segundo.

Ela se alçou sobre o corrimão e então flutuou até o chão. A coisa toda foi muito graciosa e elegante e tal, como uma super-heroína descendo solenemente do céu, até que um dos seus pés descalços pousou numa pinha pontiaguda e ela arruinou sua entrada triunfal com gritos indignos de dor.

A mão de Jamie disparou, segurando-a pela manga do casaco antes que ela pudesse cair.

— Você está bem? — perguntou ele.

Seu rosto estava perfeitamente sério, mas havia um tremor suspeito em sua voz.

— Pode rir, tá — disse Mika, seus gemidos já dando lugar a risadinhas quase histéricas.

— Vou resistir.

— É porque você não sabe muito bem como se faz?

Aquilo fez o canto da boca dele se contrair, o que ela achou bastante charmoso. Ele apontou para a varanda, e sua respiração formou uma névoa branca no ar entre eles.

— Então você é como as crianças. Deixa as janelas abertas à noite em pleno novembro.

— Não é que eu não *sinta* frio. Eu só não me importo. Nos limites do razoável. — Mika enfiou as mãos nos bolsos do moletom. — O que *você* está fazendo aqui?

— Altamira deixou o pinguim do lado de fora. — Ele tirou do próprio bolso um bichinho de pelúcia, com as cores tão desbotadas e o tecido tão gasto que Mika jamais teria adivinhado ser um pinguim se ele não tivesse falado. — Eu a convenci a dormir sem ele, mas só porque prometi que iria encontrá-lo e devolvê-lo antes que ela acordasse.

— Parece justo.

— Então... — A mudança no tom dele a pegou de surpresa, e ela o observou com cautela. — Lucie mencionou que conversou com você.

— Achei que eu seria a primeira a mencionar isso — disse Mika, tristonha.

— Você estava enrolando muito, e eu não tenho a noite toda — foi a resposta brusca.

Mika riu. Ela entendeu o que Lucie quis dizer quando comentou que Lillian achou impossível colocá-lo em seu lugar: era um homem que não dava a mínima para sutilezas sociais. Ela gostava. Havia passado a vida toda com um medo colossal de abandonar essas mesmas sutilezas sociais e revelar que *não* era normal, então era novo e agradável não ter que se preocupar com isso por alguns minutos.

— Eu não queria que *ninguém* viesse aqui — explicou Jamie. — A questão não é você. É qualquer um. Tem muita coisa em jogo.

— O que é extremamente sensato — concordou Mika. — Eu sei como é. Entendo como é não confiar nas pessoas. Entendo como é ter medo de que um único erro destrua a vida que você construiu. Por isso não me ofendo nem um pouco com a sua desconfiança.

Ele inclinou a cabeça para ela.

— Mas...?

— Mas acho que, se você não guardar essa desconfiança para si, não vai ter como isso dar certo. Estou aqui para ensinar *magia*, que já é algo complicado por si só. Será impossível se as garotas perceberem como você se sente. *Elas* precisam confiar em mim, mesmo que você não confie.

Mika estava bastante ciente de seu olhar atento e avaliador. Depois de um momento, ele assentiu com a cabeça.

— Tudo bem.

Bom, poderia ter sido pior.

— Tudo bem — ecoou ela. — Ótimo. Acho que vou voltar para a cama então...

— E quanto aos vídeos?

Mika ficou sem reação diante da pergunta inesperada.

— Os *meus* vídeos?

— Acho que você pensou que seria seguro postar porque presumiu, acertadamente, que a maioria das pessoas encararia os vídeos como uma encenação. Só não entendo por que você *quis* criá-los para começo de conversa.

— Ah. — Ela sorriu. — Sabe, tirando algumas horas a cada poucos meses, eu nunca pude falar com ninguém sobre magia. Não tem ninguém para quem eu possa enviar uma mensagem ou ligar, ou com quem gritar no quarto ao lado quando decifro um feitiço difícil ou descubro uma nova poção. Então, alguns anos atrás, entrei para um grupo on-line dedicado à minha série de livros favorita e descobri que adoro conversar com pessoas tão empolgadas quanto eu com o que *me* empolga.

— Você nunca tinha vivido isso antes?

A voz de Jamie soou estranha.

— Não, mas me fez pensar que talvez eu pudesse achar um jeito de recriar a experiência com coisas de bruxaria. Então inventei um *alter ego*, uma bruxa que prepara poções numa loja de chás encantada. — Mika fez uma pausa e deu de ombros, um pouco tímida. — Não sei. Parecia uma maneira de falar sobre o que me entusiasmava sem *realmente* falar sobre o que me entusiasmava.

Ele não respondeu e, enquanto o silêncio se estendia entre eles, Mika se perguntou se havia falado demais.

— Deve parecer besteira...

— Não — retrucou ele imediatamente, a voz meio instável. — Não parece, não mesmo. Parece que você tem vivido sozinha por muito tempo.

— Ah, já estou acostumada — disse Mika, forçando um tom alegre na voz. — É como as coisas são.

— Não aqui. — Foi tudo o que ela obteve em resposta.

CAPÍTULO OITO

Na manhã seguinte, Mika esperou do lado de fora pelas crianças. Havia encontrado o lugar perfeito para a primeira aula propriamente dita de magia, no jardim dos fundos perto do lago de carpas, onde poderiam ficar ao ar livre, porém abrigadas dos ventos fortes de novembro.

Ela assistia Circe saltar pelo jardim perseguindo uma borboleta, mas se virou ao som das vozes das meninas. Altamira disparou na direção de Mika feito uma bala, agitando braços e pernas e balançando o rabo de cavalo, enquanto Rosetta e Terracotta vieram atrás num passo mais comportado, as cabeças inclinadas juntas sobre uma revista em quadrinhos nas mãos de Rosetta. Havia uma afeição natural entre as meninas enquanto elas discutiam bem-humoradas.

Mika mal teve um segundo para se maravilhar com esse lado mais amigável e meigo de Terracotta antes de o seu ânimo despencar ao ver a pessoa que seguia as meninas até o lago.

Ela e Jamie tinham chegado a uma espécie de entendimento na noite anterior, mas isso não significava que quisesse dar sua primeira aula com os olhos intensos e tempestuosos *dele* observando tudo.

Mesmo assim, Mika estendeu seu sorriso a Jamie, pois não tinha um bom motivo para se opor à sua presença. Estava em seu período experimental de duas semanas, e sabia que ao menos esta primeira aula seria supervisionada. Era perfeitamente razoável. Ninguém contrata uma pessoa para cuidar de crianças e ensiná-las sem ao menos garantir que seja confiável, responsável e capaz de fazer o trabalho. E Mika não via problema nisso.

Ela apenas preferia que *outra* pessoa a supervisionasse. Não poderia ter sido Lucie, Ian ou Ken, qualquer um dos que imaginava que seria bondoso e compreensivo caso ela fizesse besteira?

Mas não; ficara com Jamie, que se avultava sobre elas, carrancudo, e que, com ou sem trégua, lembrava a ela um espectro sombrio esperando que Satã o convocasse para casa.

Mika esperou que as meninas se acomodassem na grama com ela. Jamie pegou o gibi de Rosetta e encontrou para si um lugar embaixo da árvore mais próxima, com as costas contra o tronco e as mãos enfiadas nos bolsos do casaco.

Mika tentou fingir que ele não estava ali.

— Hoje vou falar sobre algumas coisinhas — anunciou para as crianças, esperando que sua voz não soasse tão insegura e sem jeito quanto ela se sentia —, mas, primeiro, eu queria saber se vocês têm alguma dúvida sobre mim, sobre magia ou qualquer outra coisa. Vejo que Lillian não tem tido tempo de lhes ensinar, então imagino que haja muitas questões e...

— Quantas outras bruxas você conhece? — perguntou Rosetta timidamente, com os olhos brilhantes e ansiosos.

— Existem garotos bruxos? — indagou Altamira, parecendo meio enojada.

E Terracotta, num tom francamente beligerante, se manifestou:

— Você *realmente* acha que consegue nos ensinar a controlar a nossa magia até o Natal?

Mika sabia que precisava lidar com *essa* primeiro.

— Lógico que não — respondeu ela. — Eu já avisei aos adultos que será impossível vocês conseguirem controlar completamente a sua magia em apenas algumas semanas. Não é por isso que estou aqui. Estou aqui para ajudar vocês a *dar os primeiros passos*. Vou ensiná-las a usar o seu poder, mostrar como começar a controlá-lo e protegê-las de qualquer contratempo mágico.

— Não precisamos de você para nos proteger — disse Terracotta, com escárnio.

Mika a fitou.

— Grandes rompantes de magia podem ser bem perigosos. Sobretudo para pessoas como Ian, Ken, Lucie e Jamie, que não têm o poder que nós temos.

Terracotta piscou, surpresa. Ela nunca havia pensado naquilo antes, percebeu Mika, observando a garotinha lançar um olhar furtivo e preocupado para Jamie. Talvez a hostilidade de Terracotta não fosse motivada pela maldade. Talvez fosse exatamente o oposto: motivada pelo amor.

— Isso é por causa do Edward também, não é? — perguntou Rosetta a Mika.

Mika olhou incerta para Jamie, com a dúvida estampada no rosto. Ele deu a ela um aceno curto com a cabeça.

— Tudo bem, elas sabem que Edward virá depois do Natal. Você pode falar sobre ele.

— Então, tá — disse Mika. — Sim, o advogado de Lillian virá aqui em dezembro e é muito importante garantirmos que ele não descubra a verdade sobre vocês três.

— Será que seria tão ruim assim? — Havia um tom melancólico na voz de Rosetta que tocou fundo no coração de Mika. — Quer dizer, seria mesmo o fim do mundo se mais pessoas descobrissem sobre nós?

— Muitas vezes me perguntei a mesma coisa — confessou Mika. — Seria bom, né? Não precisar mais guardar segredos. Ter amigos. — Rosetta assentiu, e Mika repetiu o gesto, desejando de todo o coração poder dar uma resposta diferente. — Mas nunca sabemos ao certo como alguém pode reagir ao descobrir a verdade, então é um risco muito grande.

Era exatamente o tipo de coisa que Primrose teria dito. O pensamento não trouxe nenhum conforto a Mika. Ela tentou amenizar o golpe com a única coisa que quase sempre a fazia se sentir melhor.

— Mas, claro, vocês precisam se lembrar de que mais pessoas sabem sobre bruxas do que pensamos. Olhem para os seus próprios cuidadores. Eles não são bruxos, mas sabem sobre nós. E tenho certeza de que muitas bruxas têm avós, tios, primos e muitos outros parentes que as criaram. — Ela sorriu. — Acredito que tem muita gente por aí que já conhece o nosso segredo e nos aceita. Esse pode ser um bom ponto de partida para começar a procurar novos amigos.

Mika não mencionou a única coisa que tornava isso quase impossível: as Regras. Como uma bruxa poderia encontrar uma comunidade de bruxas e não-bruxas que a abraçaria quando deveria ficar longe de outras bruxas, manter sua vida completamente desconectada da delas e ver essas outras bruxas somente algumas vezes por ano?

— Enfim — continuou Mika, injetando um pouco de ânimo na voz —, respondendo à sua pergunta anterior, Altamira, não sei se existem garotos bruxos. Nunca conheci um. E, Rosetta, conheço algumas outras bruxas. Vinte, para ser exata.

— Vinte? — guinchou Altamira. — Como você as conhece? São suas amigas?

— Hum, não exatamente — respondeu Mika. — Nós nos encontramos uma vez a cada três meses. Eu nos chamo de Sociedade Supersecreta de Bruxas. Primrose, a chefe do nosso grupo, não gosta quando chamo a gente assim. — Mika sorriu de um jeito travesso. — O que pode ou não ser o motivo pelo qual eu continuo fazendo isso.

Rosetta e Altamira riram. Até Terracotta pareceu querer rir também.

— Por que Primrose é a chefe da Sociedade?

— Porque ela é a mais velha, a mais poderosa e, o mais importante, a mais mandona.

— Então por que *ela* não está aqui no seu lugar? — perguntou Terracotta, claro. — Ian disse que achou você, mas por que você não mandou que ele falasse com Primrose?

Mika hesitou. Ela olhou para Jamie, que a encarava com uma ruga entre as sobrancelhas. Decidiu ser honesta.

— Primrose não está aqui porque ela não sabe sobre vocês — admitiu Mika para as crianças. — Não sei como vocês podem ter escapado do radar dela mas, pelo menos por enquanto, é melhor que continue assim.

— Por quê? — indagou Rosetta, com o rostinho sério.

— Porque Primrose acredita que manter todas as bruxas seguras e escondidas é mais importante que qualquer outra coisa — respondeu Mika. — Ela vai achar que toda essa magia reunida num só lugar é muito perigosa para vocês, para os seus cuidadores *e* para a segurança de todas as bruxas, então vai querer separá-las.

— Mas ela não pode, pode? — questionou Altamira, parecendo horrorizada. Mika reparou na maneira como ela segurou a mão de Terracotta. — Não temos nada a ver com ela!

— Ela vai *querer* separar vocês, mas isso não quer dizer que ela *possa* — explicou Mika. — Pelo que sei, Lillian é a única pessoa que tem o direito de tomar essas decisões. Mas Primrose pode ser muito persuasiva e... — Ela hesitou, olhando mais uma vez para Jamie, cuja expressão havia se tornado sombria. — Bem, o problema é que não sei se Lillian iria ceder. Eu não a conheço.

— Primrose parece terrível — disse Altamira enfaticamente.

— As intenções dela são boas. É só que ela acredita que precisa fazer o que for necessário para proteger todas nós.

— Hum — murmurou Terracotta, quase em tom de aprovação.

— Em todo caso, Primrose *não* vai descobrir sobre vocês três, então não precisam se preocupar — acrescentou Mika.

— Parece que você conhece Primrose muito bem — comentou Jamie, sua voz áspera raspando as várias camadas da história de Mika.

Mika evitou o olhar firme dele e fitou Circe, que tinha se enroscado sob a árvore ao lado de Jamie e colocado a cabeça no joelho dele.

— Eu cresci na casa de Primrose. Numa delas. Ela me visitava com bastante frequência, então eu a conheço desde que me entendo por gente. Tão bem quanto qualquer pessoa.

— Se ela não estava lá o tempo todo, quem cuidava de você? — perguntou Rosetta.

— Tive babás.

— Elas sabiam que você era uma bruxa?

Mika se sentiu nervosa. Seu passado lhe parecia uma ferida aberta e exposta demais, mas ela não tinha coragem de silenciar as perguntas das meninas, não depois de dizer especificamente que poderiam lhe perguntar qualquer coisa. E porque sabia muito bem como era ter perguntas que nunca eram respondidas.

— Não — admitiu depois de um momento. — Elas não sabiam. Não no início. Quando eu era muito nova, perdia o controle do meu poder assim como vocês, então elas sempre acabavam descobrindo, mais cedo ou mais tarde. Primrose as substituía assim que viam algo que não deveriam.

— Mas elas nunca contavam às pessoas o que viam? — indagou Altamira, de olhos arregalados.

Mika balançou a cabeça.

— Primrose removia as lembranças delas quando iam embora. É um feitiço muito poderoso e difícil, que ela nunca compartilhou com o restante de nós.

O que ela não disse foi que Primrose não removia somente as lembranças referentes à magia. Ela removia as lembranças delas sobre *Mika*. Primrose substituía com perfeição todas as memórias sobre Mika por falsas memórias sobre outra garota absolutamente normal.

— É melhor que elas sigam para o próximo emprego sem lembranças suas, bonequinha — dissera Primrose quando Mika havia protestado. — Melhor prevenir do que remediar.

E, assim, incontáveis babás seguiram suas vidas sem jamais se lembrar de uma menininha chamada Mika Moon.

Mika podia sentir que os olhos de Jamie ainda estavam focados nela, mas não ousou fitá-los. Ela forçou um sorriso.

— Provavelmente é melhor que o restante de nós não saiba mexer com a memória das pessoas — argumentou para as meninas. — Não sei quanto a vocês, mas a ideia de invadir a mente de alguém e roubar suas lembranças parece desagradável para mim.

Terracotta não pareceu convencida.

— Às vezes você tem que fazer coisas desagradáveis para proteger as pessoas que ama — disse ela, os braços cruzados bem apertados sobre o peito. — Pelo jeito Primrose entende isso, mesmo que *você* não entenda.

Rosetta corou de imediato, obviamente envergonhada, mas Mika sorriu para ela.

— Tudo bem. Eu não me importo que vocês digam coisas que acham que eu não gostaria de ouvir. Prefiro que façam isso a mentir para mim.

— O Ken diz que mentir é aceitável se for para ser bondoso — apontou Altamira.

— É o que chamam de "mentirinhas inocentes" e, sim, acho que Ken está certo. Se você tiver que escolher entre ser bondosa ou sincera, geralmente é melhor ser bondosa. Dito isso — acrescentou com firmeza —, acho que de vocês três eu prefiro ouvir a verdade.

Meu Deus, a aula tinha ficado *muito* existencial. Será que uma pequena explosão poderia servir de distração?

Então, com o limiar de atenção abençoadamente curto das crianças, Altamira interrompeu os planos irresponsáveis de Mika.

— Os peixes têm nomes? — perguntou, deitada de bruços com o queixo apoiado numa das pedras lisas do laguinho.

Uma mão pequenina fez um rastro na água fria, esperando que as carpas viessem lhe dar uma mordidinha amigável.

— Lógico que sim — respondeu Mika, aliviada. Ela apontou para um peixe de cada vez. — Hécate é aquela com duas manchas pretas nas costas. Medusa está logo ali. Ela tem uma barbatana disforme. A dourada é Ceridwen, e o rabo de Freia é todo branco.

De onde estava encostado na árvore, Jamie disse, com uma voz quase divertida:

— Hécate, Medusa, Ceridwen, Freia. E Circe. Todas feiticeiras.

— Nunca quis ser sutil — rebateu Mika alegremente.

Ela deixou Altamira ter mais um minuto para brincar com os peixes antes de pigarrear, decidindo que era hora de trabalhar de fato em algum feitiço.

— Por ora, acho que a melhor maneira de começar essas lições é eu ter uma ideia de quanto poder e controle vocês já têm. — Ela enfiou a mão no lago de carpas e pegou três pedrinhas lisas, colocando uma na frente de cada criança. — O feitiço de animação é um dos mais simples que existem e não requer o uso de runas, então é uma boa opção para vocês experimentarem.

— De animação? — questionou Altamira.

— Fazer alguma coisa se mover — Rosetta explicou para a irmã, com os olhos brilhando de entusiasmo. — Que *não* se move sozinha, quero dizer. Como pedras. Certo?

— Exatamente! — confirmou Mika. — Quero que vocês usem a magia para fazer a pedrinha à sua frente se mover. Façam a pedrinha se elevar alguns centímetros do chão ou ficar de pé e girar, o que quiserem. A magia espera com tanta ansiedade ser usada que está sempre ao alcance dos seus dedos, então vocês devem ser capazes de senti-la no instante em que se dirigirem a ela. Quando conseguirem senti-la, peçam que as obedeçam. É só manter a ordem simples e específica.

Ela observou o rosto das meninas. O entusiasmo de Rosetta tinha dado lugar à incerteza, como se ela não estivesse segura das próprias habilidades. Altamira parecia visivelmente empolgada, porém, sendo a mais nova, espiava as irmãs para se guiar por elas. Terracotta, por outro lado, olhou para as outras e ergueu o queixo.

— Eu vou primeiro — afirmou.

Ela estava tomando a iniciativa para que as outras não precisassem, Mika percebeu. Não pôde deixar de admirar o coração mole escondido sob os espinhos de ouriço de Terracotta. Mika sabia que provavelmente travaria muitas batalhas com a garotinha nas próximas semanas, mas agora tinha certeza de que Terracotta não lutaria só porque queria ser hostil. Ela lutaria porque era uma protetora feroz de suas irmãs, dos adultos que cuidavam delas e deste porto seguro que haviam construído juntos.

Isso fez Mika sentir uma pontada que era ao mesmo tempo alegre e dolorosa. Ela não conseguia imaginar como era ser tão amada e ter tanta certeza desse amor a ponto de lutar com unhas e dentes para protegê-lo, mas estava incrivelmente contente por saber que essas garotas tinham.

E, se fosse só um pouquinho doloroso que isso a lembrasse do que ela nunca teve e provavelmente nunca teria... Bem, ela poderia viver com isso.

Mika sorriu para Terracotta, que não retribuiu, e disse:

— Sem pressa. Feche os olhos se isso ajudar. Rosetta, Altamira, se quiserem tentar com suas próprias pedrinhas ao mesmo tempo, tudo bem. Não precisam se revezar. E, se errarem ou não conseguirem, basta tentar de novo.

— E se causarmos uma grande explosão de poder? — perguntou Rosetta baixinho.

— Estarei aqui para manter tudo sob controle — prometeu Mika.

O silêncio tomou conta do lugar enquanto as garotas se concentravam nas pedras à frente brilhando sob a luz do sol. Jamie ficou de pé e se aproximou delas, soprando as mãos para se aquecer, com as sobrancelhas franzidas enquanto observava. Circe, tendo perdido a perna dele como travesseiro, veio se sentar ao lado de Mika e inclinou a cabeça, como se também estivesse interessada no progresso das crianças.

Gotas de suor surgiram na testa de Altamira.

— É *pesada* — reclamou ela. — É como se não quisesse se mexer.

— A pedrinha tem peso — disse Mika gentilmente. — Você não percebe quando a pega na mão porque desenvolveu os músculos para isso, mas o feitiço usa um tipo diferente de força.

Nenhuma das pedras se moveu, mas Mika podia sentir as ondulações do feitiço das garotas no ar. Elas estavam *muito* perto. Quando pararam e se viraram para ela com expressões levemente desanimadas, ela disse:

— Vocês se saíram muito bem! Mantiveram o foco por muito mais tempo do que eu esperava que fossem capazes, e acho que estavam muito perto de conseguir.

— Não sou especialista, mas podia jurar que vi as pedrinhas tremerem — acrescentou Jamie, bagunçando o cabelo de Terracotta. A voz dele estava calorosa de um jeito que Mika nunca ouvira, e seus olhos, afetuosos e cintilantes. Ela ficou bastante angustiada ao descobrir que isso significava que a pontuação dele de Devastadoramente Bonito agora estava ainda mais alta do que antes.

— Por que não funcionou? — Rosetta perguntou a Mika.

— Acho que vocês só precisam de tempo e prática — respondeu ela. — Percebi o empenho de vocês e a dedicação ao trabalho é a parte mais importante. Em vez de crescerem se divertindo com seu poder e criando uma conexão com a magia, vocês foram ensinadas a ter medo dela, a ter medo de erros e acidentes, então agora o poder controla vocês, e não o contrário.

Ninguém falou. Mika notou que elas estavam reticentes.

— A verdade é que ser uma bruxa é algo *extraordinário* — afirmou ela. — Às vezes pode parecer que somos simplesmente estranhas e diferentes, mas a verdade é que somos incríveis. Somos parte da terra e do céu. Nossas veias ecoam os padrões de rios e raízes. Existem raios de sol e luar nos nossos ossos. — Animada com os sorrisos que começaram a iluminar os rostos de Rosetta e Altamira, ela continuou: — É sempre bom ter cautela e respeito quando se usa uma força tão poderosa quanto a magia, mas vocês não precisam ter medo. É por isso que devem praticar. Com a prática, perderão o medo e ganharão a confiança de que precisam.

— Você não sabe disso — contestou Terracotta.

— Eu sei, sim — disse Mika. — Porque vocês três têm algo maravilhoso para ajudá-las. Vocês têm umas às outras.

~

Enquanto assistia a uma parte da primeira aula das crianças da janela da cozinha, Ian nitidamente vibrava de felicidade. Enquanto via *Ian*, Ken suspirava. Já conhecia bem demais os sinais de alerta.

— Ian — disse ele, com calma, sensatez e, com certeza, inteiramente em vão. — *Não.*

— Do que está falando, meu bem? — perguntou Ian, voltando os olhos arregalados e inocentes para o marido.

Ken bufou.

— Sei o que você está pensando.

Ian cedeu.

— Seria *perfeito!* — exclamou ele.

— *Ian* — grunhiu Ken. — Você nem sabe se Mika *se interessa* por homens.

Com isso, Lucie, que estava sentada à mesa com seu notebook inserindo os últimos números do orçamento doméstico numa planilha, ergueu o olhar, alarmada.

— Não se atreva — alertou. — Mika não veio aqui para ser envolvida numa de suas tentativas ridículas de bancar o casamenteiro! Jamie vai te esfolar vivo. Não se lembra do que aconteceu da última vez?

Ken fez uma careta. Ele se lembrava. Vividamente.

Quatro anos antes, Ken tinha machucado o joelho e Ian o convencera a contratar uma entusiasmada e adorável jovem como assistente de jardinagem temporária. Lizzie vinha trabalhando para eles havia apenas uma semana quando Ian, o pior casamenteiro do mundo, trancara a moça no celeiro com Jamie, esperando atiçar a chama do romance. Num instante Jamie quebrou a claraboia, tirou os dois lá de dentro e educadamente (bem, educadamente para Jamie, pelo menos) pediu a Lizzie que fosse embora, com o pagamento do mês inteiro. Ficou dias sem falar com Ian.

— Mas a questão é... — disse Ian neste momento, usando sua voz séria, que era ainda mais preocupante do que sua voz ardilosa — que todos nós amamos Jamie demais para vê-lo passar o resto da vida com apenas três sacos de ossos decrépitos como companhia.

— Tenho 56 anos — afirmou Lucie, indignada. — Estou mais próxima da idade do Jamie que da sua! Cuidado com quem você chama de saco de ossos decrépito.

— O mais importante — começou Ken — é que não contamos exatamente tudo a Mika, não é? O que acha que vai acontecer se você empurrar os dois para um caso amoroso e ela descobrir que ele tem segredos? Jamie não precisa perder mais ninguém.

Houve uma pausa enquanto Ken se lembrava, com uma dor repentina e penetrante, da primeira vez que tinha visto Jamie. Ele sabia, pelos olhares nos rostos de Ian e Lucie, que eles também estavam se lembrando.

Lucie desviou a conversa rapidamente.

— Por que você nunca se preocupa com a *minha* vida romântica, ou com a falta dela?

— Querida, você mesmo disse... tem 56 anos — falou Ian com tranquilidade. — Você é uma sol...

— Se você disser a palavra "*solteirona*", eu vou fazer picadinho de você.

— Você é um sólida provedora de estabilidade e conforto — completou Ian depressa, o olhar divertido. — Todos nós desmoronaríamos sem você! Por motivos puramente egoístas, eu *não posso* permitir que você saia por aí em aventuras românticas.

Lucie revirou os olhos, visivelmente tentando não rir.

— Bela desculpa.

Do lado de fora, as garotas tinham ficado de pé. Entrariam a qualquer minuto para uma pausa e um lanche.

— Ian — disse Ken com firmeza, antes que os outros pudessem ouvi-lo. — Estou falando sério. Não meta seu bedelho nisso.

— Claro que não, meu amor — cantarolou Ian.

Ken não acreditou nele.

CAPÍTULO NOVE

Jamie empilhava os livros com uma fúria atípica, esperando que o baque satisfatório de volumes pesados e empoeirados colidindo uns com os outros aplacasse um pouco seu mau humor.

Fazia apenas três dias que ela chegara? Ele sentia como se não tivesse paz havia *meses*.

(Se bem que, precisava admitir, fazia meses *de fato* que ele não tinha paz. Não dormira direito desde aquela noite em junho. Mas a questão aqui não era essa. Era ela.)

Por um lado, havia o pelo de cachorro. Ninguém tinha levado em conta o fato de que os cães soltam pelos o tempo todo? O que dera na cabeça deles para deixar uma cadela ficar dentro da casa? Não importa aonde ela fosse, uma coleção de pelos dourados parecia segui-la. Estavam em suas roupas. Nas cadeiras. Nos tapetes. Até mesmo em seu *carro*. (Como? A cachorra nunca estivera lá!) O único refúgio que tinha dos pelos era seu próprio quarto, e não achava que duraria muito mais tempo porque, por algum motivo inexplicável, a cadela tinha decidido que *gostava* dele.

Jamie voltou para sua escrivaninha e encontrou Circe sentada ao lado dela, com a língua para fora e o rabo abanando, esperando ansiosamente por ele.

— Você sabe que não deveria estar aqui — disse ele, e até sua própria voz era insuportável.

Onde estava o petisco? Caramba, ele parecia quase *afeiçoado*.

O mais irritante era que Circe era uma cachorra muito bem-comportada, o que tornava difícil se aborrecer com a sua presença. Embora ela se recusasse a sair da biblioteca, preferindo sentar-se com a cabeça no joelho dele enquanto ele trabalhava na escrivaninha, ela nunca se aproximava das estantes, nunca tentava mastigar um sapato, uma caneta ou um livro valioso, e nunca o atrapalhava quando ele estava ocupado. Então, tudo bem, talvez ele estivesse quase se afeiçoando a ela. Ou algo do tipo.

Por outro lado, ele não se afeiçoava nem um pouco pela tutora de Circe.

Outra coisa irritante era não saber dizer exatamente por que Mika o incomodava tanto. Havia segredos naquela casa que ele não queria desenterrar, e seu receio era que, de alguma forma, ela destruísse a vida que eles haviam construído. Mas essas eram coisas que o teriam incomodado independentemente de quem Ian tivesse convidado para suas vidas.

Por que *ela* especificamente o exasperava? Ele não podia reclamar das interações dela com os outros. Ela era simpática, tratava as crianças com carinho e cuidado, e estava na cara que Ian, Ken e Lucie a adoravam. E ele também não podia reclamar das aulas. Em apenas uma hora observando a trabalhar com as meninas, ficou nítido que era um pouco inexperiente, mas era uma bruxa talentosa *e* parecia se importar de verdade.

Sua tutoria também estava funcionando. Fazia apenas alguns dias, mas as três garotas agora conseguiam mover suas pedrinhas. Rosetta inclusive tinha feito sua pedrinha dar cambalhotas.

Talvez o problema fosse o eterno bom humor de Mika, que era algo muito incomum para ele — até mesmo pior que a energia ilimitada de Ian. Devia ser isso. Ela era insuportavelmente, implacavelmente *ensolarada*. E, como o próprio sol, parecia determinada a nutrir cada coisa verde ou viva à vista. Era um absurdo! Na verdade, ontem mesmo ele tinha saído para falar com Ken e a encontrara ajoelhada no caminho calçado da frente, alimentando uma abelha com uma colher. Uma *abelha*! Não que ele não quisesse salvar as abelhas. Óbvio que queria! No entanto, por alguma razão, Mika batizar seus animais de estimação com o nome de bruxas folclóricas, Mika alimentar uma abelha com uma colher, os olhares travessos, tudo aquilo o fazia querer se mudar para um apartamento com paredes de vidro, com vista para os prédios da cidade e para zero duendes da floresta. Zero.

Sim, ele sabia que era tudo bastante irracional.

Nem sempre ele tinha sido o tipo de pessoa que vê o copo meio vazio. Via de regra, não gostava de olhar para o passado, mas foi para onde sua mente o levou naquele momento, esquivando-se das partes mais espinhosas de suas lembranças. Ele era o Jamie de Depois, mas houve um Jamie de Antes, e foi para ele que se dirigiu, para aquele garotinho em Belfast. O Jamie de Antes tinha um peixinho dourado que amava, uma mochila escolar marrom em que sua mãe bordara com amor citações de seus livros favoritos e um pai que o pegava depois da escola e o colocava em seus ombros largos.

Para o Jamie de Antes, o copo estava *mais* do que meio cheio. Ele não procurava o pior nas pessoas. Acreditava que, mesmo quando uma desgraça acontecia, tudo acabaria bem no fim.

O Jamie de Depois era mais esperto.

Mesmo assim, se ressentir de alguém por ter um sorriso incrivelmente encantador talvez fosse passar um *pouquinho* do ponto.

Quase como se tivesse sido invocada por pensamento, a porta da biblioteca se abriu um pouco mais e Mika enfiou a cabeça pela abertura.

— Aí está você — disse, balançando a cabeça para Circe, que latiu amorosamente em resposta. — Desculpe, ela está te incomodando?

— Não, ela é ótima — Jamie se ouviu dizer.

Que droga foi essa? Ele acabara de ter a oportunidade perfeita de se livrar educadamente da cachorra, da tutora da cachorra *e* dos persistentes pelos da cachorra. Por que diabos não a aproveitara?

Mika entrou na biblioteca, obviamente interessada. Maravilha. Era tudo de que ele precisava. Ele a observou com o que esperava ser uma expressão educada, porém proibitiva.

Não surtiu o efeito desejado.

— Como essa biblioteca funciona? — perguntou ela, curiosa, esticando o pescoço para examinar o segundo andar de livros velhos e encarquilhados. — Ninguém passeia por entre essas estantes, é óbvio, então você tem que postar um pacote no correio toda vez que uma criança pede um exemplar da última aventura da Peppa Pig?

Isso arrancou uma risada surpresa dele, o que a fez se virar e fitá-lo com um semblante igualmente surpreso.

— Não é esse tipo de biblioteca — disse ele, desviando o olhar rapidamente. — É uma coleção particular. Menos Peppa Pig e mais antigos textos acadêmicos e obras de referência. Existem livros aqui que você não encontra em nenhum outro lugar do país. Todos estão catalogados no site da biblioteca, e geralmente recebo pedidos de professores e acadêmicos. Eles costumavam vir aqui, mas, depois que as meninas chegaram, isso parou de acontecer. Então, sim, tenho que enviar os livros pelo correio todas as vezes.

— E se eles extraviarem? — perguntou ela, parecendo um pouco horrorizada com a possibilidade.

— Parte do meu trabalho é digitalizar todos os livros da biblioteca para que não haja risco de perda permanente de nada. O ideal seria emprestarmos *essa* cópia em vez de enviar o livro físico real, mas, legalmente falando, não temos permissão para distribuir cópias não autorizadas. — Ele apontou para os três livros empilhados ordenadamente ao lado do seu notebook. — E se chega um pedido de um livro que ainda não tive a chance de digitalizar, paro o que estou fazendo, digitalizo o livro e o envio. Não é um sistema perfeito, mas...

Ele deu de ombros, deixando a frase no ar.

Mika assentiu, aproximando-se de uma das estantes. Ele se levantou, deu a volta na escrivaninha e se recostou nela para poder ficar de olho em Mika, mas ela tocava os livros com uma mão leve e cuidadosa.

— Aliás, você deveria fazer isso mais vezes — disse ela, com os olhos na lombada do livro à sua frente. — É legal.

— Fazer o quê?

— Rir.

Jamie só fez piscar, desconcertado. Cruzou os braços sobre o peito, de repente sem saber o que fazer com eles.

Mika, porém, não parecia esperar uma resposta e, um instante depois, já tinha desaparecido atrás de uma fileira de estantes. Ele não a seguiu. Em vez disso, olhou para Circe, que lhe devolveu o olhar como se dissesse: *Sim, isso acabou mesmo de acontecer.*

Seu celular emitiu um alerta de mensagem, e ele o retirou do bolso da frente da calça jeans.

Ian tinha enviado a ele uma captura de tela, seguida por uma mensagem de texto: **Ele não vai recuar. Babaca.**

Jamie, o rei da mentalidade do copo meio vazio, não esperara outra coisa. Ele beliscou a ponte do nariz, soltando um suspiro exausto.

É obvio que foi justo a hora em que Mika escolheu para reaparecer entre as estantes. Ela o fitou com uma pequena ruga entre as sobrancelhas e perguntou, bem delicadamente:

— Você está bem?

Ele se surpreendeu ao dizer a verdade:

— Tem dias que eu acho que estou cansado demais para continuar guardando segredos.

Meu Deus, o que havia de errado com ele? Por que simplesmente não contava a ela tudo sobre a sua infância já que estava no embalo?

— Só alguns dias? — questionou Mika, as sobrancelhas levantadas.

Ele quase sorriu.

— Muitos dias.

— Eu também — confessou ela simplesmente. Então se ajoelhou no chão para dar um pouco de atenção a Circe, suas mãos desaparecendo nas profundezas do pelo macio e dourado da cachorra, e ergueu a cabeça para fitar Jamie. — É um cansaço generalizado ou aconteceu algo específico?

Jamie escolheu suas palavras com cuidado.

— Lucie mandou um e-mail para Edward na tentativa de adiar sua visita em algumas semanas, para nos dar mais tempo. Ela é a única de nós que ele *não* odeia, então esperava que cedesse a um pedido e seu.

— Mas ele não cedeu — deduziu Mika.

— Não.

Isso não é algo que possa esperar indefinidamente, dizia o e-mail de Edward, de acordo com a captura de tela que Ian tinha enviado a Jamie. **Sei que você concorda.**

Jamie podia afirmar com absoluta certeza que ninguém concordava.

— Correndo o risco de chover no molhado, alguém tentou falar com Lillian novamente? — perguntou Mika. — Sei que as chances são mínimas, mas, se vocês conseguissem convencê-la a voltar...

Jamie quis rir, sem nenhuma alegria, mas apenas disse:

— Não adiantaria.

— Sinto muito — disse ela. — Obviamente não cabe a mim dizer isso, mas, não importa quais sejam os motivos para ela estar longe com tanta frequência, ela deveria estar aqui *agora*. Deixou vocês com uma bomba-relógio e o mínimo que poderia fazer é consertar o...

— As meninas *não* são uma bomba-relógio — interrompeu Jamie bruscamente.

— Eu estava falando do advogado, não das meninas.

Ele soltou o ar com força.

— Desculpe.

— Mas — continuou ela, observando-o atentamente — imagino que seria normal ter dificuldade para cuidar de três crianças que são diferentes de...

Ele a cortou pela segunda vez, travando a mandíbula com raiva.

— São crianças — disparou. — Em certos dias, elas são os seres humanos mais engraçados e doces do planeta. Em outros, fico tentado a jogá-las pela janela. Porque são crianças. Não porque são diferentes. Cuidar delas é difícil porque, novamente, elas são *crianças*.

Jamie parou de repente, desequilibrado por algo intensamente vulnerável nos olhos dela. O arrependimento substituiu sua raiva.

— Mika — disse ele baixinho —, se o seu batalhão de babás e cuidadores já fez você se sentir um fardo por ser diferente, *eles* estavam errados. Não você. Sabe disso, não é?

— Eles não sabiam que eu era uma bruxa — retrucou ela, um pouco rápido demais. — Não até que vissem algo que não deveriam, e aí eles iam embora, então nunca tinham a oportunidade de me tratar de forma diferente.

— Podiam não saber que você era uma bruxa, mas sabiam que era diferente — comentou ele. — Deviam perceber desde o início que você não era como a maioria das outras crianças que conheciam. E suponho que demonstrassem.

Ela piscou rapidamente e passou uma mão trêmula pelos olhos. Jamie ficou furioso ao descobrir que, depois de dias desejando que o bom humor de Mika se escafedesse, acabou *não* gostando da ausência completa dele.

— Sim — admitiu ela, olhando para os sapatos dele. — Eles sempre souberam que eu era diferente. Levei anos para descobrir como me comportar de acordo com o que era esperado.

A voz dele estava novamente repleta de raiva, mas desta vez não era dirigida a ela.

— Você não deveria ter precisado agir assim.

— Obrigada por dizer isso.

Ela se virou para sair. Circe a seguiu.

Da porta, Mika parou para encará-lo. Seu olhar era firme quando disse:

— Se as meninas quiserem viver fora desta casa, terão que aprender a se encaixar também. Eu preferia que não precisassem, mas o mundo não é tão bom quanto todos gostaríamos que fosse.

— Mas poderia ser — disse ele, sem acreditar que aquelas palavras haviam saído de sua boca.

Quando foi que *ele* tinha se tornado o otimista?

Mika então sorriu.

— Talvez.

CAPÍTULO DEZ

— Onde está a sua família?

Mika olhou para Altamira, sentada do outro lado do caldeirão. Tivera sorte por ter levado uma semana inteira até alguém fazer essa pergunta. Uma vez que já havia precisado responder perguntas do tipo "Os órgãos reprodutores das bruxas funcionam da mesma maneira que os das outras pessoas?" (Rosetta), "Por que tem gente que chama pênis de pinto?" (Altamira) e "Você prefere veneno ou decapitação?" (Terracotta), não deveria ter sido *essa* a pergunta que a deixaria abalada.

— Continue mexendo — Mika lembrou a Altamira, em parte porque a mistura no caldeirão *precisava* ser mexida e em parte para ganhar mais alguns segundos.

— Você não respondeu à pergunta — disse Altamira, que se sentia no dever de apontar os defeitos dos outros.

Mika adicionou uma gota de essência de lavanda ao caldeirão.

— Não tenho família — respondeu ela. Era incrível que pudesse estar tão acostumada com esse fato e ainda assim achar tão difícil expressá-lo em voz alta todas as vezes. — Eu cresci na casa de Primrose, lembra? Minha mãe e minha avó eram bruxas, então estive praticamente sozinha desde o início.

— Se você nunca conheceu sua família, como sabe que sua mãe e sua avó eram bruxas? — apontou Altamira.

— Primrose me contou, e não tenho motivos para duvidar dela.

— E os pais de todas nós morreram quando éramos pequenas por causa do feitiço que deu errado?

Não fora Mika que contou às crianças sobre o fato de que as bruxas sempre ficavam órfãs. Elas já sabiam; tinha sido uma das poucas coisas que Lillian lhes contara. Mika, que sempre havia suspeitado de que Primrose inventara a história do feitiço que deu errado, ficou espantada ao descobrir que esse feitiço misterioso aparentemente também era citado em outros lugares.

— Como eu disse antes, não faço ideia se um feitiço realmente deu errado — declarou Mika. — Mas, sim, seja qual for o motivo, foi por causa dele que nossos pais morreram.

Rosetta, que estava trabalhando no caldeirão maior, falou em voz baixa:

— Se você é bruxa, é mais provável que dê à luz uma bruxa?

— Pelo que sabemos, sim — afirmou Mika. — Qualquer pessoa pode gerar uma bruxa, mas é muito mais provável que a filha de uma bruxa seja uma bruxa.

— Pera aí! — gritou Altamira. — Isso significa que eu não devo ter bebês? Mas eu gosto de bebês!

— Em primeiro lugar, você tem 7 anos — disse Mika. — Ainda tem um bom tempo antes de precisar se preocupar com isso. Em segundo, as bruxas *têm* bebês. Eu existo, não é? Nem sempre damos à luz bruxas. Somos apenas mais propensas a isso. Muitas bruxas escolhem não ter filhos biológicos pelo risco de... Vocês sabem...

— De morrerem em seguida? — perguntou Rosetta.

— Eu ia usar um eufemismo, mas isso serve — respondeu Mika. Ela hesitou, perguntando-se quanto poderia explicar a elas. — E, sim, algumas bruxas escolhem correr o risco porque querem muito ter filhos, mas às vezes a escolha é totalmente tirada de suas mãos. Agora podemos voltar à nossa preparação de poções?

Terracotta não tinha aparecido para esta aula. Mika sabia que a menina estava praticando os feitiços simples que havia ensinado a elas até então, porque Rosetta lhe contara, mas ela tinha faltado cerca de um terço das aulas. Em geral Terracotta comparecia a uma sessão ou duas, ficava interessada contra a própria vontade e logo decidia não vir para a aula seguinte, apenas para garantir que Mika jamais se esquecesse de que não gostava dela nem um pouco. Quando eram obrigadas a passar tempo juntas na hora das refeições, na sala de estar iluminada pela lareira à noite ou quando era a vez de Mika ficar de olho nas crianças brincando do lado de fora, Terracotta ou ignorava Mika por completo, ou discutia métodos de assassinato como se fosse a coisa mais natural do mundo. Mika havia decidido achar graça, porque a alternativa era ficar extrema e extraordinariamente frustrada.

Fora isso, que sem dúvida era uma coisa pequena, sua primeira semana na Casa de Lugar Nenhum tinha corrido muito bem. Ao longo das aulas, ela tinha observado a confiança e o controle das crianças aumentarem; ensinara a elas as propriedades de seus oito Itens Essenciais; juntas, procuraram ingredientes e prepararam poções; as meninas tinham ficado acordadas até tarde uma noite para que ela pudesse lhes mostrar como colher o luar; e Mika estava segura de que tinha as reservas de poder da Casa de Lugar Nenhum sob controle.

Houvera alguns outros percalços. Altamira precisava ser socorrida o tempo todo da magia bem-intencionada, porém excessivamente entusiasmada que tendia a se acumular ao seu redor; Jamie parecia fazer um grande esforço para jamais ficar no mesmo cômodo que Mika; e Mika precisara esmagar com firmeza a esperança de Ian e Lucie de que ela seria capaz de, além de dar aula de Introdução à Bruxaria I, também ensinar a disciplina Como Ser uma Mulher Racializada.

Esta última situação a tinha pegado de surpresa, e ela precisara apontar o óbvio: que só porque ela era uma bruxa e tinha pele marrom, *não significava* que tinha respostas para todas as perguntas que as garotas inevitavelmente teriam sobre suas próprias identidades. Mas ela havia procurado explicar com muita delicadeza, porque sabia que, embora Ian e Lucie estivessem errados ao supor que ela poderia ser tudo para todos, só o que eles realmente queriam era que as crianças tivessem a oportunidade de conhecer outras pessoas como elas.

O que estava longe de ser fácil, é lógico. Como Mika, as meninas tinham uma intersecção de identidades que as enquadrava numa minoria na Grã-Bretanha. Eram bruxas, não eram brancas e tinham nascido longe dali. Por mais que todos desejassem o contrário, sempre haveria pessoas que questionariam se elas eram britânicas o suficiente, normais o suficiente, *qualquer coisa* o suficiente. E o único lugar onde todas poderiam ter encontrado algo próximo de aceitação e afinidade, numa comunidade diversa de bruxas, era um lugar que só existia durante um mísero par de horas a cada três meses.

— Que merda, Primrose — disse Mika baixinho.

Desde a primeira aula, essa havia se tornado a resposta de Altamira para qualquer inconveniente, e tinha sido apenas uma questão de tempo até que Mika se pegasse dizendo isso também.

Mika deixou Altamira mexendo a mistura e foi verificar o caldeirão de Rosetta. Ela tinha entregado à menina seu livro de feitiços no início da aula, aberto numa página com uma infusão energizante simples, e dado a ela a tarefa de preparar sua primeira poção inteiramente sozinha. Rosetta, cuja habilidade superava em muito sua confiança, havia ficado bastante nervosa no início, mas, assim que começou a trabalhar, seu nervosismo foi sendo esquecido.

— Tá com uma cara boa — declarou Mika, espiando a mistura que espumava de leve dentro do caldeirão. Olhando para a mão de Rosetta que mexia o caldeirão, ela acrescentou gentilmente: — Mexer sempre na mesma direção facilita. Poções gostam de consistência, então talvez seja melhor decidir no início se vai no sentido horário ou anti-horário e se ater a ele. Seu punho não vai gostar, mas você vai produzir uma poção melhor.

— Faz sentido — disse Rosetta, com sua nuvem de cachos pretos balançando enquanto seu rosto sério se iluminava num sorriso.

O coração de Mika se apertou. Rosetta a lembrava muito de quando era mais jovem. Houve um tempo em que Mika também fora tímida e séria. Desesperada por agradar, tinha tentado em vão se encaixar num modelo que babás e tutores considerariam digna de ser amada. Era óbvio que Rosetta não tinha a menor dúvida de que era amada, mas ainda havia algo ali, algo dolorosamente familiar nessa criança que fazia Mika querer estender as mãos e apertá-la num abraço.

Rosetta era solitária. Era óbvio que amava suas irmãs e adorava seus cuidadores, e de modo geral era uma menina extremamente feliz, mas Mika conhecia bem a solidão. Ela a tinha visto na maneira como Rosetta se agarrara a ela no minuto em que chegou, na maneira como a menina tinha indagado, melancólica, se seria uma coisa tão ruim assim se mais pessoas soubessem sobre bruxas e nas suas perguntas intermináveis sobre como era a vida de uma bruxa adulta. Rosetta usava a internet. Ela via TV e jogava videogame. Sabia que existia um mundo inteiro fora da Casa de Lugar Nenhum. Ao contrário de Altamira, que ainda era muito novinha e contente, e Terracotta, que queria que o seu pequeno círculo fechado continuasse como era, Rosetta, a mais tímida das três, era também a que mais se interessava pelo que havia além dos portões.

Num impulso, Mika disse:

— Acho que vou a Norwich conhecer uma livraria da qual ouvi falar. Quer ir comigo?

Mika se arrependeu assim que terminou a frase. A livraria ficava bem no coração de Norwich, a uns bons 45 minutos de distância. A *quilômetros* de distância das sentinelas de Lillian. E Norwich era uma cidade pequena, mas ainda assim uma cidade, e cidades eram lugares cheios de gente. Ela não tinha nada que ter convidado Rosetta para deixar a Casa de Lugar Nenhum pela primeira vez em anos, muito menos para ir a uma cidade a quase uma hora de distância, e certamente não tinha o direito de lhe dar esperanças antes de verificar com um dos outros adultos.

Os olhos de Rosetta se arregalaram.

— Eu posso? Tenho permissão?

— Podemos perguntar, não podemos? — disse Mika. — Acho que Ian permitiria, principalmente se ele for junto! E, sabe, parte do motivo de eu estar aqui é ajudar vocês três a abrir um pouco o seu mundo, então esta parece ser uma boa maneira de fazer uma tentativa.

— Tudo bem — disse Rosetta.

A empolgação dela era hesitante, mas estava lá.

De jeito nenhum Mika iria frustrar suas esperanças agora. Ela levaria Rosetta àquela livraria nem que isso a matasse.

~

— Não.

Todos olharam para Jamie, nada surpresos. Ninguém que o conhecia esperaria que ele concordasse com essa iniciativa específica imprudente e irresponsável.

— Você terá que perdoá-lo — disse Ian a Mika. — Jamie não tem a intenção de ser grosseiro, mas não consegue deixar de imaginar o apocalipse em cada esquina.

— Eu *tenho toda a intenção* de ser grosseiro — retrucou Jamie. — Sempre tenho a intenção de ser grosseiro quando alguém sugere colocar uma dessas crianças numa situação estressante e nova esperando que nada dê errado. Não é seguro levá-las para além das sentinelas.

— Não *era* seguro — rebateu Mika. — Ainda há um risco, admito, mas é um risco muito, muito menor agora que estou aqui. *Eu* consigo manter a magia em segredo. Esse é o meu trabalho.

— E se não conseguir? Lillian nunca sequer tentou.

— Lillian nunca tentou porque jamais esteve aqui — acrescentou Ken com delicadeza.

Jamie fez uma careta para ele. Tinham *todos* perdido o juízo?

— Jamie...

— Digamos, hipoteticamente, que Mika *não* consiga manter a magia sob controle — disse Jamie, categórico. — Digamos que o pior aconteça. E depois? Devemos presumir que Mika será capaz de proteger Rosetta da polícia e dos forcados?

— Você teria se saído muito bem no palco, querido — comentou Ian, dando-lhe um tapinha carinhoso no braço. — No mundo real, porém...

Para a surpresa de Jamie, foi Mika quem interrompeu Ian:

— Jamie não está errado. Não sei quanto a forcados, mas sempre é possível alguém chamar a polícia. *Porém* — continuou ela, e a tensão em seus ombros voltou a aumentar —, pela minha experiência, a maioria das pessoas que testemunha um rompante involuntário de magia tende a pensar que é só um truque legal. Elas soltam algumas exclamações de espanto e depois seguem em frente.

Tudo bem, aquele era um bom argumento. Jamie tentou não fazer cara feia.

— E se alguém gravar no celular? — questionou.

— Um vídeo é ainda mais fácil de descartar como falso — respondeu Mika. — E tudo isso pressupondo que algo vai dar errado, o que é muito improvável.

— É um risco...

— Você me pediu que viesse aqui para ajudar a preparar as meninas para o mundo fora da Casa de Lugar Nenhum — Mika o lembrou.

— *Eu* não pedi para você vir aqui — rebateu Jamie.

De um jeito um tanto desconcertante, Ian havia parado de se intrometer na discussão e apoiava o queixo em uma das mãos, observando-os com um sorriso sonhador. Jamie estreitou os olhos para ele, decididamente desconfiado.

Até agora, como era habitual, Ken e Lucie não haviam dito nada, mas então ela se manifestou:

— Não tenho dúvidas de que vou passar o tempo inteiro que vocês estiverem fora contando os segundos até que Rosetta esteja de volta, sã e salva, sob este teto novamente, mas também não tenho dúvidas de que esta viagem tão curta e banal fará essa criança muito, muito feliz. E Mika está certa sobre o fato de precisarmos fazer isso mais cedo ou mais tarde. Do contrário, qual é o sentido disso tudo? Portanto, se estamos colocando o assunto em votação, eu voto a favor.

Jamie estava furioso, tanto com Mika por sugerir aquilo quanto consigo mesmo por atravancar algo que ele *sabia* que deixaria Rosetta feliz.

— Eu voto contra — disse ele bruscamente. — É cedo demais.

— Meu voto é a favor, obviamente — afirmou Ian.

Todos olharam para Ken.

— Acho uma excelente ideia, Mika — comentou, gentil. — Sei que você sabe o que está fazendo e que Rosetta vai adorar, mas, como um primeiro passo, parece grande demais. Seria mais seguro levar Rosetta na praia a dez minutos daqui para comer peixe com batatas fritas.

Mika assentiu como se compreendesse.

— Podemos fazer isso então. Eu não me importo com o local aonde vamos. Só achei que ela fosse gostar da livraria.

— Ken é sempre tão sensato — disse Ian com carinho.

— É sério isso? — indagou Jamie. — *Ken* é sensato, mas *eu* sou acusado de imaginar o apocalipse?

Ian sorriu para ele.

— Eu preciso manter o Ken feliz. Por razões sexuais.

— Ian — resmungou Jamie. — Ninguém quer imaginar seus bisavós fazendo sexo.

— Alto lá! Eu não sou tão velho!

Quando as risadas diminuíram, Jamie relutantemente os conduziu de volta ao problema em questão.

— Então foram dois votos contra e dois votos a favor. E, com o meu voto desempatador, isso...

— Seu voto desempatador é um pé no saco — disse Ian mal-humorado. — Mika, minha querida, você não poderia ter se organizado melhor e sugerido isso na semana que vem, quando teria terminado seu período experimental de duas semanas e poderíamos ter dado a *você* o direito a voto?

— *Eu* vou poder votar na semana que vem? — indagou Mika, parecendo abismada.

— Lógico — respondeu Ken. — Daí você será verdadeiramente uma de nós.

Mika continuou com o semblante atordoado, como se nunca lhe tivesse ocorrido que pudesse ser considerada parte de algo, e Jamie se pegou odiando aquilo com todas as forças. Estava *furioso* por Mika ter ficado tão surpresa com um gesto tão simples. Será que ela *sempre* tinha sido tratada como uma excluída?

— Então, vamos sugerir a ideia de Ken do peixe com batatas fritas para Rosetta? — perguntou Lucie.

— Não — disparou Jamie, bastante ciente de que não estava em posse de suas faculdades mentais, só pode. — Visitem a livraria.

Quatro rostos atônitos se viraram para ele.

— Como é que é? — cuspiu Ian.

— Não vou repetir, Ian.

— Ora, ora — disse Lucie. Sua voz oscilou com o riso.

Deus, eles eram terríveis.

— Você pode ir também — sugeriu Mika, com seus olhos castanhos tão brilhantes que o faziam se lembrar de quando olhava diretamente para o sol. — Para a livraria. Se isso fizer você se sentir melhor.

Não era *o* que ele tinha em mente.

Jamie desviou o olhar.

— Tudo bem.

— Eu mesmo não poderia ter tido uma ideia melhor! — exclamou Ian todo feliz. — Mal posso *esperar*.

CAPÍTULO ONZE

Mika tinha acabado de regar as plantas da estufa quando Jamie veio procurá-la. Ela colocou o regador vazio de metal na prateleira, deu uma conferida no alecrim e nas chalotas que havia plantado na semana anterior e voltou para onde havia deixado o casaco.

E então se chocou contra o peito de alguém.

Ela deu um gritinho assustado e se balançou sobre os calcanhares, perdendo o equilíbrio. As mãos de Jamie se fecharam ao redor de seus braços na mesma hora, firmando-a, e o inesperado aroma de agulhas de pinheiro a deixou zonza. Um calor brotou dos lugares onde as mãos dele tocaram sua pele. Mika piscou atônita. Jamie a soltou rapidamente.

— Desculpe — disse ele, e recuou alguns passos até a entrada estreita da estufa. O sol estava atrás dele, dificultando ver a expressão no seu rosto. — Só vim dizer que estamos prontos.

— Espere — pediu Mika, desfazendo o espaço entre os dois e agarrando a gola da camisa dele. Então cheirou. — Sem dúvida agulhas de pinheiro. E oceano? O que é *isso*?

Jamie pigarreou.

— Minha loção pós-barba, acho.

— Mas você não se barbeia, não é? Quero dizer, tem sempre uma sombra curta e espetada no seu...

Mika parou e deu dois passos apressados para trás. Seu amor por todas as alegrias sensoriais já a havia colocado em situações constrangedoras antes, com destaque para aquela vez em um trem quando ela estendeu a mão para acariciar a linda pashmina de uma senhora idosa sem se lembrar de pedir permissão antes. Mas esta superava todas! Suas bochechas ficaram quentes e ela sorriu timidamente. Era impossível não ver graça naquela humilhação.

— Hum. Desculpe. Mesmo depois de uma vida inteira lembrando a mim mesma, de vez em quando ainda esqueço o que é e o que não é um comportamento socialmente aceitável.

— Você já me conhece, né? Não sou exatamente um bastião do comportamento socialmente aceitável.

— Bem, só para constar, já terminei de farejar você.

Ela correu os olhos pela estufa de novo, apenas para que seu coração acelerado se acalmasse, droga.

Jamie a observou.

— Tem um inseto no seu cabelo.

— Sim, é de propósito — informou Mika, graciosamente. — Acho que eles dão uns adereços maravilhosos.

Os olhos dele brilharam com uma risada inesperada.

— Eu ia me livrar dele, mas já que é de *propósito*...

— Não! Tire, por favor!

Jamie arrancou uma joaninha do cabelo de Mika. Sua mão roçou na orelha dela, e Mika se afastou rapidamente, enfiando o cabelo atrás da orelha e fingindo estar muito interessada na joaninha que ele resgatara.

A voz de Jamie soou brusca quando falou:

— Eles estão esperando por nós.

E saiu da estufa.

Mika soltou um suspiro lento e o seguiu até a frente da casa, onde o Vassoura Voadora estava esperando. Ian tinha insistido para que fossem nele porque ele e Rosetta não iriam desperdiçar a oportunidade de viajar no carro encantado de uma bruxa. Os dois já estavam no banco de trás, sacudindo-se alegres como duas crianças em sua primeira vez numa montanha-russa.

Mika se sentou no banco do motorista, pegou as chaves com Ian e esperou Jamie se acomodar ao seu lado. Enquanto ele afivelava o cinto de segurança, Mika se viu maravilhada com o fato de já ter tido uma golden retriever, uma estufa e um laguinho inteiro de carpas nesse carro, e mesmo assim ele nunca ter parecido tão pequeno quanto agora, com o cotovelo de Jamie Kelly a apenas dois centímetros dela.

Ah. Ah, não. Ele enrolou as mangas da camisa branca de botão até os cotovelos. Ela podia ver seus antebraços.

Antebraços eram sempre sua perdição.

Mika suspirou, deu a partida no carro e se afastou da casa antes de fazer algo que colocasse uma cereja no topo do seu sundae da vergonha.

— *Uhuuul!* — guinchou Ian atrás dela, como se não dirigisse seu próprio carro mais rápido que isso. (Ele dirigia. Ken contara a ela.) — Quando o feitiço de velocidade entra em ação?

— Quando eu preciso dele — respondeu Mika. — Com ênfase na palavra "*preciso*". Não vou usá-lo hoje.

— Sua estraga-prazeres.

— Eu não me importo — proferiu Rosetta, toda feliz. Ela tinha virado o corpo ao máximo que seu cinto de segurança permitia e apoiado os braços na moldura inferior da janela aberta, seus olhos grudados na floresta e nos campos ondulantes que passavam rapidamente. — Não quero perder nada!

Mika olhou para Rosetta pelo espelho retrovisor. Ao saber da viagem, a menina se permitira apenas um segundo de alegria descarada antes de lançar olhares preocupados para Terracotta e Altamira, porque não queria que elas fossem deixadas de fora. Ambas a informaram na mesma hora que não desejavam ir a uma livraria, muito obrigada, e estavam mais ansiosas para passar a tarde nadando no mar sob o olhar atento de Ken. (Pessoalmente, Mika achava que isso soava como uma maneira horrível de passar uma tarde. Não havia força no universo que a persuadisse a mergulhar mais do que um *dedinho do pé* no mar do Norte em novembro, mas Terracotta e Altamira pareciam de fato se deliciar com o frio.)

Com a certeza de que não magoaria ninguém, a empolgação de Rosetta tinha se mostrado ilimitada. Ela havia desenterrado as roupas que só usava em aniversários, insistido em lavar o cabelo de manhã cedo e se sentado pacientemente durante uma hora enquanto Ken o secava, desembaraçava, penteava e modelava até formar uma auréola perfeita de lindos cachos em volta do seu rostinho. Rosetta pensar que uma ida a uma livraria justificasse todo esse esforço tinha deixado Mika comovida, mas também maravilhada ao ver como a menina estava feliz.

Como se estivesse pensando a mesma coisa, Jamie virou a cabeça para olhar Rosetta nos olhos e exibiu aquele sorriso caloroso e cintilante que só dava para as crianças.

— Você tá bem, garotinha?

— Eu estou bem vezes um milhão — respondeu Rosetta, ainda olhando extasiada pela janela.

— E Mika obviamente tem tudo sob controle — disse Ian —, de modo que tivemos um começo esplêndido. — Houve uma pausa, e então, mudando de tom, ele continuou: — Se algo *por acaso* der errado, Mika, como você propõe que a gente lide com o problema?

— Partindo imediatamente e confiando que o que aconteceu será visto como um truque e logo esquecido.

— Talvez você e Rosetta pudessem preservar seu anonimato se disfarçando — sugeriu Ian.

— Como assim? Com chapéus e bigodes?

— Ou com *magia* — completou Ian de maneira expressiva. — Por serem bruxas e tal.

Mika percebeu que o corpo inteiro de Jamie tinha ficado tenso. Ela não fazia ideia de por que ele havia concordado com esse passeio depois de categoricamente tê-lo considerado uma loucura, mas a última coisa de que ela precisava era que as hipóteses apocalípticas de Ian o desencorajassem antes mesmo de chegarem lá.

— Ian, nada vai dar errado — insistiu ela.

— Aham — disse Ian, evasivo. — Mas você *poderia* se disfarçar se precisasse?

— Ian — resmungou Jamie, num tom seco.

— Já ouvi falar em feitiços de disfarce — contou Mika, examinando a questão com interesse acadêmico. — Eles projetam uma ilusão, de modo que você tenha a aparência que quiser, mas são muito difíceis e não sei as runas certas. Se eu *precisasse* cobrir meus rastros e soubesse disso com antecedência, provavelmente optaria por algo menos complicado, como um chá para confundir os sentidos de quem o bebe.

— Existe uma coisa dessas?

— Nunca tentei preparar, mas acho que não seria difícil descobrir como. Mas, novamente — enfatizou ela —, medidas extremas *não* serão necessárias hoje.

Ian deixou o assunto morrer e olhou para fora da janela com uma expressão ligeiramente aflita. Mika se perguntou se ela o havia julgado mal e ele estava, de fato, muito mais preocupado com a viagem do que tinha deixado transparecer.

Porém, um tempo depois, enquanto eles passavam por uma linda igreja rural, Ian voltou a falar:

— Então, minha cara, você tem alguém especial na sua vida?

Embora a carinhosa forma de tratamento pudesse ter sido dirigida a qualquer um, a pergunta deixava óbvio que seu alvo era Mika. Ela revirou os olhos. Então ele *não* estava tão preocupado assim.

— Eu moro com *vocês* — respondeu ela. — Quando exatamente você acha que eu encontro esse suposto alguém especial?

— Então já faz tempo — comentou Ian, esfregando o queixo magro como um vilão de desenho animado.

— Faz tempo desde o quê?

— Ele quer dizer desde que você transou — intrometeu-se Rosetta, sem tirar os olhos da janela.

Jamie engasgou. Ian deu de ombros como se dissesse "Sim, foi *isso* que eu quis dizer".

— Que deselegante — disse Mika para Ian. Seu tom severo foi um tanto sabotado pelo fato de que ela estava se esforçando muito para não rir. — Definitivamente *não* é da sua conta, Ian Kubo-Hawthorn, mas, se quer mesmo saber, já faz alguns meses.

— Era sério?

— Nunca é sério — retrucou Mika. — Eu não namoro sério desde a universidade, e aquele foi um erro enorme, gigantesco, descomunal.

Pelo canto do olho, viu Jamie olhar para ela com curiosidade.

— São os segredos que te atrapalham? — indagou Ian.

— São sempre os segredos — admitiu Mika.

Ela deu seta, virou à esquerda e seguiu uma placa para a rodovia A47. De repente, pensou em Hilda Kim, a doce e extrovertida Hilda, que havia contado à Sociedade Supersecreta que estava sofrendo por esconder da noiva uma parte importante de si mesma. — Eu não poderia me apaixonar por alguém que não soubesse que sou uma bruxa. Acho que seria doloroso demais. É por isso que nunca fico muito tempo num lugar e nunca mantenho contato com ninguém que conheço enquanto estou por lá. Se eu me aproximar das pessoas, vou querer contar a verdade. E, se eu contar a verdade, provavelmente vou perdê-las.

— Você não sabe se seria realmente assim — protestou Rosetta. — Você é incrível. Eu me recuso a acreditar que alguém que a conhece desistiria de você.

O coração de Mika derreteu por completo.

— Você é pura demais para este mundo, Rosetta.

— Deixa eu ver se entendi — disse Jamie, estragando o momento com seu charme habitual. — Você está dizendo que não mora num lugar por mais de alguns meses porque não quer se aproximar de pessoas que pode perder mais tarde, mas fica feliz em criar laços com uma cachorra e quatro peixes?

— Em primeiro lugar, não quero me aproximar de pessoas com quem nunca poderei ser eu mesma — salientou Mika. — Toda a coisa de manter o segredo é que é a questão. Mesmo que eu escolha não contar a verdade, se ficar muito tempo num lugar, qualquer pessoa que me conheça pode sacar que eu sou diferente. E, em segundo lugar — prosseguiu ela —, Circe tem apenas 4 anos. Não vou perdê-la nem tão cedo. Quanto aos peixes, são carpas. Podem viver mais de trinta anos se forem bem cuidados. Não estou colocando meu coração em perigo permitindo que elas tenham uma parte dele.

— Olhem! — Rosetta os interrompeu para observar boquiaberta os carros e caminhões roncando ao lado deles na larga e movimentada A47. — Eu nunca vi tantos carros na vida real!

Mika aproveitou a interrupção. Pelo espelho retrovisor, podia ver que a expressão no rosto de Ian indicava que ele ainda não tinha desistido de querer saber mais a respeito de suas aventuras românticas, e ela estava determinada a distraí-lo.

— Lillian tem algum parente? — perguntou ela, imaginando se mais alguém sabia sobre as meninas. — Vocês já os conheceram?

— Ah. — Ian deu de ombros, seus olhos voltados para a paisagem. — Lillian nos contou uma vez que ela e a irmã foram criadas por parentes que as tratavam muito mal. Ela os deixou assim que pôde e nunca olhou para trás. Então, não, nunca conhecemos nenhum deles. Veja bem — continuou Ian —, essa é a versão *dela*, mas, como você já deve ter notado, Lillian não é muito de se abrir.

— Acho que ela nunca *mentiu* abertamente para nós — contestou Jamie.

— Esconder informações é tão ruim quanto mentir — retrucou Ian, petulante. — E você não precisa me olhar com essa cara, James. Sei que sente que precisa defendê-la, mas não estou dizendo nada que não seja verdade.

Mika arriscou uma olhadela questionadora para Jamie.

— Por que você sente que precisa defendê-la?

Jamie virou a cabeça para fazer cara feia para Ian no banco de trás, obviamente irritado por ter que explicar algo que não queria, e disse, curto e grosso:

— Saí de casa aos 16 anos. Lillian me acolheu.

— Então você já morava na Casa de Lugar Nenhum *antes* de começar a trabalhar na biblioteca? E ainda era só uma criança quando saiu de casa?

— Jamie pegou a balsa de Belfast para Liverpool, depois o primeiro trem que saía de Liverpool para qualquer lugar — contou Ian. — E fez isso tudo sozinho, o rapazinho. Não se importava para onde estava indo, desde que fosse para longe de casa. Calhou de o primeiro trem ter Norwich como destino. Ele desceu na última estação, esbarrou em Lillian do lado de fora e, após uma boa olhada em Jamie, ela o trouxe para casa.

— Onde Lucie, Ken e Ian passaram a ter grande prazer em me encher de atenção e mimos — admitiu Jamie com um leve sorriso.

— Ele precisava de atenção — afirmou Ian.

— Quantos anos você tem? — perguntou Mika.

— Tenho 36.

Vinte anos. A Casa de Lugar Nenhum tinha sido o lar dele por mais da metade de sua vida. Não era de admirar que ele fosse tão territorial.

— Nós garantimos que ele terminasse os estudos numa escola que fica um pouco depois da casa, seguindo pela costa — prosseguiu Ian, orgulhoso feito um avô babão — e depois o mandamos para Cambridge por alguns anos. Ele permaneceu lá depois de se formar para lecionar na universidade, então foi para Amsterdã por um ano a fim de dar aulas *lá*, daí voltou à Casa de Lugar Nenhum de vez quando Lillian trouxe Rosetta.

— Já terminou de narrar o documentário totalmente desinteressante da minha vida? — perguntou Jamie, irritado.

— Por enquanto — cantarolou Ian.

Mika estava desesperadamente curiosa para saber o que havia feito Jamie deixar sua casa de maneira tão drástica, mas tinha certeza de que perguntar a ele não pegaria bem. Em vez disso, falou:

— E quanto ao restante de vocês?

— Lucie era a governanta, como dissemos a você — respondeu Ian. — Mas nem sempre morou na casa. Você vai ter que pedir a ela para te contar a história toda, mas, para resumir, ela tinha um marido violento. Quando o deixou, procurou Lillian, que insistiu que ela ficasse.

A Casa de Lugar Nenhum estava se transformando na mente de Mika. A nova Casa de Lugar Nenhum era mais bagunçada que a primeira, um lugar feito de pedaços quebrados que, de alguma forma, se juntaram para formar algo completo e maravilhoso.

Quanto à própria Lillian, bem, Mika tinha muitos assuntos para resolver com ela, mas as histórias de Ian haviam aumentado um pouco sua estima pela mulher.

— E você e o Ken? — perguntou a Ian.

— Receio que nossa história seja bem sem graça — lamentou Ian. — Fomos para a Casa de Lugar Nenhum porque Ken transforma jardins em obras de arte.

Mika o observou atentamente pelo espelho.

— E foi só isso? — insistiu ela. — Não teve nada a ver com você e com o jeito como parece ser capaz de identificar uma bruxa só de olhar para ela?

Seus olhos se encontraram. Os de Ian cintilaram. Ele deu a Mika um encolher de ombros muito inocente.

Mika deixou passar por ora. Em vez disso, falou, diplomaticamente:

— Parece que Lillian resgatou muitas pessoas em dificuldades.

— Lillian gosta dos seus cachorrinhos abandonados — disse Rosetta.

Eita. Mika sentiu Jamie congelar ao lado dela. Até Ian se calou.

Rosetta olhou para eles. Suas bochechas coraram de culpa, mas ela se manteve firme.

— A gente conversa sobre isso, Terracotta, Altamira e eu — revelou ela. — Eu sei que Lillian nos deu muito e sempre foi legal com a gente, mas parece que ela pensa em nós como cachorrinhos perdidos que resgatou num abrigo, e não como pessoas de verdade. Se ela se importasse com qualquer uma de nós tanto quanto se importa com qualquer ponto que estivesse tentando provar quando nos acolheu, teria ficado mais tempo por perto. *Mika* nos ensinou mais numa semana do que Lillian desde que a conhecemos.

— Tudo bem se sentir assim — assegurou Jamie, em voz baixa. — Lillian se importa *sim*, do jeito dela, mas o jeito dela...

— Não é adequado para nós — Ian concluiu por ele, o que foi uma avaliação mais educada do que Mika esperava dele. — Vamos colocar assim: ela realizou muitas boas ações e desfrutou da felicidade de fazer o bem, mas não ficou por perto para absolutamente nenhuma parte do trabalho de verdade.

Pelo canto do olho, Mika viu que Jamie tinha a mandíbula travada e que estava visivelmente em conflito, mas não contradisse Ian.

— Não vou fingir que sei muito sobre as pessoas porque não sei — declarou ela, fixando os olhos na estrada adiante —, mas uma coisa que percebi ao longo dos anos é que algumas pessoas são gentis e outras, bondosas. Lillian parece ser mais gentil do que bondosa. Faz sentido? Gentileza é ter boas maneiras, parar para explicar o caminho a alguém e sorrir para o caixa sobrecarregado do supermercado. Todas essas coisas são boas, mas não traduzem o que se passa por dentro. Gentileza tem a ver com o que fazemos quando outras pessoas estão olhando. A bondade, por outro lado, está lá no fundo. Bondade é o que acontece quando ninguém está olhando.

— Sabe, minha querida — disse Ian, parecendo muito impressionado —, acredito que você esteja certa.

Mika lançou um olhar para Jamie.

— *Você*, por exemplo, não é gentil — disse ela.

Ele emitiu um som que poderia ter sido uma risada.

— Obrigado?

— Por outro lado, Ken é gentil *e* bondoso.

Rosetta e Ian assentiram vigorosamente.

— É verdade — afirmou Ian. — O homem não tem defeitos! Nenhum! Quer dizer, tirando a sua recusa em participar dos meus vários esquemas mirabolantes.

— Isso não é um defeito — disse Jamie, com escárnio. — Isso significa ter coragem de se posicionar e muito mais bom senso que você.

Mika riu.

— Viu? Nem um pouco gentil.

— Vocês viram aquilo? — interrompeu Rosetta, virando o corpo para a frente. — Aquela placa lá atrás? Estamos perto!

Quando chegaram aos limites da cidade, Mika ficou quieta, passando os olhos rapidamente pelo mapa na tela do GPS. Já dava para perceber que Norwich havia evoluído em dez anos, mas ela ainda queria passar bem longe da Universidade de East Anglia, com seus familiares campos verdes enevoados, paredes de vidro e todas as lembranças que evocava.

Por sorte, eles chegaram à cidade pelo lado oposto, evitando totalmente a universidade enquanto serpenteavam por uma malha de ruas ladeadas de árvores, pubs e antigas casas geminadas. Rosetta também tinha ficado em silêncio, com os olhos arregalados de admiração enquanto observava uma enorme catedral.

Mika encontrou uma vaga num estacionamento de vários andares que parecia ter sido construído sob o Castelo de Norwich — ou perto o suficiente para dar a *impressão* de que estavam no calabouço de um castelo —, e eles saíram a pé para o sol brilhante e frio.

De imediato, a cidade os envolveu no que parecia ser um abraço amigável e um pouquinho assustador. Uma loja próxima já estava tocando músicas natalinas, alto o suficiente para se espalhar pela estreita rua de paralelepípedos. As pessoas passavam depressa, para lá e para cá, verificando seus celulares e gesticulando animadamente para seus acompanhantes. Os pombos se esquivavam dos pedestres, disparando entre suas pernas a fim de abocanhar migalhas de sanduíches e biscoitos.

Havia uma atemporalidade singular naquela parte da cidade, desde o castelo até as sinuosas ruas de paralelepípedos e as vitrines à moda antiga. Era bem mais tranquila que muitas outras cidades que Mika tinha visitado, mas mesmo assim ela olhava ansiosamente para Rosetta a fim de se certificar de que a menina não estivesse assoberbada com tantos novos estímulos.

Rosetta havia se aproximado de Jamie e seguia sua sombra feito um passarinho procurando abrigo do frio. Ela parecia tímida e certamente um pouco insegura, mas seus olhos brilhavam de entusiasmo e absorviam tudo. Em vez de criar caso, Jamie a deixava seguir seu próprio ritmo enquanto conversava com Ian, que, como sempre, tinha um estoque inesgotável de opiniões que precisava compartilhar.

— Minha mãe era uma bruxa — disse ele inesperadamente.

Mika ficou sem reação com aquela revelação súbita, mas descobriu que não era tão surpreendente assim.

— Isso faz muito sentido — respondeu ela. — Considerando quão pouco diz que Lillian lhe contou, você sabe muito sobre nós. E você consegue enxergar a magia.

— Todo mundo consegue, não?

— Todo mundo enxerga os *feitiços* — afirmou Mika. — Ou melhor, o resultado de um feitiço. Mas estou falando da *magia* em si, o pó dourado que as bruxas podem ver e usar. Você não consegue usá-lo, mas pode vê-lo. Foi assim que você soube que eu era uma bruxa só de assistir aos meus vídeos. É por isso que às vezes parece que as meninas e eu estamos brilhando.

— Mamãe brilhava — revelou Ian, sorrindo com carinho. — Ela sentia *muito* orgulho e alegria em relação ao seu poder. Considerava um grande presente, e para mim foi mais do que um presente ela ter o compartilhado comigo.

Mika beijou sua bochecha, arrebatada pela ternura.

— Você tem um coração grande e maravilhoso, Ian Kubo-Hawthorn.

— Agora você está fazendo um velho corar, Mika Moon.

— Que bom que você contou para Mika — disse Rosetta. — Tenha certeza de que Altamira está prestes a dar com a língua nos dentes a qualquer momento.

— Achei que era hora de contar a ela — disse Ian, todo cheio de si. — Afinal, Mika é uma de nós agora.

— Eu sou?

— Estou tomando a decisão executiva de encerrar seu período de experiência de duas semanas alguns dias antes.

Ian ergueu as sobrancelhas para Jamie, como se esperasse uma objeção. Jamie revirou os olhos, mas não disse nada, para grande surpresa de Mika. Ian sorriu e acrescentou:

— Vamos discutir o assunto um pouco mais esta noite, quando Ken e Lucie estiverem conosco. Temos muito o que conversar. Até lá, fique sabendo que eu não conto a *qualquer um* sobre a minha mãe.

— É a forma de Ian introduzir alguém em seu sagrado círculo de confiança — disse Jamie, seco. — Ele fez isso comigo também. Só que foi um choque muito maior para mim, porque eu nem sabia que bruxas existiam naquela época.

Mika estava com um nó na garganta. Ela nunca se sentira tão bem-vinda e incluída, tão *parte* de algo, e não conseguia se livrar do medo de que talvez fosse bom demais para ser verdade. De que a qualquer minuto, como todas as pessoas que haviam entrado e saído de sua adolescência, eles decidiriam que ela era *excessivamente* alguma coisa ou *insuficientemente* outra e voltariam atrás em sua acolhida.

No entanto, ela conteve o medo e a dúvida, e deixou transparecer apenas sua alegria. Pôs um braço em volta dos ombros de Rosetta e sorriu para os dois homens.

— Que tal eu ganhar um bolo para comemorar?

CAPÍTULO DOZE

— Acho que é por ali — disse Mika, apontando para a esquerda com uma das mãos enquanto segurava o celular com a outra. Era quase impossível enxergar a tela direito com o forte brilho do sol de inverno refletindo nela. — O mapa diz que...

— Achei! — anunciou Ian. — Ai, que *gracinha*!

A livraria era realmente uma gracinha. A fachada era iluminada e colorida, obviamente decorada pensando nas crianças, e havia ilustrações de unicórnios, monstros marinhos e fadas pintadas por todas as paredes brancas do interior da livraria. Era uma tarde de um dia de semana de novembro, portanto as escolas da cidade tinham acabado de fechar, e a livraria ainda estava relativamente silenciosa.

Por dentro, a livraria era adorável e convidativa. Estava muito limpa, e Mika sentiu um leve cheiro de spray antibacteriano de limão (crianças podiam ser verdadeiros focos de germes), mas também estava deliciosamente desarrumada. Livros e almofadas estavam por toda parte, amontoados em pilhas instáveis e espalhados desordenadamente, e alguém havia deixado uma caixa de giz de cera no tapete. Jamie se encolheu de leve, como se sentisse que tinha acabado de entrar no caótico cenário infernal de seus pesadelos mais sombrios, mas Mika suspeitava de que a loja estava bagunçada *de propósito*. Dessa forma, uma criança não se sentiria intimidada por prateleiras organizadas e livros imaculados.

Uma mulher branca de meia-idade sorriu calorosamente para eles por trás do caixa.

— Linda tarde, não acham? — disse ela, cumprindo aquela antiga e sagrada lei britânica de sempre iniciar uma conversa com um comentário sobre o clima

Depois de conversar com ela por um momento, Ian foi direto até a prateleira cheia de livros para adultos, quase todos romances ("Perfeito!", cantarolou ele alegremente), e Rosetta levou menos de cinco segundos para desgrudar de Jamie e correr para as lombadas coloridas de uma série de mistério pela qual ela tinha se apaixonado recentemente.

E assim se passaram trinta pacíficos minutos. Mika ficou vagando pelas diferentes seções da lojinha, dividindo sua atenção entre encontrar livros de que as garotas mais novas pudessem gostar e manter um olhar atento sobre o travesso pó dourado que havia se acumulado ao redor de Rosetta.

Jamie se aproximou dela depois de um tempo, com um vinco entre as sobrancelhas.

— Você pode ficar de olho em Rosetta enquanto eu saio por alguns minutos? Vou só na esquina.

Mika percebeu que ele estava contrariado. Não confiava nela (*ainda*, esperava Mika), mas ir a esse lugar devia ser importante, do contrário ele sequer teria cogitado deixar Rosetta com ela. Se Ian também não estivesse lá, provavelmente *não* deixaria.

— Claro! Pode ir — disse ela alegremente. — Ficaremos bem.

Ele hesitou por mais um instante, seus olhos na parte de trás dos cachos pretos de Rosetta, e então saiu com um aceno brusco.

Mika voltou a atenção para sua jovem companhia e dissipou uma nuvem especialmente entusiasmada de pó dourado com a mão. A magia tinha boas intenções, mas queria muito ser usada e tinha o hábito irritante de resolver o problema por conta própria se as bruxas não captassem a indireta.

Ela e Rosetta estavam debruçadas sobre os livros de mistério quando Ian se aproximou delas, intrigado.

— Cadê o nosso belo acompanhante?

— Ele disse que precisava sair por alguns minutos — respondeu Mika.

— É mesmo? — Ian pareceu surpreso e bastante curioso. — Talvez tenha ido cumprimentar o amigo dele que trabalha no pub. Stephen? Sam? Alguma coisa com S. Não, tenho certeza de que Stephen ou Sam não trabalha às quintas-feiras. Hum...

Ele continuou divagando por um momento, ponderando sobre o misterioso paradeiro de Jamie para um público que não prestava a menor atenção nele. Então mudou o semblante abruptamente e riu.

— Que interessante. — Sua voz transbordava humor. — Eu mencionei um bonitão e você imediatamente concluiu que eu estava me referindo ao Jamie.

Mika deu a ele um olhar frio, bastante irritada com o fato de que suas bochechas estavam corando.

— Todos sabemos muito bem como é a aparência dele, então não tem por que agir como se algo importante tivesse acabado de acontecer.

— Alguém ficou nervosinha — provocou Ian, erguendo as sobrancelhas para Rosetta, que deu uma risadinha.

Mika se afastou pisando firme, mas só até uma pilha de pufes perto dos gibis, onde dois meninos da idade de Rosetta, usando macacões azul-marinho com brasões escolares, examinavam a capa de um exemplar em particular.

— Rosetta? — chamou ela. — Esta não é a continuação da revista em quadrinhos que você estava lendo no começo da semana?

Um dos meninos ergueu o olhar.

— Você já terminou? — perguntou ele a Rosetta. — A gente ainda não, então não dá spoilers... mas o fim é tão bom quanto todo mundo diz?

Os olhos de Rosetta se arregalaram aterrorizados, e Ian a cutucou gentilmente na direção dos meninos.

— Hum, sim — disse ela, quase num sussurro. — É muito bom. Vocês vão querer ter a sequência para poder começar a ler assim que terminarem o primeiro.

— Só quero saber se a Capitã Caos pegou a Lança do Destino — disse o outro garoto. — Ela pegou?

— Zaf! Sem spoilers!

Zaf fez uma careta para o amigo e acenou para Rosetta.

— Fala bem baixinho para que Billy não possa te ouvir.

— Zaf!

Rosetta estava sorrindo agora, e sua voz ficou mais alta e firme quando disse:

— Você vai ter que ler. Mas vale *muito* a pena!

E isso foi tudo. Em segundos, Rosetta estava na pilha de pufes com os dois meninos, discutindo fervorosamente se alguém chamado Juniper Joy (um nome que, de alguma forma, era ainda mais cafona que Mika Moon) merecia vencer o Torneio das Quinze Coroas.

— É essa a sensação de estar incrível e absurdamente orgulhosa de alguém? — perguntou Mika para Ian em voz baixa.

Ele lhe deu um tapinha carinhoso no braço.

— É sim, minha querida. Você devia ir buscar o Jamie. Ele vai querer ver isso.

— Não pode mandar uma mensagem para ele?

— Ele nunca olha as mensagens — respondeu Ian descontraído, o que soou para Mika como uma mentira deslavada.

— Tudo bem, mas, se alguém tem que ir buscá-lo, não deveria ser você? *Eu* preciso ficar de olho, você sabe, na *magia*.

— Sou um homem idoso, Mika! — Ian reclamou. — Não posso ficar perambulando pela cidade!

Mika bufou, mas acabou cedendo. Olhou mais uma vez para Rosetta, apenas para se certificar de que o brilho do poder reunido ao seu redor estava cem por cento sob controle, e então disparou pela porta da livraria.

No entanto, assim que desceu a rua estreita e sinuosa de paralelepípedos e virou a esquina, ela parou, porque não tinha a menor ideia de onde Jamie se encontrava.

Estava prestes a dar meia-volta para a livraria quando a porta de um edifício de tijolos antigo e estreito de dois andares se abriu e Jamie saiu, de cara amarrada. Ele fechou a porta com uma força desnecessária.

O olhar zangado em seu rosto não se alterou quando a viu.

— O que você está fazendo aqui?

Mika olhou para a placa acima da porta atrás dele. As palavras ADVOGADOS LTDA. se destacaram.

— Você veio ver o Edward?

— O quê? — Ele lançou a ela um olhar estranho, como se a pergunta fosse descabida. Então olhou para trás e suspirou. — Ah. Não. Edward trabalha em Londres.

Então ele tinha ido encontrar um outro advogado. Mika estava inexplicavelmente curiosa, mas uma voz no fundo de sua mente sussurrou que não era educado perguntar a uma pessoa por que ela tinha procurado um advogado.

Mika abriu a boca para dizer a ele o que Rosetta estava fazendo, mas o que saiu foi:

— Você cometeu um crime, não foi?

Jamie parou de repente.

— Ai, meu Deus — continuou Mika, incapaz de conter as palavras. — É assassinato? É, não é?

— Você tem passado muito tempo com Terracotta — disse Jamie, sério. — Assassinato *não* é a resposta para todas as perguntas.

Mika não se aguentou e caiu na gargalhada, mesmo com um vermelho intenso tomando conta de suas bochechas.

— Caramba, eu sou *ridícula*.

Durante toda a vida, ela fora propensa ao que Primrose chamava de *ideias muito rebeldes*. Não tinha sido um elogio. E, pensando bem, Mika estava começando a achar que Primrose sabia das coisas. Ao se deparar com um homem saindo do escritório de um advogado, alguém normal certamente teria julgado que devia ter algo a ver *com dinheiro* e não, em vez disso, partido para a ideia mirabolante de que um *assassinato fora cometido* e a polícia estará batendo em sua porta a qualquer momento.

O rosto de Jamie estava inexpressivo, mas havia algo perigosamente parecido com um sorriso em seus olhos quando ele falou:

— Você é ridícula mesmo.

— Então — disse ela timidamente —, a esta altura, sinto que *preciso* perguntar por que você foi ver um advogado.

Ele lhe lançou um olhar exasperado, mas respondeu:

— Eu tinha uma dúvida sobre o testamento do meu pai.

— Ah. — Mika se sentiu péssima. — Sinto muito. Eu não sabia que seu pai havia falecido.

— Não se preocupe com isso. Eu tinha 12 anos quando ele morreu.

Agora Mika estava mais confusa do que nunca, mas *realmente* não cabia a ela ficar bisbilhotando.

— Eu não conheci meus pais — confessou ela em vez disso, aliviada ao descobrir que sua boca enfim estava pronunciando as palavras certas. — Você deve saber disso por causa da coisa de ser bruxa.

— Presumo que Primrose tenha sido a pessoa mais próxima que você teve de uma mãe.

Mika engasgou com uma risada.

— Já te contei como foi a minha infância. Primrose não era exatamente maternal.

— Mas ela é importante para você, não é? Ela e as outras bruxas da sua Sociedade? Se o bicho pegasse, elas ainda teriam sua lealdade?

— É lógico que sim — disparou Mika. — Se não pudermos contar umas com as outras, com quem *poderemos* contar? — Ela inclinou a cabeça para o lado, analisando-o. — Esse foi o seu jeito de perguntar se eu vou contar a elas sobre as meninas?

— Não foi nada sutil, né? — ponderou ele.

— Nem um pouco. — Mika sorriu. — Não, não vou contar a elas. Seria bancar a intrometida e dar uma de Primrose, e prefiro não ser nada disso. E, de toda maneira, mesmo se não houvesse qualquer possibilidade de Primrose convencer Lillian a separar as crianças caso descobrisse sobre elas, não vejo motivo para contar a qualquer uma das outras bruxas. — Ela pensou por um momento. — Acredito que, se Lillian se recusasse a voltar da América do Sul para reforçar suas sentinelas na primavera, eu iria querer contar a elas. Acho que seria muito arriscado criar três crianças bruxas no mesmo lugar sem as devidas proteções.

— *Você* não conseguiria lançar o feitiço? — Ele desviou o olhar, subitamente interessado em algo a meia distância. — Quero dizer, se ainda estivesse na Casa de Lugar Nenhum na primavera.

— Não, as sentinelas de Lillian são incrivelmente poderosas. Eu precisaria de algumas outras bruxas para lançar o feitiço comigo. Mas as meninas me contaram que Lillian sempre volta a tempo, ou quase, então não deve ser um problema. — Mika sentiu os cantos de sua boca se curvarem num sorriso inevitável. — Você acha que ainda posso estar na Casa de Lugar Nenhum na primavera?

O mais leve indício de cor surgiu nos lóbulos das orelhas dele.

— Eu não disse isso. — Ele se virou abruptamente, uma das mãos abrindo e fechando em punho ao seu lado. — Precisamos ir.

— Se você der sorte, voltaremos a tempo de ver Rosetta com seus novos amigos.

— Sim, sobre isso — disse Jamie, com a voz entrecortada. — Pode me lembrar por que você a deixou sozinha?

— Não precisa se estressar — disse Mika, usando uma voz tão ensolarada e doce que esperava que lhe desse dor de dente. — Ela *não* está sozinha, e só estou longe há cinco minutos.

— Desculpe. — Ele passou a mão pelo cabelo loiro-escuro. — Ela estava bem quando você a deixou?

— Estava mergulhada até o pescoço numa história em quadrinhos com dois outros fãs. Pareceu um pouco nervosa quando eles começaram a falar com ela, mas tinha praticamente esquecido que Ian e eu estávamos lá quando saí.

O cinza tempestuoso dos olhos dele suavizou para algo mais caloroso. Então, enquanto caminhavam de volta pela rua sinuosa, ele distraidamente se colocou entre ela e o vento gelado vindo da esquerda.

Foi impossível ficar zangada com ele depois disso.

Também foi *um pouco* difícil manter a superioridade moral quando, ao voltar para a livraria, encontraram Ian e Rosetta esperando do lado de fora com uma pilha de livros rasgados e semblantes um tanto envergonhados.

— Pode ou não ter ocorrido um pequeno furacão — informou-lhes Ian. — Mas não se preocupem, já passou, e foram dadas explicações parcialmente convincentes. Estamos, no entanto, com seis livros praticamente impossíveis de ler porque pareceu educado comprar os que foram rasgados.

— Talvez eu tenha perdido um pouco a paciência quando Billy disse que esperava que a Capitã Caos nunca recuperasse a Lança do Destino — explicou Rosetta.

Mika não se atreveu a olhar para Jamie, cuja voz soou cuidadosamente equilibrada quando perguntou:

— Billy sobreviveu ao furacão?

— Ele nem percebeu! — respondeu Rosetta. — Foi um furacão bem *pequenininho*.

Jamie a fitou.

— Você se divertiu?

— *Demais!* — disse ela, sua expressão tímida e ansiosa se dissolvendo num enorme sorriso.

Jamie deu de ombros.

— Nesse caso, um furacão parece um preço razoável a pagar.

CAPÍTULO TREZE

Com o passar dos dias, a vida na Casa de Lugar Nenhum se ajustou a um ritmo tranquilo. Não que chegasse a ser previsível, porque certamente não era; instruir crianças bruxas se resumia a lidar com a imprevisibilidade. Num dia Mika preparava poções com as garotas, e no outro precisava resgatar Altamira *de dentro* do caldeirão. Não havia como saber quando Terracotta apareceria e, caso aparecesse, se estaria num estado de espírito ainda mais belicoso que o normal. E, como Mika havia avisado aos outros no primeiro dia, sua presença na Casa de Lugar Nenhum tinha atraído ainda *mais* magia para a área, o que exigia dela uma vigilância maior do que estava acostumada.

No entanto, no geral, havia um padrão na vida cotidiana da casa e, para a surpresa de Mika, havia espaço para ela nesse padrão. Ela rapidamente se tornou a Pessoa que Fazia o Chá, pois todos concordavam que ela preparava o melhor chá ("Sem dúvida", disse ela, sem falsa modéstia), e também se tornou a pessoa favorita de Ken para ajudá-lo no jardim ("Ser bruxa tem suas vantagens", afirmou, com um pouco mais de humildade). Quando não estava ensinando as meninas nem fazendo jardinagem com Ken, ela ia até o chalé para ajudar Ian com suas questionáveis ambições em apicultura, levava Circe até a praia, mostrava a Altamira como alimentar adequadamente as carpas, ajudava Lucie a consertar miudezas pela casa e passava uma quantidade excessiva de tempo tirando cochilos.

Havia noites de jogos, tardes preguiçosas diante da TV, partidas de futebol no jardim, aventuras complexas envolvendo a casa na árvore e duas tábuas de uma colmeia do apiário de Ian (que supostamente deveriam se passar por um navio pirata). Havia lançamento de feitiços, preparação de poções e tardes inteiras em que Mika ajudava as meninas a fazer e decorar seus próprios livros de feitiços. Às vezes, todos seguiam caminhos separados, com Rosetta na biblioteca para usar a internet no computador de Jamie e acessar algum de seus fóruns de fandom favoritos, Terracotta na cozinha para preparar torta de abóbora com Ian, ou Altamira no sofá com Lucie e seu notebook para uma aula virtual de programação. E outras vezes a casa inteira se reunia, como na manhã em que todos abandonaram o trabalho que deveriam estar fazendo e foram até a praia porque Terracotta, de alguma forma, persuadiu e intimidou Ken, Lucie e Jamie a apostarem uma corrida, cada um com uma criança sobre os ombros. Mika e Ian, ambos poupados por terem ombros que Terracotta considerava muito frágeis para esse propósito, assistiram das dunas e choraram de rir.

Um ritmo tranquilo, de fato. Mas era mais do que isso. Era *paz*, do tipo que Mika estava começando a ver que nunca experimentara. Ela não tinha compreendido como havia sido cansativo e doloroso esconder uma parte tão grande de si mesma todos aqueles anos, se redefinir e se moldar em algo mais aceitável. Não tinha percebido como aquela máscara era pesada até descobrir o que era viver sem ela.

Estar na Casa de Lugar Nenhum era um perigo real, então por que ela se sentia mais segura que nunca?

~

Aconteceu uma chuva de meteoros na primeira noite de dezembro. Mika não desperdiçou a oportunidade e ficou acordada até tarde para poder capturar a poeira de estrelas caindo do céu. Esses fragmentos preciosos e luminosos eram um de seus Itens Essenciais, e seu minúsculo frasco estava quase vazio.

Bocejando, Circe pulou da cama de Mika e se aproximou. Ela parou na porta aberta da varanda, sem interesse em encarar o frio.

— Tenho pensado no que poderia acontecer se eu combinasse poeira de estrelas, lavanda, pólen *e* luar — disse Mika a ela. Circe soltou um suspiro sonolento. Mika assentiu. — Eu sei, eu sei. Você acha que é uma má ideia colocar estrelas e luar na mesma poção. Acha que serão muito poderosos juntos ou que reagirão de forma imprevisível porque nenhum deles vem da Terra. — Ela estalou a língua pensativamente, capturando um fragmento luminoso que passava por ela. — Mas e se eu os combinasse e algo *espetacular* acontecesse?

Circe bufou, encostou o focinho frio e úmido no pescoço de Mika e voltou para o seu lugar quente e confortável na cama.

— Tem razão — concordou Mika. — É uma má ideia. Você é uma influência tão boa para mim, Circe!

Era sempre frustrante quando uma ideia não dava em nada, mas a essa altura Mika sabia que sempre haveria novas ideias.

Ela tinha acabado de encher cerca de dois terços do frasco quando, vindo de baixo da varanda do sótão, ouviu um grunhido baixo de dor. Circe ficou de orelhas em pé.

O grunhido era inconfundível. Era provável que Jamie não quisesse que ninguém o ouvisse, mas ela estava na varanda e ele devia estar com a janela entreaberta.

Ela olhou para o relógio. Duas e vinte. Tinha notado que Jamie dormia muito pouco, mas já era tarde até para ele. Por que ainda estava acordado?

— Fique — disse Mika para Circe, que estava tão quentinha, confortável e sonolenta que nem se dignou a responder.

Após colocar suas ferramentas no chão com cuidado, Mika abriu a porta, desceu as escadas e atravessou o corredor, evitando as tábuas do assoalho que rangiam (quando foi que ela tinha ficado tão familiarizada com a casa que sabia quais tábuas do assoalho rangiam?). Parou diante da porta de Jamie, que estava entreaberta, e deu uma batidinha na moldura antes de enfiar a cabeça para dentro.

O quarto estava iluminado apenas por um abajur na mesinha de cabeceira e era bem a cara de Jamie, o que significava ser perfeitamente arrumado. Todos os livros nas prateleiras estavam ordenados, um notebook e um livro (com um marcador inserido nele, é lógico, porque deixar um livro com a capa aberta era praticamente um crime capital no que dizia respeito a Jamie) estavam cuidadosamente empilhados ao lado do abajur na mesinha de cabeceira, e até mesmo o tapete macio, redondo e cinza localizava-se exatamente no centro do quarto. Incrível.

Jamie estava ajoelhado entre o tapete e a janela, recolhendo do chão o que pareciam ser cacos de vidro bem pequenos. Havia sangue em sua mão esquerda.

— Você se cortou?

Ele ergueu os olhos, obviamente espantado ao vê-la, e então gesticulou para que ela entrasse.

— Cuidado com o vidro — alertou, com um olhar superficial para os pés descalços dela. Bem, Mika pressupôs que *deveria* ser um olhar superficial, mas então ele reparou que o resto de suas pernas também estavam nuas e piscou. — Por que você não está vestida?

— Porque são duas e meia da manhã? — Mika revirou os olhos. *Ele*, é óbvio, estava perfeitamente decente de camiseta branca e calça de moletom cinza. — Antes de chamar um padre para purificar a minha alma, por favor, note que a minha camiseta vai praticamente até os joelhos.

Contra a própria vontade, ele pareceu achar graça.

— Teremos que deixar o exorcismo para outro dia, então.

— Uma decisão sábia. Eu tinha certeza de que você sabe ser razoável quando quer. — Enrolando um filete de magia em torno do dedo, Mika atraiu todos os pequenos cacos de vidro e os juntou numa bola brilhante que pairou no ar e refletiu raios de luz dançantes pela sala. — Discoteca ou lixeira?

— Acho que você sabe que vou dizer lixeira — respondeu ele, ainda parecendo achar graça.

— É verdade. Eu teria caído mortinha da silva se você tivesse concordado com uma festa. Vai para o lixo, então. — Havia uma cesta de lixo de vime num dos cantos do quarto, então ela fez os cacos flutuarem até uma folha de papel solta e a amassou firmemente ao redor do vidro. — Então, o que aconteceu?

— Eu não conseguia dormir. Decidi experimentar aquela tradição consagrada de beber até apagar. Derrubei o copo vazio antes mesmo de começar.

Ele apontou para a escrivaninha, onde ainda havia uma garrafa de uísque e um segundo copo.

Ao longo das últimas semanas, com a visita de Edward se aproximando, Jamie, Ian, Ken e Lucie tinham, cada um à sua maneira, mostrado sinais de um nervosismo crescente. Ken passava ainda mais tempo no jardim; quando Jamie não a estava evitando descaradamente, mostrava-se mais mal-humorado que o normal; Ian estava ficando estridente; Lucie andava apressada pela casa constantemente e se mantinha ocupada num nível quase maníaco; e Mika tinha visto todos os quatro em conversas intensas e sussurradas em algumas ocasiões. Tentara assegurar-lhes, repetidas vezes, que as meninas estavam ganhando mais confiança e controle a cada dia e que Mika estava com a magia completamente sob controle, mas imaginava que era mais fácil para ela falar do que era para eles confiarem.

Mika concluiu neste momento que era essa a causa da insônia de Jamie, mas também suspeitava que ele não iria querer falar sobre isso (não com *ela*, pelo menos), então manteve a boca fechada.

Ele apanhou uma camisa do cesto de roupa suja, enxugou o sangue da mão e a examinou.

— Parece que foram só alguns arranhões. Acho que não ficaram estilhaços dentro. A propósito, obrigado — acrescentou, apontando para o chão onde estivera o vidro. — Te acordei?

— Não, eu fiquei acordada para recolher poeira de estrelas — explicou ela, e sorriu pelo fato de ele nem piscar. — Vamos, tenho uma pomada lá em cima que vai te livrar desses cortes num instante.

Ao sair do quarto dele, ela pegou a garrafa de uísque e o copo remanescente. Quando ele arqueou uma sobrancelha, ela deu de ombros.

— O quê? Eu também sou dessas que bebem até apagar de vez em quando.

De volta ao sótão, ela serviu meio copo de uísque, bebeu cerca de metade num só gole (e se arrependeu amargamente porque, não importa quantas chances ela desse, *sempre* achava uísque horrível) e entregou o resto para Jamie. Encontrou a pomada numa de suas caixas de poções e deu a ele o pote.

— Passe um pouco nos arranhões e deixe a pele absorver por alguns minutos.

Ele obedeceu. Enquanto esperava, pegou o copo. Um tanto estarrecida ao se ver observando o movimento da garganta dele enquanto engolia, Mika lhe deu as costas e voltou para a chuva de meteoros. O menor de seus dois caldeirões ainda estava borbulhando, felizmente, e ela o mexeu, verificou a espiral fina de fumaça que saía dele e deu leves batidinhas com uma segunda colher de prata na lateral do caldeirão.

— Por que você está fazendo isso?

Mika olhou por cima do ombro e viu que Jamie estava na porta da varanda, encostado no batente com as mãos nos bolsos da calça de moletom, observando-a. Havia sombras tênues e exaustas sob seus olhos, mas ele parecia curioso.

— A batida? É como uma música — disse ela, ciente de quão perto ele estava. — Bem, é mais como uma fórmula matemática, eu acho. Tem a ver com o padrão. É assim que consigo que a poeira de estrela venha até mim. O barulho e a fumaça do caldeirão atraem os fragmentos do céu até aqui.

Na mesma hora, um pontinho minúsculo e luminoso caiu em sua mão livre, leve como uma pluma e tão pequeno quanto um grão de açúcar. Ela estendeu a palma da mão para Jamie. Ele piscou, endireitando-se abruptamente.

— Vá em frente. É seguro agora que está nas minhas mãos. Pode tocar

Sua mão não estava muito firme quando ele a esticou.

— Jesus! — disse ele, soltando uma risada curta e baixa entremeada de espanto. — Estamos tocando uma *estrela.*

— Apenas a lasquinha de uma estrela — explicou ela, não se contendo e oferecendo a ele um sorriso radiante. Foi o deslumbramento que a desarmou. — Diminui ou aumenta o encanto se eu lhe disser que, cientificamente falando, somos todos feitos de poeira de estrelas?

Ele nem hesitou, erguendo os olhos para encontrar os dela.

— Aumenta. Com certeza.

A eletricidade estalou entre eles. Mika sustentou o olhar tempestuoso dele por um longo momento, seu coração batendo tão rápido quanto as asas de um beija-flor.

— Eu devia dormir um pouco — anunciou Jamie, com a voz mais baixa e áspera que o normal. Muito gentilmente, ele fechou os dedos dela sobre o fragmento de estrela, diminuindo a luz. — Boa noite.

E, com isso, foi embora.

Duas noites depois, Mika estava debruçada sobre seu livro de feitiços, com a ponta do lápis na boca, tentando descobrir a runa certa para lançar um complicado feitiço Mantenha-me Aquecida Mesmo Quando Eu Estiver Nadando Feito Boba no Mar no Inverno, quando alguém bateu na porta do sótão.

Pela maneira como Circe se animou, chegando a largar a orelha de porco que vinha mastigando em êxtase um minuto atrás, só podia ser uma pessoa. Mika ficou tão surpresa que quase se esqueceu de responder.

— Ah. Hum. Pode entrar!

A porta se abriu.

— Ei — disse Jamie da soleira da porta, coçando a nuca.

Havia uma garrafa em sua outra mão.

Os cantos da boca de Mika se curvaram inevitavelmente.

— Oi.

— Eu...É... Bom, ouvi que ainda estava acordada, então pensei que poderia querer uma bebida.

— Nesse caso, entre e fique à vontade — convidou ela com alegria, dando tapinhas no tapete ao seu lado. — Como pode ver, Circe está muito feliz por você estar aqui.

Assim começou outro padrão na estranha nova vida de Mika. Depois daquela segunda noite, houve outra, e depois outra, e assim por diante. Jamie trazia o uísque, e Mika o colocava para trabalhar, ajudando-a com qualquer feitiço ou poção que estivesse experimentando, e às vezes eles chegavam até a trocar palavras de fato. Essas palavras podiam ser sobre feitiços, ou sobre as crianças, ou sobre como os dois tinham sido misteriosamente trancados juntos na despensa outro dia e Ian jurara de forma pouco convincente que não havia tido nenhuma participação no ocorrido.

— Como é que ele continua esquecendo que eu sou uma bruxa? — questionou Mika. — Ele *tem* que saber que eu posso abrir portas com um feitiço!

— Afinal, o que ele esperava que a gente fizesse dentro de uma despensa?

Mika não resistiu.

— Não consegue pensar em nada?

Ela estava esperando bochechas coradas ou um olhar comicamente horrorizado, mas, em vez disso, ele a encarou por um instante, seus olhos num tom mais escuro, e foi ela quem desviou o olhar primeiro.

Numa outra ocasião, ele decidiu ser irritantemente observador e subiu com uma garrafa de gim rosa em vez de uísque. Então, enquanto ela usava seu almofariz e pilão para triturar flores secas de lavanda, ele coçou a cabeça de Circe e disse:

— Por que ela não solta mais pelos? Costumava haver um monte de pelos dourados por toda parte quando vocês chegaram.

— Ah, eu me livro deles com um feitiço.

— O quê?

— Dos pelos soltos — explicou Mika, examinando a lavanda com olhar crítico. — Eu uso um feitiço para me livrar deles duas vezes por dia. É por isso que não ficam mais pelos nos móveis ou tapetes.

Ele a encarou.

— Mas você não costumava fazer isso.

— Sempre escovei Circe uma vez por semana, então não precisava. Quaisquer pelos que ela soltasse nesse intervalo eu aspirava quando limpava a casa.

— Então por que está usando um feitiço agora?

Mika ergueu o olhar, irritada.

— É pelo de bicho, não roubo de diamantes. Por que esse interrogatório?

— Curiosidade. Você parece estranhamente relutante em responder à pergunta.

Ótimo. Agora ia ter que contar a ele. Mika fingiu que a lavanda precisava de mais moagem e a observou com a atenção que alguém dedicaria a um dispositivo nuclear.

— Te incomodava, né? — perguntou ela. — Todo aquele pelo? Como livros desordenados, lápis mastigados e manchas de tinta? Bem, eu sou uma hóspede na sua casa. *Não* torná-la desconfortável para você parece ser o mínimo que posso fazer.

Jamie pareceu não saber o que dizer. Mika decidiu que as flores de lavanda seriam inúteis se ela continuasse a triturá-las. Esvaziou o conteúdo do almofariz no caldeirão, então acendeu o fogo de bruxa para extrair a essência das flores.

Quando terminou, Jamie parecia ter recuperado sua capacidade de falar.

— Não precisa fazer isso. Eu não sabia que você tinha notado.

— Tudo bem. Circe gosta do feitiço.

Outra pausa e então:

— Você não é uma hóspede.

Certa vez, depois de vários desses momentos tarde da noite, eles conversaram sobre que tipo de futuro as bruxas poderiam esperar.

— Muita coisa pode acontecer em dez anos — disse Mika, em resposta ao seu questionamento sobre o que poderia ser diferente em cinco, dez ou quinze anos. — Para ser sincera, não faço ideia do que nos espera nem de como será o mundo quando as meninas crescerem. Mas há muitas razões para ter esperanças de que elas poderão ter praticamente qualquer vida que escolherem.

— Você tem a vida que escolheu?

— Altamira me disse que quer criar videogames quando crescer — contou Mika, esquivando-se da pergunta. — O que me parece um sonho bastante realista e sensato. Ainda mais para uma criança de 7 anos. E é provável que renda muito dinheiro a ela, o que, falando como alguém que teve tão pouco a certa altura que precisou vender fotos dos pés para homens na internet, é muito útil.

— Rosetta quer ler livros e fazer parte de fandoms literários.

— Igualmente realista e sensato.

— Terracotta quer ser uma treinadora Pokémon.

— Conhecendo-a bem, ela provavelmente dará um jeito de fazer isso acontecer.

— Mika. — A voz de Jamie estava séria. Os olhos cinzentos se fixaram nos dela. — Essa é a vida que você teria escolhido para si?

— Não costumava ser — respondeu ela, e então piscou, confusa com quanta verdade aquilo revelava. — Quer dizer, não sei. Se dependesse de mim, eu gostaria que algumas coisas fossem diferentes, mas também existem muitas coisas na minha vida de que eu gosto. É complicado.

— O que você gostaria que fosse diferente?

Ela evitou pensar muito nessa resposta.

— Seria bom se Terracotta não me odiasse — declarou, o mais evasiva possível. — Principalmente porque não posso mantê-la segura se ela não me ouvir. E, para ser cem por cento honesta, eu atribuo a maior parte da culpa pelo comportamento dela a você.

— Claro que sim — disse Jamie, secamente. — Por que a sua incapacidade de conquistar Terracotta *não seria* minha culpa?

— Você deixaria que ela escapasse impune de cometer um assassinato literal — afirmou Mika. — E digo *literal* literalmente porque ela contempla o *meu* assassinato o tempo todo e tenho certeza de que você a ajudaria a esconder o meu cadáver.

— Sou conhecido por esconder muitos cadáveres.

— Obviamente não está levando isso a sério. Como eu disse, você deixaria que ela escapasse de um assassinato.

— Por que tenho a sensação de que você não gosta muito dela? — perguntou Jamie.

Um músculo se contraiu em sua mandíbula, e Mika se perguntou de repente se eles ainda estavam falando sobre Terracotta.

— Eu gosto bastante dela — afirmou Mika. — Ela faz de tudo para me irritar, mas também é uma garotinha teimosa e corajosa que faria qualquer coisa pelas pessoas que ama. Por que eu não gostaria dela? Se tem algo de que não gosto é o fato de termos muito pouco tempo, ela estar decidida a desperdiçá-lo e você permitir que ela faça isso. Conversamos sobre isso semanas atrás. Você não confia em mim, mas não deveria deixar as crianças perceberem. Elas percebem. Terracotta sabe como você se sente e segue seu exemplo.

Os olhos dele eram como metal.

— Não posso obrigá-la a confiar em você. Confiança é algo que se conquista.

— É — concordou Mika, olhando-o bem nos olhos. — Mas isso só é possível se a pessoa estiver disposta a te dar uma chance.

~

Quando o desastre aconteceu, porque desastres inevitavelmente acontecem, Mika ficou um tanto angustiada ao descobrir que, por ter apagado por completo, não pôde sentir qualquer satisfação em provar que estava absolutamente certa.

Era uma manhã fria e cinzenta, na metade de seu tempo previsto para ficar na Casa de Lugar Nenhum, e começou com o ressurgimento do que havia se tornado uma discussão frustrante e repetitiva.

Em resumo, Terracotta, ao ouvir a história de Altamira levitando no sótão no primeiro dia de Mika e o alerta dramático de Mika sobre seus riscos, havia decidido imediatamente que seu maior desejo na vida era levitar.

Sua primeira abordagem tinha sido acusar Mika de inventar histórias alarmantes para encobrir o fato de que *ela* não conseguia levitar. Mika, que descobriu naquele exato momento que tinha uma inclinação imensa para a mesquinharia, havia reagido terminando o restante da aula a cerca de dois metros do chão.

Para não sair por baixo, Terracotta exigira que Mika a ensinasse a levitar também. Mika tinha explicado que levara anos para fazer aquilo direito. Terracotta respondera que talvez *ela* fosse uma bruxa mais talentosa e aprendesse muito mais depressa. Mika havia precisado contar cada minuto dos seus 31 anos para resistir à tentação infantil de sugerir um duelo para que pudessem determinar quem era realmente a bruxa mais poderosa.

Por mais difícil que Terracotta pudesse ser, e ela se esforçava bastante para isso, Mika sabia que exigir que uma criança de 8 anos a encontrasse com pistolas figurativas ao amanhecer não era o comportamento de uma tutora responsável.

Por semanas, essa discussão havia se repetido como uma espécie de loop temporal insuportável do qual Mika não conseguia se livrar. Então, naquela específica manhã fria e triste, quando uma aula no jardim acabou com Terracotta trazendo à tona a questão da levitação novamente, Mika, que já estava um tanto preocupada tentando resgatar Altamira das atenções entusiasmadas de um bando de gaivotas que as meninas haviam evocado por acidente, perdeu a paciência.

— Não — retrucou ela com rispidez, afastando uma das últimas gaivotas. — Eu já disse antes que você é nova demais para aprender a levitar com segurança, especialmente ao ar livre, então pare de pedir.

Talvez sua próxima tutora, que Deus a ajude, possa ter esse desprazer daqui a alguns anos.

Não houve resposta de Terracotta. Mika, que agora retirava penas do cabelo de Altamira, presumiu que Terracotta estivesse fazendo cara feia para ela pelas costas, o que era frequente e inofensivo, então terminou de lidar com as consequências da invasão das gaivotas sem grandes preocupações.

No entanto, quando Rosetta soltou um grito assustado e Altamira olhou para além de Mika com olhos arregalados, Mika se virou e descobriu que Terracotta não estava mais lá.

— Aqui em cima! — veio o grito alegre e triunfante.

O coração de Mika despencou feito uma pedra.

CAPÍTULO CATORZE

Eram apenas onze horas, mas, para Jamie, o dia já havia começado mal. Um professor da Universidade de Durham tinha extraviado dois livros raros; Altamira e Terracotta tiveram uma briga colossal por causa de um quebra-cabeça desaparecido misteriosamente, que terminara de maneira preocupante com Altamira ameaçando esconder peixes mortos no quarto de Terracotta; Ian havia começado a tramar esquemas cada vez mais mirabolantes para lidar com Edward; e, para completar, Jamie, que já estava exausto por dormir pouco, descobriu que na verdade (estupidamente, absurdamente, insensatamente) ansiava por ficar acordado para passar esse tempo no sótão com uma certa bruxa.

(Por quê? *Por que* ele gostava de ir até lá? Mika fazia perguntas que ele não queria responder, zombava de sua carranca, culpava-o por Terracotta não confiar nela, dizia que ele era feito de poeira de estrelas, fazia-o rir, era afrontosamente agradável de se olhar — espere, ele não deveria estar pensando em razões para *não* subir?)

Enfim: ele estava com uma dor de cabeça terrível, Ken e Lucie ainda demorariam uma hora para voltar do supermercado com as compras da semana e mais analgésicos e, em algum lugar perto demais, Ian estava martelando pregos numa colmeia do apiário e fingindo de forma nada sutil que os martelava na cabeça de Edward. Cada batida feroz do martelo ecoava ferozmente na cabeça de Jamie, mas ele sabia que provavelmente merecia aquilo.

Então o dia piorou de maneira considerável.

Foi a voz de Terracotta que chamou sua atenção primeiro. Ele estava no andar superior da biblioteca, procurando um livro que um cientista de Glasgow havia solicitado, quando ouviu uma voz vinda do jardim declarar alto e bom som:

— Vejam só! Eu consegui! — Havia alegria na voz de Terracotta, mas também uma pontinha de satisfação maldosa. — Você disse que eu não ia conseguir, mas aqui estou!

Curioso, Jamie olhou pela janela mais próxima. E quase teve um infarto.

Terracotta estava a uns bons três metros e meio de altura, montada num maldito *galho* como se fosse sua própria vassoura voadora.

Por meio segundo, ele nutriu a corajosa esperança de que aquela fosse uma atividade que havia sido planejada e executada de forma perfeitamente sensata, mas descartou esse pensamento na mesma hora porque tinha ouvido Mika rejeitar as exigências de Terracotta para aprender levitação uma dezena de vezes. Mesmo que isso não lhe tivesse ocorrido, a visão de Rosetta e Altamira olhando horrorizadas para a irmã e o rosto pálido e furioso de Mika teriam acabado com qualquer esperança vã.

— Terracotta, desça aqui agora! — A voz de Mika estava fria feito pedra, mas Jamie podia perceber o pânico que ela estava tentando esconder ao máximo. — Está ventando muito para você ficar aí em cima!

— Pfft — foi a resposta insolente. — Parece que estou muito bem! Você que não gosta de eu ter feito isso sem nenhuma ajuda sua. Na verdade — continuou ela, fingindo estar impressionada com a constatação —, acho que isso prova que não precisamos de você, então pode ir embora e...

Aconteceu tão rápido que Jamie não teve tempo nem de piscar. O galho sob Terracotta se sacudiu, como se empurrado por uma rajada de vento. Mika ergueu as mãos para lançar um feitiço. Terracotta soltou um grito zangado de "Não!" e tentou se livrar dele. Mika se elevou no ar, com o cabelo chicoteando em seu rosto, puxando Terracotta para baixo.

Pareceu a Jamie, lembrando-se disso mais tarde, que Mika não deveria ter tido problemas para colocar Terracotta de volta ao chão em segurança. Afinal, já não havia resgatado Altamira de um feitiço acidental ou um rompante de magia rebelde inúmeras vezes?

A diferença, é óbvio, era que ela nunca tinha precisado lutar contra Altamira para fazer isso. Terracotta, por outro lado, lutou com unhas e dentes. E Mika, forçada a lutar tanto contra ela *quanto* contra a enorme onda de magia ao redor das duas, foi incapaz de impedir o que aconteceu em seguida.

Houve um clarão ofuscante entre as duas bruxas no ar. Ele disparou na direção delas como os raios de Zeus e pareceu, por um instante terrível, que ambas seriam atingidas pelo ricochete mágico.

Então, naquela mínima fração de segundo, Jamie notou uma das mãos de Mika se fechar em punho.

O ar tremeu. O tempo parou. Jamie viu cada detalhe inacreditável: o ângulo do galho de Terracotta ao cair, os olhos arregalados e assustados de Terracotta iluminados por aquela luz forte, os nós brancos dos dedos do punho cerrado de Mika. Ele viu a luz que disparava em direção a Terracotta parar, estremecer e depois inverter a direção, como se estivesse sendo rebobinada em câmera lenta. Seu coração só teve tempo de dar uma única batida violenta.

Então o tempo acelerou e toda a explosão de luz atingiu Mika, derrubando-a no chão. Altamira gritou.

Jamie correu.

Quando alcançou as portas francesas, Ian estava na metade do jardim. Jamie o ultrapassou, chegando primeiro ao local. Um olhar lhe informou que Terracotta estava segura, de volta ao chão e tremendo feito vara verde. Circe farejava um corpo assustadoramente imóvel no chão, ganindo e latindo. Rosetta estava de joelhos ao lado delas. Altamira tinha lágrimas escorrendo pelo rosto.

Por um momento, Jamie ficou paralisado, sentindo os pulmões gelados, com muito medo de olhar. Então ele se colocou ao lado dela.

— Mika — sussurrou Rosetta, sacudindo um ombro flácido. — Mika, acorde!

— Ela está morta? — perguntou Altamira em meio ao choro, dizendo em voz alta as palavras em que Jamie vinha se esforçando muito para não pensar.

Ian pegou Altamira em seus braços, emitindo ruídos reconfortantes.

— Bobagem, querida — disse ele rapidamente, a rouquidão na voz revelando sua própria angústia. — Ela está bem. Não está, Jamie?

— J-Jamie? Ela está bem? — indagou Terracotta.

Jamie afastou para cima a manga do enorme suéter branco de Mika e tocou seu punho. No apavorado silêncio antes da pulsação dela bater contra os seus dedos, ele teve tempo de ver que não havia um arranhão sequer na pele de Mika, que quase parecia estar apenas dormindo: olhos fechados, rosto muito frio e pálido, mechas de cabelo escuro grudadas na pele úmida. Ela não se mexeu quando Jamie a tocou, não fez nenhum barulho, mas ele conseguia sentir aquela teimosa pulsação de beija-flor no punho dela, e o alívio fez com que se sentisse meio tonto.

— Ela está viva — disse ele, com a voz embargada. Puxou o celular do bolso e o empurrou nas mãos de Rosetta, então pegou a forma fria e imóvel de Mika nos braços. — Ligue para a emergência.

Ian interveio:

— Não podemos fazer isso!

Já de pé, Jamie se virou para encarar Ian. A cabeça de Mika pendia sobre seu ombro como a de uma boneca e, agora que sabia que ela estava viva, seu alívio estava se transformando rapidamente em pânico, fúria e uma série de outros sentimentos que ele não tinha certeza se seria capaz de nomear.

— Por que não podemos chamar uma maldita ambulância?

— E dizer o quê? — argumentou Ian. Com Altamira apoiada em seu quadril magro, ele estendeu a mão livre para pressioná-la com ternura contra a bochecha fria de Mika. Jamie resistiu ao desejo totalmente irracional de empurrar a mão dele para longe. — Assim como você, eu não gosto disso, Jamie, mas paramédicos, médicos e hospitais farão perguntas que não poderemos responder.

— Sabe, Ian, sinto que perguntas incômodas são um pequeno preço a pagar se eles forem capazes de mantê-la viva!

— Acho que Mika não concordaria — disse Ian, mas parecia incerto. — Além disso, se a magia fez isso com ela, a *magia* é a única coisa que pode consertar, e ambulâncias não são equipadas para... Espere um minuto! — O tom de voz de Ian mudou de forma abrupta, e seus olhos azuis brilharam com uma nova constatação. — O que é isso no pescoço dela?

Todos eles olharam para a base do pescoço de Mika, onde, no espaço entre as clavículas, uma minúscula folha verde-clara havia brotado de sua pele.

— Ahhhh. — Ian suspirou, parecendo ao mesmo tempo aliviado e maravilhado. — Ela está *hibernando*.

— Ela está o quê? — perguntou Rosetta, confusa. — Hibernando? Como um urso?

— Não sei se existe um termo diferente para isso, mas é como a minha mãe chamava — explicou Ian. — Aconteceu com ela uma vez quando eu era menino. Ela errou nos cálculos ao fazer uma poção e houve uma explosão. Quando subi correndo atrás dela, encontrei-a no chão, adormecida, e uma pequena folha havia brotado em seu pescoço. Eu não sabia o que fazer, mas meu pai a colocou na cama e disse para eu não me preocupar. Dois dias depois, mamãe acordou perfeitamente normal e me contou que estivera hibernando.

— Então é algo que as bruxas fazem quando se machucam? — perguntou Rosetta. — Elas meio que desligam até sarar?

— Exatamente. — Ian beliscou o nariz escorrendo de Altamira. — Viu? Mika vai ficar bem. Ela só precisa de um tempo para se curar.

Jamie ouviu tudo isso com o coração prestes a sair pela boca e concluiu que não o fazia se sentir muito melhor. Mas talvez nada fizesse até que Mika acordasse e ele pudesse ver, sem sombra de dúvida, que ela estava realmente bem.

Sua voz era pouco mais do que um rosnado quando ele se virou para Terracotta.

— Você está bem? Se machucou?

Ela balançou a cabeça de imediato. Felizmente, o choque parecia ser a pior coisa que ela estava sentindo.

— Certo — disse Jamie bruscamente. — Nada de paramédicos, então. Vamos levá-la para cima.

Rosetta e Altamira correram na frente para abrir as portas. Jamie atravessou a casa rapidamente e carregou Mika pelos dois lances de escada até o sótão. Ela ainda não tinha feito nenhum barulho, não tinha mexido nem sequer um dedinho do pé.

— Ian, puxe as cobertas para que eu possa colocá-la na cama.

— O que eu posso fazer? — a voz hesitante de Terracotta perguntou da porta atrás dele.

"*Você já fez o suficiente*" foi a resposta que lhe veio à mente. Jamie ainda não confiava em si mesmo para respondê-la sem dizer algo de que mais tarde se arrependeria, então cerrou a mandíbula e manteve sua atenção somente na palpitação tranquilizadora no pescoço de Mika.

Depois que Ian puxou o edredom com estampa de margaridas, Jamie deitou Mika com cuidado na cama. Circe pulou ao lado dela, colocando o nariz molhado na curva do pescoço de Mika. Jamie afastou os fios de cabelo úmidos do rosto dela antes que percebesse o que estava fazendo e deu um passo rápido para trás, abrindo e fechando a mão com a qual a havia tocado.

Aquilo não deveria tê-lo abalado tanto. Era *Ian* quem entrava em pânico, tinha chiliques teatrais e perdia a cabeça. *Jamie* ficava irritado, mas não muito mais do que isso. E ele sempre, sempre mantinha a cabeça no lugar.

O que diabos havia de errado com ele?

Ele se dirigiu a Ian.

— Então nós apenas a deixamos dormir? É isso?

— Foi o que meu pai e eu fizemos — respondeu Ian. — A mamãe ficou bem, e Mika também ficará.

Ele pôs uma mão tranquilizadora no ombro de Jamie, mas Jamie se afastou do toque, nervoso demais para ficar parado.

— Será que ela consegue ouvir a gente? — perguntou-se Altamira. Ela levou os lábios até o ouvido de Mika e sussurrou intensamente por um minuto. Jamie captou as expressões "Muito triste" e "Sentir sua falta", que o atingiram como um chute no peito.

Terracotta havia se aproximado. Ela torcia as mãos na frente do corpo.

— Eu não queria que Mika se machucasse — murmurou ela.

— Ninguém duvida disso, querida — disse Ian, sério —, mas fique sabendo que você está bastante encrencada!

— A culpa é minha, então eu *tenho* que estar encrencada — declarou Terracotta sem a menor hesitação. Jamie percebeu que era difícil para ela olhá-lo nos olhos, mas ela o fez. — Ela não se machucaria tanto se tivesse deixado um daqueles raios me atingir.

— Ela é mais velha do que você e mais poderosa afirmou Jamie sem emoção, esforçando-se muito para abafar cada um dos sentimentos selvagens e ferozes que se agitavam em seu peito. — E francamente, Terracotta, tenho a impressão de que ela é mais bondosa do que você também. Não há como saber o que o raio teria feito com você. Então ela o absorveu. Nada disso teria sido necessário se você não tivesse feito uma coisa que foi repetida e expressamente dita que não fizesse.

— Eu só achei...

— Você achou que ela estava te impedindo por diversão? — Jamie concluiu por ela. — Achou que ela estava inventando coisas porque não queria ser diminuída por uma criança de 8 anos? Sim, você deixou isso muito nítido. E isso é minha culpa tanto quanto e sua, porque presumi o pior dela, e você seguiu meu exemplo. — Ele soltou uma risada curta e sem humor, porque Mika tinha dito a mesma coisa e ele não quisera ouvir. — Eu deveria ter dado um basta nisso há muito tempo, mas as escolhas que você fez hoje são todas suas, Terracotta. E são indesculpáveis. Você poderia ter se machucado. Você poderia ter machucado uma das suas irmãs. Você *machucou* Mika.

Terracotta assentiu novamente.

— Me desculpem — disse ela baixinho. — Eu também devo desculpas a Mika, mas este pedido é para todos vocês.

— E quanto ao meu quebra-cabeça que sumiu? — Altamira quis saber. — Vai pedir desculpas por tê-lo roubado?

— Pela última vez, eu *não* roubei o seu quebra-cabeça ridículo!

— Não pode ter simplesmente desaparecido!

— Somos bruxas! Talvez tenha!

— Você não perde por esperar — disse Altamira amargamente. — Vamos ver como vai se sentir quando todo o seu quarto cheirar a peixe!

— Não tem como cheirar pior do que você!

— Ah! — Altamira arquejou, com os olhos brilhando. — Quer apostar?

Houve uma pausa, e então Ian e Rosetta explodiram na gargalhada aliviada e histérica que vem depois de um grande choque. Jamie ainda não se sentia capaz de rir, mas colocou um braço em torno de Terracotta. Ela o abraçou pela cintura, o que fez Altamira exigir um abraço do mesmo tamanho, e então Rosetta se meteu no meio também.

Ian se levantou, deixando escapar um longo suspiro.

— Alguém quer um chá?

CAPÍTULO QUINZE

Mika já tinha acordado com uma garrafa de gim pela metade ao seu lado, com cólicas menstruais vindas do pior círculo do inferno de Dante e com uma língua de cachorro praticamente enfiada dentro do nariz, mas precisava admitir que nunca, jamais tinha acordado sentindo que havia sido atropelada por um ônibus.

Não que ela soubesse como era ser atropelada por um ônibus, é óbvio. Mas não era possível que fosse pior do que aquilo. Cada parte do seu corpo doía. Suas pernas doíam. Seus braços doíam. Sua cabeça doía. Suas *narinas* doíam, pelo amor de Deus. As duas!

Ela abriu os olhos e logo se arrependeu de todas as suas escolhas de vida.

— Que diabos é isso? — resmungou ela. — Por que fui engolida pelo fogo de mil infernos?

— Acredito que alguns o chamam de Sol — informou uma voz num tom seco.

— Tire daqui. Não quero nem chegar perto disso.

— Isso é o que se chama de ironia — disse a voz, que agora nitidamente parecia estar se divertindo.

Quanta audácia. Mika estava *morrendo*, e ele tinha a cara de pau de achar graça?

— O meu palpite é que você provavelmente vai sobreviver.

Ah. Ela tinha dito aquilo em voz alta?

— Disse, sim.

— Jamie. O Sol. Remova-o do céu imediatamente.

— Qualquer coisa por você, amor — foi a resposta sarcástica. — Ainda mais quando pede com tanta delicadeza. Mas receio que a remoção do Sol esteja acima das minhas capacidades. Fechar as cortinas terá que bastar.

Não bastou, porque ainda havia muita luz entrando, mas ela era uma pessoa razoável e entendeu que deveria se contentar com o que tinha. Então, antes que pudesse se resignar a uma vida inteira de agonia martirizada, algo quente se aproximou da lateral do seu corpo e uma mão calejada pousou sobre os seus olhos bem fechados, bloqueando quase toda a luz.

— Só até você se ajustar — disse Jamie, bem perto.

— Ai, meu Deus. Não para.

— Eu *vou* parar se você continuar soltando gemidos sexuais.

— A única razão pela qual você acha que são gemidos sexuais é porque ainda não fez sexo comigo — Mika se sentiu compelida a informá-lo.

Ainda?

Ainda, porra?

Houve uma pausa, durante a qual ela teve a infelicidade de não só perceber que ele também tinha escutado o inconfundível "ainda", como também de se lembrar do que havia acontecido para fazê-la se sentir atropelada por um ônibus. Então Jamie pigarreou e perguntou:

— Você está bem?

— Acho que consigo abrir os olhos agora.

Ela lamentou perder o calor da mão dele, mas precisava se inteirar da sua situação. Abrindo com cautela um olho e depois o outro, Mika piscou lentamente. Estava no seu quarto no sótão. Devia ser meio-dia, se o sol servisse de indicação. Ainda estava com a calça jeans cor-de-rosa e o suéter branco que usava quando esteve consciente pela última vez. Sua cadeira de balanço havia sido arrastada para perto de sua cama e tinha o estofado amassado, como se alguém tivesse passado horas sentado nela. E Jamie estava sentado na beira da cama ao seu lado.

Ele se levantou. Parecia exausto, as sombras sob os olhos mais escuras que o normal, e sua barba por fazer mais áspera e eriçada que da última vez que ela o vira.

— Vou avisar aos outros que você acordou

— Espere.

Ele se deteve por um instante, depois se deixou cair na cadeira.

— Como está se sentindo?

— Mais ou menos — respondeu Mika. — Por quanto tempo fiquei apagada?

— Por 26 horas.

— Jesus! Devo ter entrado em hibernação.

Ela apalpou o próprio pescoço, pois a folhinha verde que Primrose havia mencionado uma vez era um sinal evidente da hibernação de uma bruxa, e lá estava ela. Mika a arrancou da pele e a colocou ao seu lado na cama.

— Ian nos contou que era assim que se chamava — disse Jamie. — Eu ia chamar uma ambulância, mas ele viu isto aqui — Ele pegou a folhinha verde — e afirmou que tinha acontecido a mesma coisa com a mãe dele uma vez. Estava bastante convicto.

— Ele estava certo. Por que está aqui?

Jamie esfregou o queixo, sem olhar nos olhos dela.

— Estávamos nos revezando.

— Você esteve aqui o tempo todo, não é?

— Relutei um pouco em sair, sim — admitiu, um leve sorriso levantando um canto de sua boca. — Assim como Terracotta. Ela acabou de sair, e só porque Lucie a fez descer para almoçar.

— Nenhum de vocês precisava fazer isso.

Ele limpou a garganta.

— Eu queria agradecer. Pelo que você fez. Por receber todo o impacto para protegê-la.

— Não seja ridículo. Ela é uma criança. Eu tenho tantos defeitos quanto qualquer outra pessoa...

— Como *eu* sou a outra pessoa aqui, diria que você provavelmente tem menos — comentou Jamie.

Mika riu, o que não foi bom para suas costelas doloridas.

— Bem, quaisquer que sejam os meus defeitos, deixar uma criança se machucar quando sou perfeitamente capaz de evitar não é um deles.

— Eu sei. E sou grato por isso.

Uma possibilidade preocupante passou pela cabeça dela.

— O poder de alguém saiu do controle enquanto eu dormia? Estão todas bem?

Ele assentiu com a cabeça imediatamente.

— Estão todas bem, eu juro. Não aconteceu nada.

Mika inclinou a cabeça, procurando a melodia da magia ao seu redor. Enquanto a ouvia, voltou a sorrir.

— A magia está se sentindo muito culpada, então está se comportando. Por enquanto.

— Bem parecido com Terracotta, então — disse Jamie, abrindo um sorriso. — Quer que eu pegue alguma coisa para você?

— Acho que só preciso descansar — respondeu Mika. Então ela reconsiderou. — Na verdade, pode pedir a Lucie que venha me ajudar a tomar banho?

— Sim, com certeza.

No entanto, enquanto ele se dirigia para a porta, houve um latido alto, e Circe correu feliz, sem perder tempo, para lamber o rosto de Mika de cima a baixo. Antes que Mika pudesse protestar, o restante da família também tinha invadido o sótão.

— Você acordou! — gritou Altamira. — Eu te disse que ela tinha acordado, Rosetta, eu te *disse*!

— Alguém anda ouvindo atrás das portas de novo — observou Ken com pesar. Seus olhos calorosos e gentis sorriram para Mika. — Ah, minha querida. Você nos deu um baita susto. Como estamos felizes em te ver acordada!

Ian tentava envolver Mika no mais vigoroso dos abraços, e Jamie tentava detê-lo, quando Lucie passou por ambos e se curvou para pressionar as costas de sua mão contra a testa de Mika, como uma mãe verificando a temperatura da filha.

— Não estou gostando disso — declarou ela, resmungando. — Você está muito quente. Precisa de um almoço reforçado e de uma boa xícara de chá.

— Posso tomar um banho primeiro? — perguntou Mika com a voz fraca.

— De jeito nenhum — retrucou Lucie. — Para desmaiar no momento em que tentar se levantar? Chá e almoço primeiro, depois falaremos sobre banho.

— Excelente ideia — concordou Jamie, segurando com firmeza Ian pelo cotovelo. — Por que não vamos providenciar isso?

— Não precisa ir *todo* mundo.

— Precisa sim — insistiu Jamie, num tom que não dava margem para negociação. — Porque Terracotta gostaria de um minuto sozinha com Mika.

Ian escapou de Jamie por tempo suficiente para dar um beijo estalado na testa de Mika. Altamira seguiu o exemplo com igual vigor, e em seguida todos eles se foram.

Mika se viu sozinha com uma cachorra encolhida ao seu lado e uma garotinha de bochechas coradas empoleirada na cadeira ao lado da cama. Ela precisou virar o rosto para conter as lágrimas repentinas com a inesperada avalanche de afeto deles, mas Terracotta estava preocupada demais em torcer a barra de sua camiseta para notar. Quando ela finalmente falou, foi para dizer, na voz mais baixa que Mika já a tinha ouvido falar:

— Por que você me protegeu?

— Porque eu gosto de você — disse Mika, com um sorriso.

— Por quê? — Terracotta parecia perplexa. — Tenho sido absolutamente *maléfica* com você.

— Você estava protegendo sua família. — Mika estendeu a mão. Hesitante, Terracotta a cobriu com a sua e entrelaçou os dedos nos de Mika. — Eu gostaria que você me ouvisse quando peço que não se coloque em perigo e gostaria que acreditasse que não tenho intenção de causar nenhum mal à sua família, mas não culpo você por tentar mantê-los seguros. Você não tem que se lamentar por isso.

— Mas eu lamento *muito* por você ter se machucado por minha causa.

— Verdade? — provocou Mika. — Mesmo depois de todas aquelas vezes que tentou descobrir a melhor maneira de me matar?

Terracotta pareceu ligeiramente chocada.

— Eu não estava falando *sério*!

— Ah, entendi — disse Mika, com o rosto solene. — Que alívio.

— Você está bem mesmo?

— Vou ficar. E aceito o seu pedido de desculpas.

O sorriso que Terracotta exibiu era radiante e aliviado. Ela deu um pequeno aperto na mão de Mika e falou:

— Você pode dizer a Altamira que eu não roubei o quebra-cabeça dela?

— Não — disse Mika, soltando uma gargalhada e se encolhendo com a dor que se seguiu. — Vocês precisam resolver isso sozinhas.

— Onde dói?

— Onde *não* dói? — respondeu Mika.

— Pode parecer bobeira — disse Terracotta —, mas acho que sei exatamente do que você precisa. — E, com um grito que fez com que toda uma tropa de bateristas dançasse na cabeça de Mika, anunciou: — HORA DO ABRAÇO TRIPLO!

Rosetta e Altamira, que obviamente não tinham ido longe, irromperam no quarto no mesmo instante. Quando Mika deu por si, ela e Circe estavam derrubadas na cama com uma criança espremida ao lado delas, outra agarrando a cintura de Mika e a terceira deitada do outro lado com os braços em volta do braço esquerdo de Mika.

— Estamos machucando você? — perguntou Rosetta, preocupada.

— Nem um pouco — mentiu Mika, sem hesitar. — Na verdade, a sensação é bem gostosa para uma experiência que não me permite respirar.

— Abraço triplo — disse Terracotta com satisfação. — Sempre funciona.

— Quer uma canção de ninar? — ofereceu Altamira generosamente.

E, assim, quando os outros retornaram meia hora depois com uma bandeja de chá, chocolate e sanduíches de queijo brie e bacon, encontraram quatro bruxas e uma golden retriever aninhadas juntas numa cama de casal. Dormindo.

— Devemos acordá-las? — perguntou Lucie, em dúvida. — Com certeza dormir fará bem a todas elas, mas Mika precisa comer.

— Isso pode esperar — disse Jamie asperamente.

~

Mais dois dias se passaram até que Mika conseguisse sair da cama sem sentir que alguma parte do seu corpo estava prestes a pifar. Durante esse período, todos os moradores da casa foram meticulosos em garantir que ela fosse paparicada e entretida, experiências sem precedentes em toda a sua vida.

Quando ela tentou se levantar para preparar o próprio chá, foi gentil e firmemente colocada de volta na cama. Quando mencionou as aulas das crianças e a visita iminente de Edward Foxhaven, sua fala foi imediatamente rechaçada e ela foi informada em termos inequívocos de que não deveria fazer *nada* exceto se recuperar. Quando o tédio ousava se infiltrar, alguém sempre aparecia milagrosamente com um brinquedo para mastigar (Circe), livros e videogames (as crianças), uma história sobre teatro (Ian), uma reclamação sobre Ian (Lucie), um vaso de plantas precisando de cuidados (Ken) ou uma crítica desastrosamente honesta sobre sua aparência abatida (adivinhe quem).

Foi assim que, no dia em que a realidade interrompeu bruscamente esse idílio, Mika se viu passando a maior parte da noite após o jantar no andar de cima de volta à cama, ouvindo Rosetta ler *Persuasão* em voz alta.

Uma das consequências de ter crescido numa casa sem uma companhia de verdade, para não mencionar as ideias bastante limitadas e arcaicas de Primrose sobre o que constituía uma biblioteca bem abastecida, era o fato de Mika ter lido quase todos os clássicos que existiam. Duas vezes. Se foi escrito por alguém chamado Austen ou Shelley ou Brontë, Keats ou Dickens ou Eliot, Christie ou Rossetti ou Blake, ela já tinha lido. (Na verdade, para que ninguém acuse Primrose de se limitar a autores de língua inglesa, ela também garantia que nomes como Homero, Rumi, Dumas, Tolstói e Seth estivessem em suas prateleiras.)

Alguns tutores de Mika procuraram apresentá-la a novos livros, dando a ela revistas em quadrinhos, livros de fantasia épica altamente masculinos e até mesmo, numa ocasião memorável, um romance tão picante que Mika o havia lido três vezes numa noite. Mas, na maioria das vezes, os mundos literários que ela visitou na infância apresentavam salões de baile, governantas, batedores de carteira, homens que usavam apenas seus sobrenomes, o nevoeiro de Londres e pouca coisa além disso.

Portanto, Mika podia afirmar com segurança que já conhecia *Persuasão* muito bem, mas Rosetta estava mais do que um pouco obcecada pelo capitão Wentworth no momento, e Mika não teve coragem de separá-la dele.

— Escute só isso — disse a garota, em um tom sonhador. — "A senhorita fere minha alma. Estou entre a agonia e a esperança. Diga-me que não é..."

Terracotta e Altamira, que tinham repulsa por qualquer sinal de romance, fizeram sons de desespero e imploraram a Rosetta que lesse um livro sobre piratas.

— Não — disse Rosetta com firmeza. — Vocês duas deveriam estar praticando seus feitiços e não me ouvindo ler.

Nas últimas semanas, as três garotas haviam dominado o feitiço simples de animação em que Mika as fizera trabalhar na primeira aula. Agora que elas podiam fazer uma pedrinha realizar o movimento que quisessem, Mika tinha passado para uma versão mais avançada do feitiço, que exigiria mais concentração e controle. Tinha dado a cada uma delas um pequeno boneco de madeira — do tipo articulado que os artistas costumam usar para criar poses como referência — e pedira que lançassem um feitiço que faria os bonecos ficarem de pé, sentarem-se e andarem por conta própria.

— Vocês conseguem animar um único objeto arredondado — explicara ao entregar os bonecos. — Agora é hora de animar algo mais complicado. Quando se anima um boneco, a única maneira de criar movimentos suaves e naturais é encantando suas mãos, braços, pernas, cintura e pescoço separada *e* simultaneamente. Se conseguirem dominar isso, estarão no caminho certo para controlarem seu poder.

Naquele momento, as meninas mais novas resmungaram enquanto se concentravam em seus bonecos. Rosetta, que já havia passado uma hora praticando com o dela, voltou satisfeita para *Persuasão*, mas não avançou muito antes de ser interrompida.

Jamie entrou marchando, mandou as meninas embora numa missão que Mika tinha certeza de que ele havia inventado na hora e fechou a porta com firmeza depois que elas saíram.

— Ouvidos bisbilhoteiros — explicou. Ele pegou o exemplar de *Persuasão* que Rosetta havia deixado para trás, brevemente distraído. — Ela leu *Orgulho e preconceito* na semana passada. Espero que chegue logo a *Emma*. Sempre foi o meu favorito.

— O meu também — disse Mika, surpresa. — O meu entusiasmo pelos clássicos costuma ser morno, mas tenho um fraco por Jane Austen.

Ela notou que Jamie estava com o celular dela na mão. Devia tê-lo deixado lá embaixo no Dia do Desastre, como as crianças agora o chamavam, e não havia pensado nisso nem por um segundo desde então. (O que era incomum e um sinal de quão bem tinha sido entretida.) Como a bateria ainda não havia acabado era um mistério. Talvez Lucie, aquele modelo de eficiência, o tivesse carregado.

— Você recebeu uma mensagem — disse Jamie, cauteloso.

Sim, sua vida social era uma terra tão desolada que *aquela* foi a primeira mensagem que seu telefone recebeu em três dias. (E a anterior tinha sido de sua operadora, lembrando-a de pagar a conta.)

No entanto, o estado de espírito de Jamie e o fato de ele ter fechado a porta diziam a ela que não se tratava de uma mensagem qualquer. Quando ela pegou o celular e a tela se iluminou, um pequeno nó de pavor se formou em seu peito.

Vamos tomar chá na quinta-feira. 15h. Pode escolher o lugar.

Primrose, é lógico.

— Hoje é quarta-feira — disse Mika.

O que não era nada além de afirmar o óbvio.

— Imagino, pela expressão no seu rosto, que Primrose não exige que você a encontre para um chá com frequência.

— Eu não usaria o termo "com frequência", mas ela me chama algumas vezes por ano. E sempre manda mensagens como se fosse a Rainha concedendo um grande favor a um súdito indigno. — Mika revirou os olhos, mas falou com firmeza, tanto para convencer a si mesma quanto para convencê-lo: — Isso não quer dizer nada.

Jamie não pareceu convencido.

— Não acha que é coincidência demais ela te convidar para um chá agora? Logo depois do que aconteceu?

— É possível que as sentinelas não tenham conseguido conter completamente uma onda tão grande de poder, e é possível que outras bruxas num raio de uns 150 quilômetros a tenham notado — admitiu Mika. — Sabe quando as tempestades atingem o País de Gales mas aqui chove somente um pouco mais do que o normal? É mais ou menos assim. O poder se propaga, desvanecendo-se conforme a distância aumenta. Agatha Jones mora nesta região da Inglaterra, num lugar bem longe daqui, mas ela também é muito velha e ficamos mais poderosas à medida que envelhecemos, então ela pode ter percebido a perturbação no poder e mencionado isso para Primrose. Que *poderia* ter presumido que eu seria a culpada. Mas são muitas variáveis, e é mais provável que seja apenas um convite inocente. De qualquer maneira — acrescentou ela, querendo por algum motivo remover aquela ruga de preocupação entre as sobrancelhas de James —, não há absolutamente nenhuma maneira de Primrose saber sobre as crianças, portanto você não precisa se preocupar com isso.

— Mas eu preciso me preocupar com você — disse ele, e soou tão irritado com isso que ela teve que esconder um sorriso. — Você mal saiu da cama nos últimos três dias. Vai mesmo tomar chá com ela amanhã?

— Parecerá muito mais suspeito se eu não for — argumentou Mika. — E vai ficar tudo bem. Vou escolher algum lugar bem longe desta casa...

— De novo, a questão é *você*, não esta casa.

— ...e o Vassoura Voadora vai me levar até lá rapidinho — concluiu ela alegremente. — Primrose jamais saberá onde estive nas últimas semanas.

— Está fingindo que não está me ouvindo? — indagou Jamie.

— E você está achando que eu vou desmaiar e morrer se for tomar chá? — rebateu Mika. — É *tomar chá*. A atividade favorita deste país! Eu juro que consigo sobreviver a tais provações letais. Olha — continuou ela, suavizando o tom —, eu sei que você está preocupado comigo porque se sente culpado pelo que Terracotta fez e tem medo de que minha morte prematura pese na sua consciência, mas eu realmente...

Jamie a encarou.

— Você acha mesmo isso? Que estou preocupado porque me sinto culpado?

— Bem, você não gosta muito de mim — Mika o lembrou. — Sendo assim, a culpa parece ser a explicação mais provável para a sua inquietação. Por quê? Estou errada? Ah! — Ela deu um tapinha na própria testa quando a ficha caiu, rindo. — Lógico! Você tem medo de que, se algo acontecer comigo, eu não esteja aqui para a visita do Edward. Não, é sério, eu vou ficar bem. Estarei aqui.

Ele parecia estar sem palavras. A expressão incrédula no seu rosto se transformou em algo que Mika não conseguiu decifrar.

— Você está bem?

— *Ninguém* nunca se preocupou com você só por se preocupar? — perguntou Jamie, sua voz baixa e áspera. — Porque, sendo bem sincero, esta conversa sugere que ninguém nunca se importou com você.

O sorriso de Mika desapareceu.

— Já te contei como foram a minha infância e adolescência — anunciou ela, tensa. — Preciso mesmo explicar tudo de novo?

— Não — foi a resposta curta e grossa. — Acho que entendi.

— Ótimo. Então vou encontrar Primrose amanhã e te conto como foi quando eu voltar.

— Ótimo — disse ele, e foi isso.

CAPÍTULO DEZESSEIS

Mika escolheu uma cafeteria num hotel muito elegante em Cambridge, o tipo de lugar que atendia aos padrões exigentes e esnobes de Primrose e, quando deu a hora de partir na tarde seguinte, usou o feitiço de velocidade no Vassoura Voadora para chegar lá em quinze minutos.

Ela se arrependeu desse equívoco assim que desceu do carro, cambaleando, sentindo-se enjoada, exausta e fraca demais para encenar um espetáculo convincente. O desastre havia ferrado bonito com ela, lançar e manter um feitiço poderoso por vários minutos não ajudara e, por mais que detestasse admitir, Jamie provavelmente estava certo ao dizer que era cedo demais para ela estar perambulando pelo país.

Mas ela estava ali agora e precisava vestir sua máscara com convicção. Olhou para o relógio de pulso. Duas e cinquenta e cinco. Inspirou bem fundo algumas vezes o ar úmido, frio e limpo (bem, mais ou menos limpo, considerando que estava no estacionamento de um hotel). Depois voltou ao carro para reaplicar o delineador, passar pó compacto no rosto, fazer uma trança no cabelo numa tentativa de parecer mais elegante e enviar uma mensagem de texto a Ian avisando que tinha chegado sã e salva. (Não se deu ao trabalho de enviar mensagens para mais ninguém porque não tinha dúvidas de que ele a repassaria para todo mundo. Já devia estar gritando com Lucie do outro lado da casa e enviando mensagens para Jamie e Ken, que haviam saído de casa mais cedo naquele dia.)

Primrose, que era da opinião de que, se a pessoa não chegasse cinco minutos adiantada, estaria atrasada, já estava numa mesa de canto graciosa e cheia de babados quando Mika entrou na cafeteria. Estampando seu sorriso mais ensolarado, Mika se juntou a ela. Com exceção de uma saudação impecavelmente educada, Primrose só voltou a falar depois que elas haviam pedido um bule de Earl Grey — e Mika pedira um prato inteiro de *scones*, pãezinhos ingleses típicos do chá da tarde, com geleia e requeijão caseiro. A bruxa mais velha partiu logo para o ataque.

— Então *foi* você — declarou Primrose, parecendo bastante satisfeita. — Eu já desconfiava.

— Fui eu o quê? — perguntou Mika, inocentemente.

— A onda — disse Primrose, erguendo as sobrancelhas. — No domingo de manhã. Eu mesma não senti, mas Agatha disse que houve uma perturbação em algum lugar ao norte de Essex. Pensei em você na mesma hora.

— Não me diga.

— Não me olhe assim, Mika. Sua imprudência este ano não passou despercebida. Dito isso — continuou Primrose, inclinando a cabeça para o lado —, reparei que suas contas nas redes sociais foram desativadas, querida. Devo supor que finalmente tive alguma influência sobre você?

Mika enfiou na boca um pãozinho com uma quantidade absurda de requeijão e geleia para se sentir melhor com o ultraje de precisar deixar Primrose acreditar que *ela* era a razão de Mika ter parado de postar vídeos de bruxaria on-line. E recebeu um bônus feliz: a quantidade ridícula de açúcar a fez se sentir um pouquinho menos como uma flor delicada e cansada prestes a enrugar sob uma brisa forte.

— Fiquei intrigada com a onda — prosseguiu Primrose, tomando seu chá da maneira mais refinada —, porque você estava morando em Brighton nos últimos meses, não é? Ou mora em outro lugar agora? Francamente — resmungou ela —, acho um absurdo você ficar se deslocando feito uma nômade alucinada quando uma casa perfeitamente boa permanece inabitada.

Esta queixa não era nenhuma novidade e, do ponto de vista de Primrose, Mika sabia que era razoável. Afinal, *havia* uma casa vazia numa rua tranquila da cidade de York e, de fato, parecia um absurdo não ocupá-la. Mas era a casa da infância de Mika, e ela não sabia como dizer a Primrose que *nada* poderia convencê-la a voltar para os fantasmas e lembranças que a assombravam.

— Em todo caso — continuou Primrose, alheia aos pensamentos que martelavam a cabeça de Mika —, eu me perguntei se poderia ter sido você a causa da onda, mas, agora que estou te vendo, é óbvio que foi. Se não se importar que eu diga, querida, você parece realmente doente.

— Sempre posso contar com você para elevar a minha autoestima, Primrose — disse Mika com a sua voz mais alegre.

— E então? Vai explicar o que aconteceu?

— Tenho escolha?

Primrose pareceu surpresa. E será que havia mesmo um pouco de *mágoa* no jeito como ela comprimiu os lábios?

— Só estou perguntando porque posso ajudar, caso você precise de ajuda — disse ela secamente.

— Não preciso de ajuda — retrucou Mika. Felizmente, ela tinha uma ótima desculpa para sua presença em Norfolk, uma que a distrairia totalmente de uma bela e solitária casa no litoral. — Fui à Universidade da Ânglia Oriental no fim de semana. Um reencontro da turma.

Primrose piscou, surpresa.

— Eles te convidam para reencontros mesmo sem ter se formado?

— Pelo jeito, sim — disse Mika, seu sorriso quase robótico. Primrose sabia exatamente por que ela havia abandonado a universidade um ano antes. — Enfim, enquanto eu estava lá, eu me encontrei com ele.

— *Ele* — repetiu Primrose, na voz que ela poderia ter usado se tivesse dito "cocô de passarinho" ou "leite integral".

Pela primeira vez, Mika estava totalmente de acordo com Primrose.

— Sim. *Ele*. Tivemos uma briga. Não me orgulho disso, mas perdi a paciência. Não na frente dele, nem de qualquer outra pessoa, mas do lado de fora.

— Entendo — disse Primrose, e ela realmente soou empática. Mika quase se sentiu culpada pela mentira. — Isso é lamentável, mas compreensível. Tem certeza de que ninguém percebeu nada? Porque eu posso...

— Apagar memórias? — completou Mika um tanto amarga. — Não, não será necessário. Ninguém me viu.

Houve uma pausa, durante a qual Mika devorou outro pãozinho, bebeu uma xícara cheia de chá e serviu uma segunda, e Primrose tomou dois golinhos educados. Depois de um momento, ela falou:

— Todos nós temos tipos de magia nos quais nos destacamos. O meu tipo é a manipulação da memória. Estou ciente de que você não gosta disso, mas ela já tirou você, eu mesma e várias outras bruxas de situações difíceis ao longo dos anos. Você, por outro lado, se destaca na preparação de poções. E minha falecida irmã, que ela descanse em...

Mika piscou, pasma.

— Desculpe, o quê?

— Minha falecida irmã? — repetiu Primrose em dúvida. — Sim, ela...

— Não, o que você disse antes disso.

— Ah. Poções, querida. É nisso que *você* se destaca.

— Você acha que sou boa em fazer poções?

— Evidente. Você sempre teve um dom fora do comum para criar e conjurar poções. Seus chás, em especial, são extraordinários. De fato, pelo menos um terço das poções mais poderosas do meu livro de feitiços é seu.

Mika sentiu como se tivesse ido parar num universo paralelo entre uma mordida no pãozinho e outra.

— Isso é um elogio?

Primrose bufou.

— Não precisa agir como se eu nunca tivesse lhe feito um elogio antes.

Mika tinha certeza de que isso *nunca* havia acontecido, mas resistiu à tentação de contrariá-la. Em vez disso, perguntou:

— Então não está zangada por eu ter perdido o controle do meu poder?

— Acontece — respondeu Primrose. — Eu gostaria que *aquele homem* não tivesse mais tanto poder sobre você, mas as coisas são como são.

Mika gostaria de ter dito a Primrose que *aquele homem* não tinha mais poder nenhum sobre ela, mas isso deixaria um grande furo em sua mentira cuidadosamente elaborada. Ela engoliu outro bocado de pãozinho.

— Achei que você fosse ser mais crítica.

— Você sabe como eu penso — afirmou Primrose com afetação. — Quando você era criança, instruí babás e tutores muito especificamente a não lhe dizer o que beber, o que comer e o que vestir. Isso porque acredito que o que você põe no corpo é problema seu, e isso — acrescentou ela, levando a xícara aos lábios — inclui pênis.

Mika quase derrubou a própria xícara, sucumbindo a um incontrolável ataque de riso.

Primrose lhe lançou um olhar enviesado.

— Você tem 31 anos, Mika. Tente agir como tal. E, caso decida se importar com a minha opinião, bem que poderia escolher um pênis mais digno da próxima vez.

Mika não gostou nem um pouco do fato de que certa pessoa carrancuda lhe veio imediatamente à cabeça.

— Droga, Primrose — murmurou baixinho.

— O quê?

— Nada — respondeu ela rápido demais, depois voltou atrás, agarrando-se à primeira coisa em que conseguiu pensar que não tivesse nada a ver com Jamie Kelly. — Eu só queria saber se você já conheceu uma bruxa com o sobrenome Hawthorn.

— Minerva Hawthorn? — disse Primrose, parando para sinalizar de maneira autoritária que queria outro bule de chá. — Claro que a conheci. Uma mulher maravilhosa. Teve um câncer agressivo cerca de trinta anos atrás. Tinha um filho — acrescentou Primrose, mexendo os restos de seu chá com um olhar distante. — Um garotinho. Eu o conheci. Me pergunto o que aconteceu com ele.

Mika manteve o semblante cuidadosamente inexpressivo.

— Como *você* sabe sobre Minerva Hawthorn? — questionou Primrose, os olhos afiados sondando Mika.

Mika chutou que a segunda bruxa mais velha da Sociedade também poderia ter conhecido a mãe de Ian.

— Ah, Agatha a mencionou, mas você sabe como ela é. A maioria das coisas que diz são lembranças pela metade. — E então, sentindo apenas o mínimo remorso por atirar Agatha aos leões, ela acrescentou: — Ela também me contou por que somos todas órfãs.

Era uma tentativa desavergonhada de saber mais sobre a história delas. Primrose só havia se referido em termos muito vagos a um feitiço que deu errado e, de acordo com as meninas, Lillian tinha feito praticamente o mesmo.

Primrose não pareceu impressionada.

— Você sabe o motivo de sermos órfãs. O feitiço.

— Sim — disse Mika, exasperada. — Pelo menos foi o que você sempre disse. Já Agatha me contou um pouco mais. No nosso último encontro, enquanto vocês conversavam sobre as peônias de Zuzanna. — Ela pensou rápido, enviou um pedido de desculpa mental para Agatha e mentiu: — Ela disse que o Caçador de Bruxas nos amaldiçoou.

Aquela foi uma artimanha barata, um trecho da infame história britânica que ela tirou do nada na esperança de que Primrose ficasse tão irritada que rejeitasse essa teoria e contasse a *verdadeira* história a Mika.

Em vez disso, a resposta que Mika obteve foi:

— Eu não colocaria nessas palavras, mas sim, a culpa recai sobre ele. E sobre outros como ele.

Primrose disse isso com tanta naturalidade, com tanta indiferença, que por um segundo Mika ficou atordoada e sem palavras, sua xícara paralisada a meio caminho entre a boca e o pires.

— É verdade? — balbuciou por fim, o espanto dando lugar à indignação.

— Mais ou menos.

— E você nunca pensou em mencionar isso antes?

— Você nunca perguntou, bonequinha — disse Primrose, serena.

Mika precisou lembrar a si mesma com firmeza de que não era educado jogar xícaras de chá nas pessoas. Com os dentes cerrados, ela respondeu o óbvio:

— Você sempre me disse para não fazer perguntas.

— Naturalmente, querida. Era para o seu próprio bem.

Mika apertou a xícara com mais força, com medo de que, se relaxasse apenas um tantinho, a xícara voaria de suas mãos e acertaria Primrose. Ela respirou fundo algumas vezes antes de se manifestar, com uma calma magnânima:

— Então você está dizendo que os caçadores de bruxas nos amaldiçoaram? É por isso que ficamos órfãs logo depois que nascemos?

— Não seja ridícula — disse Primrose, bufando. — O Caçador de Bruxas e sua laia detinham um grau elevado de poder, mas era o poder político, não encantamento. Como eles poderiam ter nos *amaldiçoado*?

— Mas você acabou de dizer...

— Eu disse que a culpa recai sobre eles, não que eles lançaram uma maldição sobre nós.

Em algum lugar na confusão das meias explicações de Primrose, Mika achou ter enxergado um vislumbre da verdade.

— Eles estavam nos caçando, então tentamos nos defender — sugeriu ela, trilhando a inevitável sequência de acontecimentos até o seu trágico fim. — Só que, em vez disso, nós nos amaldiçoamos.

— Exatamente o que eu sempre disse — afirmou Primrose. — Um feitiço que deu errado, que só existiu graças aos preconceitos de uma sociedade patriarcal indiferente que se esforçava para punir qualquer um que considerasse voluntarioso demais, poderoso demais ou diferente demais. — Os lábios dela se torceram. — Não muito diferente da sociedade em que vivemos hoje.

— Mas que tipo de feitiço foi lançado? Como pode ter dado tão errado?

— Você está irritantemente questionadora hoje, Mika — retrucou Primrose, soando como a mais explorada das criaturas. — Não há muito mais para lhe contar. O século XVII foi uma época de preconceitos e perigos crescentes em todo o mundo, e as bruxas jovens eram particularmente vulneráveis. O feitiço tinha a intenção de conferir maior proteção às bruxas recém-nascidas. Deu errado e fez basicamente o contrário. Matou os pais das novas bruxas, uma maldição que persiste por todas as gerações desde então.

Mika estava confusa.

— Mas *todas* as novas bruxas são órfãs, não apenas as de uma determinada região ou país. Acho difícil acreditar que alguma bruxa teria o poder de lançar um feitiço tão atemporal e de tão longo alcance.

— Bom, tem razão — disse Primrose, resmungando como se Mika soubesse de coisas impossíveis. — Não foi uma bruxa sozinha que lançou o feitiço, não é? Foram 53.

— Foram 53... — Mika se interrompeu, incrédula. Um quarto pãozinho parecia a única coisa a se fazer diante disso. — ...53 *bruxas*? Lançaram um feitiço? *Juntas*?

Primrose não respondeu imediatamente porque o garçom rígido, com jeito de mordomo, havia retornado com o segundo bule de chá. Assim que ele saiu, ela se serviu de uma xícara e falou:

— Você nunca se perguntou por que as bruxas jamais passam muito tempo juntas?

— Sim — respondeu Mika rispidamente —, e também já fiz essa pergunta repetidas vezes, apenas para ouvir que "*Atrairíamos muita atenção, bonequinha*" e "*Coisas perigosas acontecem quando muita magia é reunida num só lugar, bonequinha*".

— Ambas são verdadeiras — afirmou Primrose. — Mas elas também eram verdadeiras naquela época, e ainda assim as bruxas correram esses riscos porque acreditaram que os benefícios seriam maiores. Então o feitiço deu errado, provando que alguns riscos simplesmente não compensam, e nós nos dispersamos. — Ela tomou um gole do chá. — Durante séculos, as bruxas fizeram amizade com outras bruxas. A cada poucos meses, representantes de todas as partes do mundo se reuniam para compartilhar feitiços, oferecer conselhos e assistência umas às outras e *bater papo*. Assim como estamos fazendo agora, mas numa escala muito maior.

— Mas devia levar uma eternidade para todas chegarem ao mesmo lugar!

— Dificilmente. Elas eram bruxas. Elas voavam.

— Em vassouras de verdade, você quer dizer?

— Bem, a ferramenta específica dependia da cultura, mas, sim, vassouras eram as mais comuns. Era uma época mais simples. Não havia aeronaves, nem satélites, nada no céu para capturá-las. Nossas ancestrais eram livres para viajar o mais rápido que sua magia permitisse.

Mika imaginou isso com bastante melancolia, um mundo onde bruxas de todas as nações eram *amigas*. Não pôde deixar de pensar que era uma lástima terrível estarem ali, séculos depois, em um mundo onde não era possível viajar de vassoura pelos céus sem atrair muita atenção, mas um grupo em um aplicativo de mensagens através de um telefone que cabia no bolso poderia servir exatamente ao mesmo propósito. Por quanto tempo gerações de bruxas deveriam deixar um antigo feitiço ditar a maneira como viveriam suas vidas?

— Então, quando os caçadores de bruxas começaram a ganhar muito poder político, uma geração de bruxas decidiu lançar um feitiço em conjunto, que deveria proteger todas as novas bruxas do mundo — conjecturou Mika, pensando alto. — Primrose, por favor, me diga que *você* não foi uma das bruxas que lançaram aquele feitiço!

A expressão de Primrose era glacial.

— Você realmente tem as ideias mais absurdas — disse ela severamente. — Pode achar difícil de acreditar, Mika, mas eu *não* estava viva quatrocentos anos atrás. Conheço a história porque a ouvi de uma bruxa mais velha, que a ouviu de uma bruxa mais velha e assim por diante. É como preservamos nossos relatos, sabe.

— Na verdade não sei — contestou Mika, provocadora. — Como espera que tudo isso sobreviva à *sua* morte se você não conta nada a ninguém?

— Estou te contando agora, não estou?

Mika rezou pedindo por paciência.

— O que as bruxas fizeram depois que o feitiço deu errado?

— Demorou uma ou duas gerações para que a gravidade do que fizeram fosse assimilada — contou Primrose. — Quando aconteceu, foi decidido que as bruxas ficariam separadas. Era inevitável, em meio às mortes de tantos pais e mães, à orfandade das novas bruxas e ao ressentimento que se seguiu ao feitiço. Não posso responder por outro lugar, mas, aqui na Grã-Bretanha, as bruxas optaram por continuar a tradição de se reunirem a cada poucos meses. Os riscos foram cuidadosamente considerados e regras foram impostas a fim de reduzi-los, e, até agora, nossa existência permanece segura e secreta.

— E não temos nenhum contato com bruxas de outros lugares.

— Eu não diria *nenhum* contato. É fato notório que eu me correspondia com outras bruxas de vez em quando. Com sua avó, por exemplo.

Mika rapidamente engoliu um bocado de pãozinho, sobressaltada.

— Você realmente *conheceu* a minha avó? Quer dizer, eu tinha em mente que você devia saber *sobre* ela se estava ciente de que ela e minha mãe eram bruxas, mas não que você a conhecia.

— Ela era a líder de *sua*...

— Sociedade? — Mika não resistiu em perguntar.

— Eu prefiro chamar de "*grupo de bruxas que compartilham uma geografia semelhante*" — declarou Primrose com frieza.

Mika revirou os olhos.

— Sim, soa bem melhor.

— Sua avó, Sita, ocupava a mesma posição que eu, então nos correspondíamos.

— Ela era a líder de todas as bruxas da Índia?

— Apenas do sul da Índia — corrigiu Primrose. — É um país grande. Tem pelo menos seis grupos de bruxas. Sua avó era a líder de um deles. Ela morreu logo depois que sua mãe nasceu, é claro, e eu tomei a iniciativa de visitar a sua mãe de vez em quando. — Ela fez uma pausa, e então acrescentou quase com afeto: — Nem a sua mãe, nem a sua avó planejaram ter filhos. Acho que talvez quisessem se não fosse pelo feitiço, mas não tiveram o luxo de escolher.

Mika não sentia absolutamente nenhum ressentimento com a possibilidade de não existir caso sua mãe tivesse tido escolha. Ela era muito grata por estar viva, mas também desejava que sua mãe tivesse tido escolha. *Todos* mereciam uma escolha.

— Como acabei com você? — perguntou, curiosa. — Por que uma das bruxas da Índia não me acolheu?

— Era o início da década de 1990 — explicou Primrose. — Na época em que você nasceu, todas as bruxas adultas que sua mãe e sua avó conheceram eram casadas, com seus poderes mantidos em segredo de maridos e sogros, e nenhuma delas podia correr o risco de acolher uma criança órfã que inevitavelmente exibiria rompantes incontroláveis de magia. Aqui a situação também não era muito diferente — prosseguiu —, mas eu era excepcionalmente privilegiada. Tinha dinheiro e não dependia de ninguém, então pareceu certo que eu a colocasse sob os meus cuidados. E, se quer saber, Mika, eu nunca me arrependi disso.

Aquela era possivelmente a revelação mais surpreendente de toda aquela hora. Mika abocanhou o último pãozinho para disfarçar sua surpresa.

— Sou *eu* quem devo repassar toda essa história para outras bruxas quando você virar pó? — perguntou ela depois de um tempo.

Primrose soltou uma gargalhada refinada, tão demorada e jovial que Mika teria ficado completamente ofendida se não tivesse um ótimo senso de humor.

— Não, bonequinha, eu não espero isso de você — revelou Primrose, enxugando os cantos dos olhos com o guardanapo. — Nossa tradição é transmitir nossa história de bruxa mais velha para bruxa mais velha. Eu uso o termo "mais velha" de forma vaga, pois cada líder escolhe sua sucessora e não necessariamente tem que ser a próxima bruxa em idade.

— Esta é sua maneira sutil de me dizer que nem tão cedo vai me nomear líder da Sociedade Supersecreta de Bruxas?

— O fato de você insistir em chamá-la desse jeito deveria ser sua resposta — declarou Primrose acidamente.

Mika escondeu um sorriso.

— Por curiosidade, quem você vai escolher?

— Não pretendo me livrar desse invólucro mortal tão cedo, querida, então ainda não me decidi por ninguém. No momento, porém, estou inclinada a escolher Belinda.

— Ela seria boa nisso.

— Estou ciente. Acredite ou não, eu *sei* o que estou fazendo.

Mika brincou com a colher de chá, estudando seu reflexo distorcido na parte convexa. Uma última pergunta cutucava o fundo de sua mente, e ela sabia que, se não a botasse para fora agora, imediatamente, perderia a coragem.

— Você já pensou em romper a tradição e deixar as bruxas passarem mais tempo juntas?

— Por que eu faria isso? — perguntou Primrose, seus olhos instantaneamente perspicazes e desconfiados. — Mesmo que o antigo feitiço não tivesse nos mostrado exatamente o que acontece quando muitas bruxas se juntam e se deixam levar pela arrogância, você sabe que acidentes são inevitáveis quando muito poder se concentra num só lugar. Olhe ao seu redor — continuou ela, com os lábios franzidos enquanto indicava os celulares aninhados em quase todas as mãos.

— Neste mundo, sempre tem alguém observando. Por quanto tempo você acha que conseguiríamos manter o nosso segredo?

— Mas...

— Não, Mika — interrompeu Primrose, totalmente inflexível. — Você sabe como isso funciona. Apenas sozinhas conseguimos sobreviver.

CAPÍTULO DEZESSETE

Passava um pouco das cinco horas quando Mika se despediu de Primrose e cambaleou até o Vassoura Voadora com pernas de gelatina. Estava frio, escuro e úmido, um anoitecer de dezembro completamente ingrato, e nem mesmo o som insistentemente alegre das músicas natalinas que vinha de dentro do hotel foram capazes de animá-la. Como as fadas dos tempos antigos, que eram repelidas pelo ferro frio, ela se sentia como se tivesse passado tempo demais no mundo apinhado, iluminado e acelerado em que as pessoas normais viviam e ansiava por uma lareira crepitante, o clique de agulhas de tricô e o acalento das ondas do mar.

Ela ansiava pela Casa de Lugar Nenhum.

Mika se atrapalhou com as chaves, sentindo-se fraca, trêmula e zonza de exaustão (e talvez também pelo excesso de glicose. Aquele quinto pãozinho podia ter sido um exagero). Depois de destrancar o carro, uma tarefa quase impossível de tão difícil, ela praticamente desabou no banco do motorista. O aquecimento foi ligado de imediato, mas não adiantou muito para diminuir seus tremores. Ela encostou a cabeça pesada no assento e grunhiu baixinho. Não havia nenhuma chance de conseguir lançar um feitiço de velocidade agora, mas a ideia de passar mais de duas horas dirigindo a fez querer rastejar para o banco de trás e simplesmente dormir ali.

Na verdade, não era uma má ideia.

Bem quando ela estava tentando deduzir se teria energia para se deslocar até o banco de trás ou se precisaria ficar ali pelo resto dos seus dias, a porta do motorista foi aberta abruptamente e alguém alto a fitou de um jeito rabugento.

— Ei! — protestou Mika. — Está frio!

— Então chega pra lá. — Impossivelmente, era a voz de Jamie, grave e insensível. — Vou fechar a porta assim que entrar.

Ela se moveu como se estivesse lutando contra areia movediça, com seus músculos reclamando enquanto se arrastava por cima do freio de mão e caía no banco do passageiro. Como prometido, Jamie deslizou para o lugar do motorista e fechou a porta. Ela o encarou atordoada. Metade do rosto de Jamie estava na sombra, a outra era iluminada apenas pela luz ambiente que escapava do hotel, e Mika tinha certeza de que havia dois dele.

Mika se perguntou se estava tendo alucinações.

— O que está fazendo aqui? Você e Ken não tinham saído para resolver um assunto hoje cedo?

Jamie revirou os olhos.

— Sim. Este era o assunto.

Ele apontou para fora. Olhando pelo para-brisa embaçado, Mika distinguiu minimamente a silhueta do sedã preto de Jamie na vaga do outro lado. Ken estava atrás do volante, sorrindo e acenando.

Seu cérebro estava confuso, então ela levou um minuto para decifrar esse enigma.

— Está dizendo que você e Ken saíram da Casa de Lugar Nenhum duas horas antes de mim só para chegarem aqui a tempo de me encontrar?

— Tínhamos um palpite de que você não estaria em condições de voltar para casa por conta própria. Parece que estávamos certos. — Jamie arqueou uma sobrancelha. — Se ao menos alguém a tivesse alertado antes que você embarcasse nessa peripécia desnecessária...

— Seja sincero. Você veio aqui só pelo prazer de poder dizer "Eu te avisei".

A boca dele se contorceu, mas o vinco entre as sobrancelhas não se alterou.

— Prefere que o Ken te leve para casa?

— Não — disse ela antes que pudesse conter o arroubo de honestidade.

— Bem, ótimo, porque ele acabou de partir.

Mika riu, mas seus dentes batiam com tanta força que a risada saiu toda esquisita. Sentia-se úmida e pegajosa, mais por causa do suor frio do que pela garoa do lado de fora, e estava prestes a fazer o esforço hercúleo de estender a mão para aumentar ainda mais o aquecimento quando viu Jamie tirar o casaco. Ele a fez vesti-lo, ao que ela não se opôs nem um pouco. O casaco era macio como manteiga e irradiava o calor do corpo dele. Mika puxou os joelhos até o peito, virou-se de lado no banco para se encostar na porta e se aninhou ainda mais sob o casaco. O tremor finalmente diminuiu.

— Agulhas de pinheiro e oceano — disse ela sonolenta. — Tem o seu cheiro.

— É, você já disse.

— Eu?

— Não, deve ter sido alguma das *outras* bruxas que tem o hábito de cheirar o meu pescoço.

— Algo feito apenas uma vez não é um hábito — protestou Mika, mas não conseguiu reprimir um pequeno sorriso. Aquela linha preocupada entre as sobrancelhas retas e escuras de Jamie ainda estava lá. Ignorando preocupações triviais como decoro, ela ergueu uma das mãos e alisou o vinco com o polegar, tentando fazê-lo desaparecer. — Você vai ficar com rugas se continuar franzindo a testa assim.

Os olhos dele estavam quase prateados. Jamie pegou a mão dela e a afastou de sua testa, mas não a soltou. Em vez disso, ele a virou para percorrer com o dedo uma cicatriz na palma. A pele dela formigou.

— Isso foi de quê?

— Espinhos. — Ela puxou a mão e voltou para o rosto dele. Jamie a deteve, apertando-lhe o punho enquanto Mika percorreu com os dedos o contorno do seu queixo. — É tão duro quanto parece — comentou ela, admirada.

Jamie lançou os olhos para o céu e murmurou algo parecido com "Não é a única coisa".

Derretendo-se no calor do seu casaco, com o coração batendo descompassado, ela sorriu instintivamente, abandonando qualquer comedimento.

— Venha aqui.

— Nem pensar.

— Mas eu quero que você me beije.

— Eu sei, e é por isso que eu não vou me aproximar nem um centímetro de você.

Mika achou aquilo muito injusto, mas então lhe ocorreu que talvez tivesse interpretado mal a expressão dele e na verdade estava sendo educadamente rejeitada.

— Você não quer me beijar? Porque, se for o caso, tudo bem.

Ele moveu o queixo com delicadeza para fora de seu alcance.

— Não se trata do que eu quero.

— Acho que está fugindo da pergunta.

— E eu acho que você está quase delirante, sem raciocinar direito — disse Jamie, a voz baixa e não muito firme. — Então não, não vou te beijar.

— Ah, não fode.

— Não, também não vou fazer isso com você. Não desse jeito.

Não desse jeito.

Jamie pareceu se dar conta do que disse no mesmo momento que ela. O coração de Mika disparou e sua boca se abriu, os lábios formando um "Ah" não pronunciado. Ele a encarou, emitiu um ruído gutural e desviou o olhar. Suas mãos apertaram o volante.

— Hora de partir — murmurou com a voz rouca, dando a partida no carro. — É melhor você comer alguma coisa antes de voltarmos.

— Ah, eu já comi. Devorei um prato inteiro de pãezinhos.

Havia um tom de diversão na voz dele agora.

— Algo diferente de um prato de pãezinhos.

— Tinha um pote de geleia e requeijão também.

— Não está melhorando.

— Você não sabe do que está falando — disse ela, bocejando.

Seus olhos se fecharam ao clique do cinto de segurança e, quando se abriram, parecia que algum tempo havia se passado porque eles estavam saindo de um drive-thru e Jamie depositava um cheeseburger, batatas fritas e uma garrafinha de suco no colo dela.

— A ideia é que o suco de fruta compense todo o sal e açúcar? — perguntou, enfiando uma batata frita na boca e fechando os olhos de prazer com o sabor. — Porque preciso dizer que ele é como um Band-Aid sobre um buraco de bala. Vou precisar de dois maços de alface, três cenouras e uma abóbora inteira para neutralizar o ataque cardíaco que aquele prato de pãezinhos e este jantar estão prestes a causar.

— E, ainda assim — comentou Jamie, roubando uma das batatas fritas —, você parece estar comendo o tal jantar com pouca ou nenhuma preocupação com o mencionado ataque cardíaco.

— Só se vive uma vez. — Olhando pela janela para as torres de uma catedral, Mika tentou imaginar Jamie com vinte e poucos anos. — Você sente falta de morar aqui?

Ele pareceu surpreso.

— Em Cambridge? Não, na verdade não. Passei a maior parte dos meus anos de faculdade praticamente desmaiado de bêbado, e, considerando que sou irlandês, isso diz muito. E lecionar não combinava comigo. — Seus olhos seguiram até ela, com um sorriso surgindo por detrás deles. — Acontece que eu era muito mal-humorado, acredita nisso?

— Você? Mal-humorado? Impossível! — Mika apoiou a cabeça pesada no cotovelo, terminou o cheeseburger e examinou o perfil dele. — Foi difícil? Voltar para a Casa de Lugar Nenhum e se tornar uma espécie de pai para uma criança bruxa aos... quanto? Vinte e seis anos?

— Bem, o fato de ser uma criança bruxa foi meio que surpresa porque Lillian não se preocupou em nos avisar antes de aparecer com um bebê a reboque, mas Rosetta era uma bebê tranquila e fácil, o que não deve te surpreender. Altamira, por outro lado... — Ele estremeceu, o que a fez rir. — Bem, digamos apenas que, quando ela chegou à crise dos 2 anos, eu estava disposto a colocá-la num barco e deixá-la à deriva no oceano. Ian tinha o barco praticamente pronto para zarpar.

— Como Altamira continua seguramente instalada na Casa de Lugar Nenhum, presumo que as mentes mais equilibradas de Lucie e Ken prevaleceram.

— É preciso uma aldeia para educar uma criança. — Jamie virou à direita, cortando o trânsito. Mika, que era muito possessiva com o Vassoura Voadora, descobriu que gostava de vê-lo ao volante do seu carro. — Como foi com Primrose?

— Foi bem esquisito. Eu menti sobre onde tenho estado e acho que ela não suspeita de nada, então está tudo bem, mas ela também me contou um monte de outras coisas. — Mika deu a ele uma breve descrição das várias revelações de Primrose. — Foi *tão* estranho. Devo ter feito a ela o mesmo tipo de perguntas dezenas de vezes quando criança, ouvindo sempre que minha curiosidade era desagradável e inconveniente.

— Você voltou a fazer essas perguntas a ela desde então?

— Não — disse Mika, pensando. — Desisti anos atrás e costumo ficar só falando de amenidades quando nos encontramos, mas, desta vez, não sei. Perguntei. Talvez seja porque tenho passado tanto tempo com as crianças, então parece que tem mais coisa em jogo agora, além de mim mesma. Quero poder compartilhar mais da nossa história com elas. Mais do que compartilharam comigo nessa idade, pelo menos. Mas realmente não esperava que Primrose me contasse tanta coisa.

— Talvez ela tenha contado porque você agora é uma mulher adulta — sugeriu Jamie. — Tem muita coisa que dizemos a outros adultos que não dizemos a uma criança.

— Acha que ela finalmente me vê como igual? Bem, quase igual — emendou, apertando os lábios com pesar. — Ela foi tão autoritária e inflexível como sempre quando cheguei a sugerir ajustes nas Regras. Como Ícaro, voei muito perto do sol e fui brutalmente derrubada.

A risada de Jamie vibrou pelo carro.

— Você tem passado muito tempo com Ian. — Ele lhe lançou um olhar perspicaz. — Parece que está difícil para você manter os olhos abertos. Não fique acordada por minha causa.

— Eu poderia tentar lançar um feitiço de velocidade para nos levar de volta mais depressa — ofereceu Mika.

A única resposta de Jamie foi um olhar irritado.

Entocando-se alegremente no casaco dele, Mika respirou fundo, encostou a cabeça na janela e fechou os olhos.

— Gosto quando você é firme — disse ela, sonolenta, e caiu num sono profundo e sem sonhos.

~

Gosto quando você é firme.

Jamie lançou um olhar incrédulo para o rosto adormecido de Mika. Que diabos ele deveria pensar disso?

Você não quer me beijar? Quase dera risada quando ela disse aquilo, uma risada sombria e triste. Se ela soubesse...

~

Mika acordou novamente com Jamie estacionando o carro. Todo o seu corpo doía, mas o calafrio e a vertigem tinham passado. Esfregando os olhos, ela viu que o Vassoura Voadora estava do lado de fora da Casa de Lugar Nenhum quase às escuras. Apenas as luzes do corredor do andar de cima e da cozinha ainda estavam acesas.

— Lar, doce lar — disse Jamie baixinho.

Lar. Soou certo, o que era verdadeiramente assustador, porque aquele *não* era o lar dela. Mais cedo ou mais tarde, Mika teria que partir. Era uma grande tolice se apegar, *se importar*, porque ela nunca pertencera a lugar algum e nunca fora considerada boa o bastante para ninguém, e era apenas uma questão de tempo até que as pessoas da Casa de Lugar Nenhum percebessem.

Uma olhada no relógio do carro lhe informou que já passava das dez.

— Uau — disse ela, com a voz um pouco rouca pelo impacto que a palavra "lar" tinha causado. — Passamos quanto tempo na estrada? Cinco horas?

— Houve um acidente nos arredores de Cambridge, e demorou séculos para liberarem a pista. Você está bem? Consegue andar?

— Acho que sim. Não me sinto tão mole quanto antes. — Ela o observou, as sobrancelhas franzidas. — *Você* está bem? Deve estar exausto.

— Estou ótimo.

— Como se fosse me dizer se não estivesse — zombou Mika. Jamie sorriu. Ela abriu a porta do carro, deixando entrar o ar frio e cortante do mar, e saiu. Cambaleou por um instante, mas não desmaiou, o que já foi um progresso. — Acha que o Ian está acordado? É por isso que a luz da cozinha ainda está acesa?

— Ele disse que nos esperaria — respondeu Jamie, entregando-lhe as chaves do carro e iniciando o trajeto até a porta da frente.

— Jamie.

Ele hesitou, mas olhou para atrás.

— Você foi me buscar — disse Mika. — Ninguém nunca fez isso. Obrigada.

Ele olhou para ela por um longo momento, então assentiu sem responder e destrancou a porta da frente. Tirando os sapatos, os dois foram direto para a cozinha (Mika ainda enrolada no casaco do qual não tinha intenção de se livrar tão cedo), onde Ian estava ocupado tirando do forno assadeiras com cookies de aveia e passas.

— Cozinhando para aliviar o estresse — explicou, sorrindo para eles. — Aceitam um cookie?

— Eu com certeza preciso de mais açúcar hoje — disse Mika, séria.

A boca de Jamie se curvou. Cada um aceitou um cookie de Ian. — A chaleira está ligada?

— Liguei no momento em que ouvi o carro lá fora — informou Ian, orgulhoso. — Uma boa xícara de chá quente antes de dormir é exatamente do que você precisa, minha querida. Jamie? Chá?

Ele assentiu, sentando-se numa cadeira à mesa.

— Você deveria se aquecer um pouco também — comentou Ian, seus olhos brilhando com malícia. — Já que ficou sem o casaco e tudo o mais.

— Você *passou frio* o caminho todo? — Mika perguntou a Jamie, sentindo-se culpada e chocada.

Jamie olhou feio para Ian antes de responder:

— Não seja ridícula. O aquecimento estava ligado. Eu fiquei bem.

Ian cantarolava animadamente enquanto se ocupava com o chá. Ele tinha muito mais energia que qualquer homem na casa dos 80 anos deveria ter assim tão tarde da noite. Em minutos, preparou três xícaras e as trouxe para a mesa, com um prato de cookies.

— E então? — perguntou ele. — Devemos esperar a Cuca bater à nossa porta a qualquer momento?

Mika engasgou com o cookie, achando muita graça na ideia de Primrose como uma cuca.

— Não. Ela realmente descobriu que eu fui a culpada pela onda de poder, mas dei uma ótima desculpa para minha presença por essas bandas.

— Sério? Qual foi?

— Um reencontro da turma na Universidade da Ânglia Oriental.

— Claro! Você estudou lá, não foi? Que desculpa inteligente!

Jamie lançou-lhe um olhar irônico.

— Reencontros de turma costumam causar grandes rompantes de magia?

Mika poderia ter se esquivado ou simplesmente mentido, mas não o fez.

— Não, mas reencontros com ex-namorados horríveis podem causar.

Os olhos dele se estreitaram; seu semblante se entristeceu. Ian, por outro lado, se animou.

— Bem, agora você precisa nos contar tudo sobre esse demônio!

— Não, não precisa — interveio Jamie.

— Shhh — ralhou Ian.

Mika riu.

— Não é tão interessante. É só que Primrose sabe sobre ele, então era um bode expiatório conveniente. — Mika segurou a xícara de chá, desenterrando uma lembrança na qual havia se esforçado muito para não pensar durante quase uma década. — Nós nos conhecemos quando eu estava na universidade e ficamos juntos por cerca de quatro meses.

— Foi seu primeiro namorico? — perguntou Ian.

— Não — respondeu Mika, sorrindo com a escolha de palavras ridiculamente arcaica. — Eu já tinha tido alguns casos quando o conheci. Mas ele foi meu primeiro e último namorado de verdade.

O rosto de Ian se suavizou.

— Você o amava?

— Acho que não — respondeu Mika, pensativa. — Pensando melhor agora, não acho que tenha sido algo tão forte como *amor*, mas eu gostava muito mais dele que de qualquer outra pessoa com quem já tinha ficado. E eu tinha 20 anos, era inocente e romântica, então resolvi contar a verdade a ele. Sobre mim.

Ian soltou um arquejo.

— Nem tudo — acrescentou Mika. — Eu disse a ele que praticava magia, mas não contei que existiam outras bruxas. Ele... é... perguntou se era alguma bizarrice cultural. Palavras dele, não minhas. — Mika não ousou erguer os olhos para encará-los, mas ouviu a respiração de alguém sibilar por entre os dentes. — Eu levei na brincadeira, porque achei que era o que eu deveria fazer. Então mostrei a ele alguns feitiços.

— E depois? — perguntou Jamie baixinho.

Mika não esperava sentir a dor que sentiu, como um hematoma antigo e quase esquecido que causa surpresa quando pressionado. Não era tão ruim quanto costumava ser, mas ainda estava lá, porque ela entendeu que não era sobre um ex-namorado. Era sobre muito mais.

— Ainda não entendo muito bem *como* aconteceu — respondeu Mika, com os olhos fixos na xícara à sua frente. Uma antiga sensação de vergonha ameaçou ressurgir, mas ela sabia que era uma espécie de sentimento mentiroso e sabia como lidar com ele agora. Então falou as palavras em voz alta: — Hoje eu sei que não foi minha culpa, mas, na época, a sensação era a de que só poderia ter sido. Foi como se num dia eu fosse *eu mesma* e, no outro, estivesse lançando feitiços que *ele* queria que eu lançasse. Uma vez ele estava no caixa eletrônico sacando dinheiro e me pediu que encantasse a máquina para que tivesse algum defeito e desse a ele algumas centenas de libras a mais. Outra vez, lancei um feitiço básico de ocultação no seu celular para que ele pudesse colar nas provas sem que ninguém percebesse. Fiz coisas assim por semanas. Porque ele queria. Porque pensei que, se fizesse o suficiente, ele iria me amar.

— Ah, Mika — disse Ian, chateado, colocando a mão sobre a dela.

— Enfim... Teve um momento, um dia, em que me dei conta de que eu não gostava mais da pessoa em quem havia me tornado, e isso importava mais do que *ele* gostar ou não de mim, então terminamos. Denunciei tudo o que ele tinha feito, admitindo que o ajudei, mas obviamente deixando de fora qualquer menção ao lançamento de feitiços, e então fui embora. Eu provavelmente poderia ter continuado na universidade e terminado meu último ano, mas queria que ele esquecesse tudo sobre mim e sobre o que eu era capaz de fazer.

A cozinha ficou em silêncio quando ela terminou de falar. Mika deu uma mordida em outro cookie, extremamente interessada no padrão dos veios da madeira da mesa.

Ian apertou sua mão ainda mais.

— Não consigo imaginar como deve ter doído ser usada assim. Mas, com certeza, *com certeza*, você não vai deixar um cretino nojento afetar a maneira como você vive sua vida, não é?

— Um cretino nojento e uma série de babás e tutores antes dele — completou Mika, o sorriso murchando. — Eu havia enfrentado reações ruins antes. Aquele feitiço do caixa eletrônico? Já tinha feito algo do tipo. Uma das minhas babás me pediu. — Ela parou, surpresa. — Eu nunca falei isso em voz alta antes. Tento nem pensar no assunto.

— Está tudo bem — confortou Jamie em voz baixa.

Mika olhou para ele. Não havia julgamento nem censura em seus olhos, apenas uma raiva que sabia não ser dirigida a ela e que lhe deu o empurrão de que precisava para contar o resto.

— Quando meus cuidadores descobriam que eu era uma bruxa — continuou ela —, alguns ficavam com medo, outros pensavam que estavam tendo alucinações e, numa ocasião memorável, uma tutora se convenceu de que eu devia ter sido objeto de experimentos de uma agência secreta do governo e insistiu que eu fosse a público. Mas, na maioria das vezes, a reação que eu recebia era muito parecida com a *dele*. Eu me tornava algo que poderia ser usado.

Um músculo saltou na mandíbula de Jamie. Ian olhou para ele com tristeza, depois se virou para Mika e disse com firmeza:

— Nem todo mundo é assim, minha querida. Existe alguém lá fora que vai lhe aceitar como você é, que vai permitir que você seja apenas Mika.

— Será? — indagou Mika. — Porque, pelo que vejo, ser uma bruxa significa ser explorada quando é conveniente e ser hostilizada quando não é. Eu *adoraria* ser apenas Mika, mas o resto do mundo ainda não me deu esse privilégio.

— Sim, sei como é — admitiu Ian. — Eu entendo, de verdade. Houve um tempo em que Ken e eu também não podíamos ser apenas nós mesmos.

— Eu sei — disse Mika, apertando sua mão. Desta vez, seu sorriso era mais brilhante e bem menos hesitante. — Acredite, se tem uma coisa que pode me convencer de que existe um futuro melhor pela frente, são você e Ken.

Jamie forçou uma carranca.

— Ai, meu Deus, não o faça começar a contar histórias sobre os dois!

— Moleque — disse Ian com carinho.

— Fóssil.

Mika interrompeu a amorosa troca de insultos.

— Há *quanto tempo* você e Ken estão casados?

— Desde que houve permissão — disse Ian. — Ou seja, não muito tempo. Mas estamos juntos há mais de cinquenta anos. — Parecia uma quantidade incomensurável de tempo para Mika. Com um suspiro sonhador, ele prosseguiu: — Sabe, esse lance de amor à primeira vista parece uma bobagem, mas juro para você que eu soube que amava Ken no segundo em que pus os olhos nele. Ele precisou de um pouco mais de convencimento, infelizmente. Eu posso ser uma verdadeira provação.

— Nós sabemos — afirmou Jamie em tom seco.

— Meu pai havia morrido alguns anos antes, mas minha mãe e os pais de Ken sabiam sobre nós. Eles foram os únicos a quem contamos na época. Para o resto do mundo, éramos apenas solteiros convictos. Era assim que nos chamavam naquela época. Bem, para ser mais preciso, essa era a coisa mais *gentil* de que nos chamavam.

— Mas vocês se amavam mesmo assim — disse Mika, percebendo de repente que ela não estava apenas maravilhada com eles, mas também com inveja. Seu coração doía com uma ânsia terrível e fervorosa. — E ainda se amam, mesmo depois de todo esse tempo.

— Eu poderia ter mais cem anos com Ken e ainda ia querer mais — declarou Ian sem pestanejar.

CAPÍTULO DEZOITO

Mika passou a maior parte da sexta-feira em sono profundo, entrando e saindo de sonhos estranhos sobre noites de nevasca, olhos cinzentos tempestuosos e agulhas de pinheiro. Ela havia trancado a porta do sótão para evitar que alguém entrasse para ver como ela estava e a encontrasse dormindo vestindo um casaco que certamente não era dela, então, quando enfim acordou, foi ao som de batidas fortes e determinadas na porta.

— Só pra constar — gritou a voz de Terracotta do outro lado da porta —, você *precisa* me ensinar o feitiço de trancar e destrancar portas.

— Pra mim também! — completou Altamira, sem querer ficar de fora. — Já acordou? Estamos com saudade de você!

Colocando às pressas o casaco de Jamie sobre sua cadeira, onde poderia ter passado a noite e o dia todo, até onde qualquer um soubesse, Mika deixou as meninas entrarem. Circe, que havia sido trancada do lado de fora do sótão por engano, as seguiu com um latido bastante petulante. Mika imediatamente começou a acalmar seu orgulho ferido com abraços e coçadinhas.

— Lucie disse que você precisa descer pra jantar — Rosetta informou a Mika. — Ela disse que, por mais que você esteja cansada, *não* vai perder outra refeição.

Mika abriu um grande sorriso com a imitação perfeita do tom de voz de Lucie.

— Acontece que eu me sinto bem melhor e estou *morrendo de fome*, então a convocação de Lucie não poderia ter vindo em melhor hora. Mostrem-me o caminho, pequeninas!

Terracotta, no entanto, aquela criança irritantemente atenta, se deteve.

— Por que o casaco de Jamie está na sua cadeira?

— Porque ele me emprestou ontem à noite quando fiquei com muito frio — explicou Mika no que esperava ser um tom de voz totalmente indiferente. — Agora mexa-se, florzinha, ou posso ficar com tanta fome que vou ter que me contentar em mordiscar você.

— Não quer se trocar?

— Tem certeza de que tem 8 anos? — questionou Mika. — Não seriam 80? Ou 800? Ninguém vai desmaiar ao ver um par de pernas de fora, eu garanto.

— Achei que você pudesse ficar *com frio* — respondeu Terracotta, lançando-lhe um olhar estranho. — Por que pernas de fora fariam alguém desmaiar?

— Deixa pra lá.

Elas desceram as escadas juntas, Mika esfregando os olhos enquanto as garotas mostravam a ela o progresso que haviam feito nos feitiços. Rosetta agora era capaz de fazer seu boneco articulado sapatear na palma da sua mão, ao passo que Terracotta e Altamira tinham unido forças para animar um punhado de cisnes de origami. Mika ficou extremamente impressionada e orgulhosa de todas.

Cercadas por um bando de alegres cisnes de papel esvoaçando em volta de suas cabeças, elas se juntaram aos outros na cozinha. Ian estava agachado na frente do forno, de costas para elas, mas Jamie ergueu o olhar quando entraram. Seus olhos escuros se fixaram rapidamente nos de Mika, então se desviaram com a mesma rapidez.

Ken estava de pé ao lado da mesa, enchendo os copos com suco de maçã que ele e as meninas tinham preparado, e Lucie foi direto até Mika para dar uma boa conferida nela.

— Bem, você não está com febre — disse Lucie, com um sorriso aliviado. — Ainda está um pouco pálida, mas deve ser porque não comeu nada desde os cookies do Ian ontem à noite. Como está se sentindo?

— Quase humana — respondeu Mika bem-humorada.

Quem se importava que já fosse uma adulta crescida? Ela se derreteria feliz no abraço de Lucie e deixaria que a paparicasse todos os dias.

— Parece que você passou por maus bocados ontem. Lembra de alguma coisa?

Os olhos de Lucie eram completamente inocentes, assim como sua pergunta, mas as bochechas de Mika ficaram quentes e ela se segurou para não lançar um olhar a Jamie ao responder:

— Eu me lembro de tudo.

Lembro-me de estar tão delirante que abandonei qualquer comedimento. Lembro-me de ter pedido a Jamie que me beijasse e de ter sido categoricamente rejeitada. O que não me lembro é de ele estar sofrendo o mesmo delírio, o que me deixa tragicamente convicta de que Jamie também se lembra de tudo.

Mas, Mika não falou nada disso.

Apenas foi até Ken e deu-lhe um abraço impulsivo.

— Obrigada por ontem.

— Não foi nada — disse Ken baixinho, com os braços apertados ao redor dela.

Seus calorosos olhos castanhos se enrugaram quando sorriu.

Altamira olhou para eles com algo parecido com preocupação.

— Por que vocês estão se abraçando? Alguém está triste?

— Pelo contrário — explicou Mika. — Ken foi muito bondoso comigo ontem.

— Foi por insistência de Jamie, mas devo admitir que ele não precisou se esforçar muito para me persuadir.

— Ah! Foi porque eles apareceram e buscaram você depois do encontro com Primrose? — perguntou Altamira, e imediatamente completou com um fervoroso "Droga, Primrose", como se a simples menção desse nome fosse um mau presságio que necessitasse da frase para desfazer a maldição.

A conversa na hora do jantar foi familiar, trivial e reconfortante: Lucie queria passar o fim de semana lendo uma pilha de romances históricos deliciosamente picantes que encontrara no bazar de caridade, mas Ian queria que ela o ajudasse a construir uma colmeia; Ken encerrou a discussão lembrando a Ian de que ele estava quase sem sua amada lã rosa-flamingo, então Ian imediatamente fez planos de dirigir até sua loja de lã favorita, A Ovelha Perdida, para estocar suprimentos; Altamira e Terracotta tentaram negociar uma hora a mais de tempo de tela com Jamie, que não deu brecha e as lembrou de que a única razão pela qual Rosetta estava ganhando uma hora extra era porque havia limpado seu quarto sem que pedissem; e Mika disse que passaria o sábado na floresta, procurando ingredientes que notara estarem quase no fim.

— O Solstício de Inverno está chegando — explicou ela, ignorando o fato de que a visita de Edward seria poucos dias depois disso. — É um dos dias mais poderosos do ano para as bruxas, então tento produzir o máximo possível de poções.

— *Este* ano nem tanto, eu espero — disse Lucie. — Você não pode ficar trancada no sótão o dia todo! Não fazemos muita coisa no Natal na Casa de Lugar Nenhum, mas nosso Solstício é sempre o mais festivo possível. Aliás — acrescentou, com um olhar aguçado na direção de Altamira —, o Papai Noel até fez a gentileza de ajustar a sua programação e trazer os presentes para as meninas no Solstício!

— É sério? — A empolgação e o deleite tomaram conta de Mika. — Quer dizer, acho que deveria ter imaginado, dado que esta é uma casa cheia de bruxas, mas nunca celebrei o Solstício com outras pessoas.

— Então você *precisa* se juntar a nós! — declarou Rosetta com seriedade.

— Como eu poderia recusar?

— Você devia levar as crianças para coletar ingredientes com você amanhã — sugeriu Jamie. — Elas sempre gostam disso.

— Ótima ideia — aprovou Ian, e acrescentou inocentemente: — Você também podia ir. Para ficar de olho nas coisas, sabe.

Mika ergueu as sobrancelhas, achando graça da descarada falta de sutileza, mas Jamie apenas disse:

— Não posso. Vou passar o dia fora.

— Fora? — Ian piscou confuso. — Onde?

— Provavelmente estarei de volta antes de as meninas irem dormir — continuou Jamie, ignorando a pergunta.

Ken e Lucie trocaram olhares cautelosos, o que sugeriu a Mika que a reserva dele não era algo habitual. Ian olhou de soslaio para Jamie.

— Mas aonde você vai?

— É, aonde? — insistiu Terracotta, seu tom ainda mais desconfiado que o de Ian.

Jamie franziu o cenho para eles.

— Liverpool.

— *Liverpool*... — Os olhos de Ian quase saltaram das órbitas. — Está planejando viajar quatro horas pra ir e *mais* quatro pra voltar? No mesmo dia? Por quê? Tem algum livro estupendamente raro lá que você só pode pegar em mãos?

— Claro, pode ser isso.

— Jamie!

— Ah, pelo amor de Deus, Ian! — vociferou Jamie. — Amanhã é o aniversário de 60 anos da minha mãe. Ela adora galerias de arte. Vai passar o dia no museu Tate. Perguntou se eu queria ir. Podemos mudar de assunto agora?

Houve um momento de silêncio absoluto. Mika olhou ao redor da mesa, confusa, e viu que até as meninas pareciam perplexas.

— Seus irmãos estarão lá? — indagou Ian.

— Ian — alertou Ken.

Ao mesmo tempo, houve um baque embaixo da mesa, como se Lucie tivesse dado um chute rápido em Ian.

— Ela é a mãe deles também, então imagino que estarão lá, sim — respondeu Jamie em tom cortante.

— Você perdeu a merda do juízo — disse Ian sucintamente.

— *Ian.*

Mika arriscou uma pergunta.

— Por que ele não deveria ir ver a mãe no aniversário dela?

Ninguém respondeu. Ela sabia que não era justo se ressentir dos segredos de ninguém, mas sentia como se estivesse de fora outra vez, olhando para algo do qual não fazia parte, e ficou impressionada com quanto isso doía.

Ian olhou com raiva para Jamie, que simplesmente o encarou de volta, impassível e implacável. Mika ficou apenas um pouco surpresa quando Ian desviou o olhar primeiro.

— Ótimo. — Ian cruzou os braços magros sobre o peito. — Se você insiste nessa tolice, deveria pelo menos levar Mika com você.

— O quê? — disse Jamie. — Por quê?

— É, por quê? — concordou Mika.

Ela tinha certeza de que, quando desejou ser incluída, não quis dizer *desse jeito.*

Ian olhou para eles como se a resposta fosse óbvia.

— Mika é uma excelente companhia *e* conhece um feitiço de velocidade. Por que dirigir oito horas num dia quando você pode fazer isso em duas?

— Um argumento irritantemente bom — admitiu Mika. — E estou bem melhor agora, então devo ser capaz de lançar feitiços sem precisar de um pico de açúcar e um cochilo de dezoito horas logo depois.

— Excelente! — exclamou Ian, parecendo decididamente mais animado. — Jamie?

Jamie fez uma careta para Ian, seus maxilares travando e destravando como se ele estivesse irritado com a lógica colocada diante dele. Então, quase com relutância, seus olhos cruzaram a mesa até Mika.

— Você se importa de ir?

— De jeito nenhum — disse ela. Na verdade, sentia exatamente o oposto. A ideia de passar um dia com ele era convidativa demais. Uma dúvida lhe ocorreu. — Não vou precisar *entrar* no Tate, vou?

Porque multidões e espaços fechados são uma combinação da qual não participo se puder evitar. Prefiro esperar no carro. Com um livro. E guloseimas. *Muitas* guloseimas.

Um leve sorriso torto substituiu a carranca no rosto de Jamie.

— Combinado.

~

Jamie estava de péssimo humor quando entrou no chalé de Ian e Ken na manhã seguinte, fechando a porta da frente ao passar e se balançando para a frente e para trás por um momento a fim de se livrar do frio. Seu casaco continuava com Mika, e era apenas uma corrida de um minuto da casa até o chalé, mas, Jesus, estava congelando lá fora!

— Vejo que está com os nervos à flor da pele — veio a voz profunda e divertida de Ken da minúscula sala da frente iluminada pelo fogo da lareira.

De fato. Não que fosse admitir isso para Ian, mas estava genuinamente questionando o próprio julgamento ao concordar em ir ver a mãe e os irmãos. Além disso, ele estava irritado, exasperado e vários outros sinônimos.

— Ian, por outro lado — prosseguiu Ken, enquanto Jamie se jogava numa poltrona —, está empolgadíssimo.

— Mas que surpresa — resmungou Jamie. — Onde ele está, afinal? Vim ter uma conversinha com ele.

— Acho que Ian já esperava por isso — afirmou Ken, bebericando seu café numa tentativa nada sutil de esconder o sorriso. — Ele saiu para a loja de lã há poucos minutos, então receio, doce rapaz, que você terá que se contentar comigo.

Ken era a única pessoa no mundo inteiro que usava o termo "doce rapaz" para se referir a Jamie, completamente sem ironia, e isso fazia Jamie amá-lo ainda mais. Ao mesmo tempo, o fazia questionar o discernimento de Ken, porque Jamie era muitas coisas, mas tinha certeza de que "doce" não era uma delas.

— Jamie — insistiu Ken gentilmente. — Tem certeza de que quer fazer isso? Você não precisa ir.

— Acho que preciso.

O rosto de Ken estava repleto de compreensão e compaixão.

— Contanto que se lembre de que eles não têm mais nenhum poder sobre você.

— Eu sei. — Jamie não queria pensar nisso mais do que o necessário. — Enfim, não vim falar deles. Vim falar sobre a maldita teimosia de Ian. — Ele olhou com raiva para o lugar vazio no sofá em que Ian geralmente se sentava. — Essa coisa com a Mika. *Você* sabe que é uma péssima ideia, não sabe?

Era querer muito esperar que *alguém* naquela propriedade ainda tivesse sanidade mental, e essa expectativa pessimista se mostrou correta quando Ken respondeu:

— No começo pensei que era, mas não tenho mais tanta certeza. — Ele pousou a xícara de café e estendeu a mão no espaço entre as cadeiras para dar um tapinha no braço de Jamie. — Você entende por que Ian está fazendo isso, não é? Ele está começando a confrontar a própria mortalidade, e, cá entre nós, a ideia de deixar você sozinho o apavora.

Jamie descobriu que seu peito estava apertado demais para conseguir elaborar uma resposta. A ideia de um mundo sem Ian e Ken era algo em que ele não se permitia pensar. No que lhe dizia respeito, a morte já havia tirado o suficiente dele e cada pessoa ali iria viver para sempre.

— Jamie — disse Ken com ternura. — Você precisa entender por que ele está tão determinado a encontrar para você o mesmo tipo de felicidade que ele e eu temos. Você é o *nosso* menino desde o dia em que chegou, a quem amamos, protegemos e demos o mundo. E eu sei que você é um adulto agora. Em seus momentos mais sensatos, Ian também sabe disso. Mas você tem que se lembrar de que, embora vinte anos tenham se passado, não nos esquecemos do menino corajoso e ferido que invadiu nossas vidas naquele dia, totalmente sozinho, e faremos *tudo* ao nosso alcance para garantir que você nunca mais precise ser aquele menino de novo.

— Eu sei — reconheceu Jamie. — É só que o Ian pode ter calculado mal dessa vez. Se alguém tem o poder de me despedaçar, acho que é ela.

O sorriso de Ken enrugou os cantos dos seus olhos.

— Isso pode ser verdade, mas, sabe, não acho que seja o caso.

— Ela vai embora.

— Creio que sim — disse Ken, ponderando. — Mika tem sido tão profundamente maltratada que ensinou a si mesma a fugir antes de criar raízes. Mas o que você precisa lembrar, Jamie, é que, quando alguém vai embora, tudo o que você pode fazer é deixar uma janela aberta para que ela possa voltar um dia, se assim desejar.

CAPÍTULO DEZENOVE

A viagem para o norte começou sem intercorrências. Quando Jamie e Mika deixaram a Casa de Lugar Nenhum no carro dele, o céu estava de um branco ofuscante, do tipo que prometia neve (se bem que, em se tratando de Norfolk, provavelmente a promessa não se cumpriria).

Jamie estava mais curioso sobre o feitiço de velocidade de Mika do que havia deixado transparecer, especialmente pelo fato de estarem no carro *dele* e *ele* ser a pessoa ao volante que de alguma forma tinha que cobrir quase quinhentos quilômetros em pouco mais de uma hora. Quando mencionou isso, porém, ela explicou que o termo era um tanto equivocado.

— Chamamos de feitiço de velocidade para simplificar — informou ela, brincando com uma barra de chocolate (já tinha começado os trabalhos com as guloseimas que Lucie separara para a viagem). — Provavelmente seria mais correto chamá-lo de feitiço que distorce as regras do espaço-tempo. O que é bem difícil de falar.

— Então não vai fazer o carro andar mais rápido?

— Não exatamente — disse ela. — É mais como se, a cada intervalo, o espaço entre um ponto e outro fosse meio que *dobrado*. Assim. — Ela largou a barra de chocolate de volta na caixa de guloseimas e pescou no ar um pedaço de fio dourado luminoso. Ele deu uma olhada rápida, mantendo a concentração na estrada sinuosa à frente. — Digamos que este fio seja a distância entre Norfolk e as

Midlands. Se eu esticá-lo e você passar o dedo por ele, levará alguns segundos para ir de uma ponta à outra. Mas, se eu *dobrar* o fio e juntar as pontas, *assim*, seu dedo vai de uma ponta à outra quase que instantaneamente.

— Então você vai ter que lançar o feitiço mais de uma vez?

— Provavelmente algumas vezes na ida e algumas na volta — respondeu Mika. — É mais fácil arquear cinquenta quilômetros algumas vezes do que arquear trezentos quilômetros de uma vez só, se é que faz sentido. — Ela fez o fio dourado desaparecer e pegou seu chocolate, sorrindo. — Pequenas mordidas, não uma bocada gigantesca.

— Diga isso a Terracotta — provocou Jamie. — Pode rir agora, mas você já viu a menina comer um cheeseburger? É absolutamente aterrorizante! É quase como assistir a uma píton abrindo a mandíbula.

Jamie viu o feitiço de velocidade em ação cerca de dez minutos depois e *quase* não percebeu. Mika explicou que era porque ele estava *dentro* do carro enfeitiçado, então, para ele, parecia que havia acabado de dirigir por uma estrada tranquila e entrado em outra. Apenas o GPS do carro, trabalhando para recalcular a rota, denunciava a distância que tinham percorrido.

Eles fizeram uma parada de vinte minutos num bosque denso e cheio de arbustos espinhosos para que Mika pudesse apanhar alguns dos ingredientes para poções que não tinha conseguido coletar na Casa de Lugar Nenhum como havia planejado. Jamie se ofereceu para ajudar, então Mika fez uma lista do que precisava: castanhas, abrunhos, bagas de roseira, madressilva, urze-de-inverno e qualquer flor que desabrochasse no inverno.

— Tem certeza de que não quer voltar para o carro? — perguntou ela, sentando-se de pernas cruzadas no solo coberto de musgo para cortar talos de urze. — Não está com frio? Ou entediado?

— Não.

— Sabe, eu realmente acredito em você — disse ela num tom feliz. — Porque você é bondoso, não gentil. Nunca diria que não está entediado para ser educado.

— Você é a única pessoa que conheço que diz a palavra *gentil* como se fosse uma coisa ruim.

— Não é nem um pouco ruim, a não ser quando é tudo que se tem. Muitas pessoas gentis deixam de ser gentis quando não conseguem o que querem. — Ela se levantou e caminhou alguns passos à frente dele, então Jamie não pôde ver sua expressão quando ela acrescentou: — Quando estou perto de gente assim, sinto vontade de me encolher numa bolinha, como um ouriço. A vida inteira fui ensinada a não chamar a atenção para mim mesma, a não deixar as pessoas com raiva, a não deixar ninguém perceber quão diferente eu sou. Às vezes, mesmo hoje em dia, tenho que me lembrar de que sou mais forte do que elas pensam. De que tenho poder. — Mika virou a cabeça e sorriu por cima do ombro para ele. — Você não consegue enxergar, mas tem pó dourado se enrolando feito fumaça ao nosso redor. É um lembrete constante de que, mesmo quando estou sozinha e com medo, sempre posso contar com a magia.

Foi uma confissão tão inesperada que Jamie ouviu a si mesmo retribuindo:

— Eu tinha os diários do meu pai. Depois que ele morreu, quando *eu* estava sozinho e com medo, aquelas páginas repletas de sua caligrafia me fortaleciam.

O sorriso dela naquele momento se tornou mais brilhante que o maldito sol, e Jamie teve que desviar o olhar, fingindo que não havia nada em sua mente além de uma necessidade muito urgente de encontrar madressilva.

De volta ao carro, Mika lançou outro feitiço de velocidade, devorou outra barra de chocolate e começou a digitar furiosamente no aplicativo de notas do seu celular. Ela erguia os olhos, esfregava a bochecha distraída, murmurava algo e voltava a digitar.

Jamie se via fascinado por esse processo e tinha que se lembrar de prestar atenção na estrada. Mika olhou para ele depois de um tempo e deu-lhe um sorriso tímido.

— Desculpe. Eu me distraí.

— Não precisa se desculpar por isso. O que estava fazendo?

— Notei uma camélia rosa quando saímos do bosque — explicou ela, os olhos se iluminando com uma empolgação contagiante que Jamie já notara antes, naquelas madrugadas em que ela coletava poeira de estrelas ou preparava poções. — Já ouviu alguém falar que as flores têm significados? Bem, dizem que uma camélia rosa significa que você sente falta de alguém. E fiquei pensando se seria possível usar isso. Tipo, de repente, se eu combinasse a essência de uma camélia rosa com pétalas de lírio branco, luar e alguma outra coisa que ainda não sei o que é, poderia criar uma poção ou chá que amenizasse a saudade de alguém.

Um lado da boca dele se curvou num sorriso.

— Sabe, eu nunca ouvi as crianças falarem sobre magia do jeito que você fala.

— Dê tempo a elas — disse Mika com carinho. — Elas ainda estão aprendendo a não ter medo do próprio poder. É claro que podem nunca vir a sentir o mesmo que eu. As bruxas nem sempre se apaixonam pela magia. Como qualquer outra pessoa, cada uma de nós tem seu jeito de se relacionar com a própria identidade e o próprio poder.

— E quanto ao resto da Sociedade Supersecreta de Bruxas?

— Não conheço nenhuma das outras bruxas muito bem, mas, com base no que vêm dizendo ao longo dos anos, parece que todas nós escolhemos viver nossas vidas de maneiras muito diferentes. Uma acabou de se divorciar, outra está prestes a se casar e uma terceira tem um casamento feliz há mais ou menos trinta anos. Conheço uma bruxa que trabalha como advogada, outra que tem sua própria confeitaria e mais uma que dá aulas numa escola de ensino fundamental. — Mika estremeceu, como se tivesse sido acometida por uma ideia triste. — Para ser sincera, provavelmente Primrose é a pessoa mais parecida comigo.

Jamie lançou-lhe um olhar incrédulo, tentando associar a calorosa e alegre Mika com a górgona que Primrose parecia ser.

— Por quê?

— Em todo esse tempo que a conheço, ela sempre esteve sozinha — explicou Mika. — Como eu. E ela gosta de dizer que é por causa das regras e dos sacrifícios que devemos fazer pelo bem de todas, mas sei que é mais do que isso. Por exemplo: Zuzanna, a bruxa casada há trinta anos, conta que quase nunca faz feitiços em casa porque o marido não sabe a verdade sobre ela. E ela não parece se importar nem um pouco. E tem Sophie, a professora. Ela mora sozinha, mas quase nunca usa seu poder e fala que é porque simplesmente não está interessada. Mas Primrose e eu não somos assim. Precisamos da magia da mesma forma que precisamos respirar.

— Entendi — disse Jamie. — É assim que eu me sinto em relação aos livros. Quando Lillian disse que precisava de alguém para administrar a biblioteca, eu agarrei a oportunidade na hora.

— Aposto que sim. Fico feliz por você poder trabalhar com o que ama.

Havia uma nota melancólica na voz dela, o que causou uma pontada no coração de Jamie, mas tudo o que ele fez foi assentir com a cabeça.

— Acho que é por isso que nunca me aprofundei em nenhuma carreira — refletiu Mika. — Por isso limpei casas, fui garçonete e bartender. Não só por serem empregos temporários que podia encontrar e abandonar facilmente. Mas porque a magia é o único trabalho pelo qual já me senti apaixonada.

— E o que você faria se pudesse? — indagou Jamie. — Se ser bruxa fosse um trabalho, como ele seria?

Mika o encarou desconfiada.

— Quer mesmo saber?

— Eu não perguntaria se não quisesse, Mika. Eu não sou gentil, lembra?

Aquilo a fez sorrir. Enquanto pensava na resposta, ela franziu a testa de uma forma que era, francamente, encantadora.

— Não sei dizer. Penso nisso o tempo todo, mas acho que nunca me permiti me apegar muito a nenhuma ideia. — Seu rosto se suavizou. — A não ser esta: eu costumava sonhar em ter minha própria loja de chá encantado e poções. Um lugar pequeno, típico dos contos de fadas, com poções e potes de folhas de chá nas prateleiras, um almofariz e pilão no balcão e um caldeirão borbulhante.

No instante em que ela descreveu seu sonho, Jamie percebeu como era perfeito, como era a cara *dela*. E percebeu algo mais, também: que, por trás do amor pela magia e da alegria de viver sem precisar esconder quem era, o que Mika queria mais do que tudo eram *pessoas*. Clientes com quem poderia fazer amizade, amigos a quem pudesse ajudar, uma família com quem compartilhar o que amava.

— Esse foi o lugar que você criou nos seus vídeos. — O *alter ego* dela. — Assisti apenas a um deles, mas me lembro do caldeirão, das poções ao fundo e de você, a bruxa esperta e travessa.

Mika riu.

— Acho que era o mais próximo que eu conseguiria chegar da coisa real.

— Você poderia fazer isso acontecer, sabe?

— Acho que não — disse ela. — Não aqui. Não agora.

O silêncio tomou conta do carro. Jamie percebeu que Mika tinha algo em mente, então esperou pacientemente.

— Às vezes — continuou ela depois de um momento —, eu me pergunto como é ser uma bruxa em outros lugares do mundo. Como na Índia, onde nasci, ou nos Estados Unidos, na Noruega, no Egito. Em qualquer lugar. Às vezes penso nas coisas ruins, tipo, me pergunto se as bruxas ainda são caçadas em lugares com superstições mais profundamente enraizadas, mas penso sobretudo em famílias e comunidades. Existe algum lugar onde as bruxas vivam suas vidas de maneira aberta? Existem comunidades inteiras onde os moradores conhecem a simpática bruxa local, que talvez trabalhe com o simpático médico local para que, juntos, possam dar jeito em praticamente qualquer problema? — Ela sorriu de um jeito um pouco tímido, como se esperasse que Jamie fosse rir dela, mas essa era a última coisa na mente dele. — Imagino que seria *neste* lugar, se é que ele existe, que eu poderia ter a minha loja de chá e poções.

— Você poderia sair para procurá-lo.

Com isso, ela balançou a cabeça decisivamente.

— Acho que não. Gosto de aprender sobre outros lugares e adoraria saber mais sobre bruxas em outras partes do mundo, mas...

Quando Mika hesitou, Jamie preencheu as lacunas por ela:

— Mas você passou uma parte tão grande da sua vida se mudando que só quer um lugar onde possa ficar e criar raízes?

Mika fez que sim com a cabeça, os olhos arregalados de surpresa, como se não pudesse acreditar que ele a tivesse compreendido nesse nível.

— Mais do que tudo, eu quero apenas *algum* lugar onde possa ser eu mesma. Quero um lar.

— Achar um lar é algo que vale a pena — disse ele baixinho. — Mesmo que demore um pouco.

— Você achou?

Jamie sabia que essa pergunta viria, mas, ainda assim, todos os músculos de seu corpo travaram.

— Sim. Eu achei.

Ela não disse mais nada por um tempo, e, quando o fez, foi numa voz suave:

— Por que você saiu de Belfast?

Houve um tempo em que a ideia de se abrir com Mika tinha parecido absurda, mas agora Jamie percebeu que era algo que ele queria. Havia algumas verdades não reveladas, e elas ocupavam um espaço oco dentro do seu peito que ecoava com culpa e arrependimento, mas talvez esta fosse uma verdade que ele *podia* compartilhar.

Soltou um suspiro lento e procurou o caminho menos espinhoso através do seu passado. O fato de Mika não estar olhando para ele, de ter voltado os olhos para a janela, facilitou as coisas.

— Meu pai era um homem bruto e robusto — começou. — Bruto no sentido de ser desmazelado e muito honesto, não uma pessoa má. Ele era o homem mais gentil e fofo que você poderia conhecer. E você conheceu o Ken. — Mika sorriu. Jamie encolheu e relaxou os ombros, tentando aliviar a tensão. — Eu tenho dois irmãos mais velhos, mas eu era o preferido de nós três. Não sei por quê, pois Ryan e Matt eram cópias do nosso pai, robustos e barulhentos, mas não tinham o seu coração. São bem mais velhos que eu. Nunca gostaram de mim. Em parte porque cheguei tarde, em parte porque era pequeno, franzino e preferia ficar em casa com um livro a sair para jogar futebol ou rúgbi com os outros meninos. O principal motivo, porém, era porque o meu pai gostava mais de mim. *Ele* preferia jogar futebol e rúgbi, mas ficava em casa comigo, deixando-me divagar sobre os meus livros favoritos.

— Parece que ele te amava muito.

— Quando meu pai estava vivo, Ryan e Matt praticamente fingiam que eu não existia. Então, quando eu tinha 12 anos, meu pai morreu. Foi um acidente de trabalho. Ele era da construção civil.

— Sinto muito. Perdê-lo deve ter acabado com você.

— Na verdade, não acabou — disse Jamie, com humor sombrio. — Então meus irmãos fizeram o possível para terminar o serviço.

Os olhos escuros de cílios longos se arregalaram.

A voz dele era inexpressiva.

— Eram coisas bobas. Eles rasgavam meus livros. Bagunçavam meu quarto, porque sabiam como a desorganização me incomodava. Escondiam de mim os diários do nosso pai. — Jamie respirou fundo. — Pegavam os cintos velhos dele e se revezavam para me açoitar. Riam o tempo todo, porque eram os cintos *dele* e diziam que era o mesmo que *ele* estar me batendo.

— Ninguém chamaria isso de "coisas bobas" — salientou Mika com veemência. O brilho de lágrimas não derramadas nos seus olhos tinha se transformado numa raiva feroz. — E você viveu assim quatro anos até partir?

Ele deu de ombros.

— Onde estava a sua mãe enquanto tudo isso acontecia?

— Meu pai era a luz da vida dela — respondeu Jamie. Seus dentes estavam cerrados com tanta força que doíam. — Meus irmãos sempre tinham sido os favoritos *dela* porque se pareciam com meu pai. Depois que ele morreu, minha mãe desmoronou. Virou um fantasma. Mal saía da cama, mal comia, mal falava. Não podia fazer nada por mim. — Jamie sorriu sem humor. — No dia em que cheguei aqui, Lucie insistiu em ligar para a mamãe e dizer que eu estava bem. Quando ela desligou o telefone, disse que minha mãe parecia aliviada por eu ter ido embora. Acho que sabia que eu ficaria melhor assim.

— Você sabe que isso foi *extremamente* abusivo, certo? — ressaltou Mika.

Jamie mudou de faixa, virando o volante com um pouco de força demais.

— Não foi culpa dela. Minha mãe estava sofrendo.

— Você também. Ela deveria ter protegido você.

Jamie trincou os dentes. Desejou não ter dito nada. Era uma ferida muito aberta para a honestidade implacável de Mika.

— Ela estava...

— De luto — Mika concluiu por ele, e a gentileza em sua voz era quase pior que a raiva. — Com o coração partido. Deprimida. Eu entendo isso. Mas...

— Mika, chega, tá?

— Vocês eram a família dela. Ela era responsável por todos vocês.

— Refresque a minha memória — Jamie se ouviu dizer como se estivesse muito longe, numa voz baixa, gélida e estranha. — O que exatamente *você* sabe sobre famílias?

Foi uma facada certeira entre as costelas, um golpe de fazer sangrar. E não era o que queria? Que ela sangrasse do mesmo jeito que ele estava sangrando?

Então por que desejou que pudesse voltar atrás, retirar o que disse?

O rosto de Mika estava muito pálido, mas ela o olhou diretamente nos olhos.

— Tem razão, eu nunca tive uma família — declarou ela, e o tremor em sua voz, que fora isso soava firme e equilibrada, quase acabou com ele. — Não acho que já tenha sido amada por alguém. Mas posso afirmar que, apesar do que você pensa, isso me torna especialmente qualificada para saber o que é ser maltratada e significa que sei do que estou falando quando digo que você merecia mais. Você *merece* mais.

Foi com a voz embargada que falou:

— Eu não deveria ter dito isso. Me desculpe.

— Eu sei — consolou Mika baixinho. Seus braços estavam firmemente cruzados sobre o peito, mas um pouco da cor retornou ao seu rosto quando ela lhe deu um sorriso hesitante. — Me desculpe também. Você pediu que eu parasse, e eu não parei. Deveria ter parado.

— Não justifica o que eu disse.

— Posso perguntar só uma coisa?

— Você quer saber por que estamos indo para lá hoje — arriscou ele.

Ela assentiu.

— Não vejo nenhum deles desde que saí de Belfast. Conversei com a minha mãe algumas vezes ao longo desses anos, mas ela nunca pedia que eu fosse vê-la. Ela disse que quis pedir, mas que sempre se acovardava. Pelo menos até agora, com a coisa toda do aniversário de 60 anos funcionando como um empurrão. Acho que ela pensou que eu me recusaria a ir, mas eu não faria isso. Ela é a minha mãe, e eu a deixei num momento em que ela estava destruída. Devo isso a ela.

A expressão no rosto de Mika denunciou que ela tinha poucas e boas para dizer em resposta, mas não falou nada. Em vez disso, num esforço heroico, simplesmente perguntou:

— E os seus irmãos? Eles vão estar lá também, não vão?

— Não penso muito neles hoje em dia, mas, quando penso, sempre parecem tão *grandes*. — Jamie encolheu os ombros. — Sabe quando a gente é criança e tem medo de monstros debaixo da cama? Achamos que são enormes e aterrorizantes, mas aí acendemos a luz e tudo o que vemos são algumas teias de aranha.

— E você espera que seja assim hoje?

— Sem dúvida — disse Jamie. — Sinto que é o mínimo que posso fazer pelo menino que tinha medo do que havia debaixo da cama. Espero que, quando eu confrontar os monstros hoje, eles sejam apenas teias de aranha.

CAPÍTULO VINTE

O Tate de Liverpool ficava em uma antiga doca no rio Mersey. Era uma estrutura comprida de tijolos aparentes com arcos largos e pilastras vermelhas. Havia um fluxo de visitantes entrando e saindo pelas portas, e Mika não sentiu o menor desejo de visitá-lo.

Eles tinham achado um pequeno estacionamento a alguns minutos a pé, e, em vez de ficar no carro, Mika havia acompanhado Jamie até a entrada da galeria. Os ombros dele estavam tensos, a postura, rígida, e ela desejou que eles nunca tivessem vindo.

— Você vai ficar bem? — perguntou Mika exatamente ao mesmo tempo que Jamie falou:

— Tem certeza de que vai ficar bem?

— Sim — responderam os dois, também ao mesmo tempo.

Mika riu. Jamie até mesmo abriu um sorriso.

— Estarei por perto — disse ela.

Ela o observou entrar na galeria e, uma vez que Jamie estava fora de vista, convocou o amistoso pó dourado ao seu redor e deixou que a guiasse até um local mais calmo. Lá, ela encontrou um muro baixo à beira do rio para se empoleirar sob o sol luminoso e frio e pegou o celular no bolso do casaco amarelo de tricô a fim de responder à série de mensagens que Ian tinha enviado a ela na última hora.

As sete primeiras eram perguntas ansiosas querendo saber se Jamie estava diferente, ao passo que a oitava parecia ser uma ode ao seu sofrimento pelo fato de A Ovelha Perdida não ter lã rosa-flamingo em seu estoque.

Se você vir uma boa loja de lã enquanto estiver por aí, querida, a mensagem terminava dizendo, **por favor, compre para mim o rosa--flamingo. Todo o estoque.**

Mika estava prestes a responder a esse pedido quando notou uma sensação familiar de formigamento começar nos seus polegares e se espalhar lentamente pelos braços até eles ficarem completamente arrepiados.

Havia uma bruxa por perto.

Ela pulou do muro, deu um passo para trás...

...e deu de cara com uma animada coreana de cabelo azul, correndo sem parar, que estava segurando a mão de outra "velocista" coreana mais baixa, mais animada e de cabelo preto.

— M-Mika? — Sem fôlego, as duas pararam, de maneira tão abrupta que quase caíram. A de cabelo azul lançou a Mika um único olhar de pânico antes de abraçá-la. — Que surpresa ver você aqui!

— Hilda?

— Claro, boba! — Hilda crescera em Liverpool, então seu alegre sotaque seria inconfundível mesmo que o cabelo não a denunciasse. — Quem mais?

Mika ficou atordoada. A visão de outra bruxa livre, leve e solta, fora do cenário familiar e específico de uma reunião da Sociedade Supersecreta, era tão inusitada que só o que conseguiu fazer foi piscar algumas vezes. Elas por acaso tinham autorização para falar uma com a outra? Hilda também parecia perdida.

— Olá! — disse a outra velocista, vindo em seu socorro. — Eu sou Kira, noiva da Hilda. Você é a mesma Mika do clube do livro?

— Eu...

Mika olhou atônita para Hilda, tão surpresa ao ouvir que Hilda realmente *falava* sobre ela em casa que não soube o que dizer.

— Sim — disparou Hilda. — Esta é a Mika. Do meu clube do livro. Meu clube do livro *virtual*. Ela mora em...

— Norfolk — completou Mika, exatamente no mesmo momento em que Hilda disse "Brighton".

Hilda fez uma pausa.

— Você se mudou de novo?

— No mês passado. O que vocês estão fazendo aqui?

— Moramos aqui — respondeu Hilda, as sobrancelhas desaparecendo sob o cabelo azul. — O que *você* está fazendo aqui?

— Um amigo meu está visitando o Tate. Estou só esperando por ele.

— Estávamos indo lá encontrar uma pessoa que está tratando do planejamento do nosso casamento — informou Kira. — Hilda, por que você não fica aqui e coloca o papo em dia enquanto eu vou lá?

Num borrão de velocidade vertiginosa, Kira se foi.

Mika piscou. Ela e Hilda se entreolharam.

— Hum... — começou Hilda.

— Então... — começou Mika.

E, exatamente ao mesmo tempo:

— Primrose não pode saber disso!

Houve uma pausa de um segundo, e então ambas explodiram em risadinhas levemente frívolas feito duas colegiais que sabem que estão aprontando.

— Cacete — disse Hilda, enxugando lágrimas de alegria dos olhos. — Duas mulheres adultas tremendo nas bases diante da menção de uma velhota.

— Uma velhota *poderosa.*

— Isso é verdade.

— Que bom te ver, Hilda — disse Mika, passando o braço pelo de Hilda. Ela apontou o queixo na direção da galeria. — Clube do livro? Ela ainda não sabe?

O semblante de Hilda mudou.

— Tenho medo de contar a verdade.

— Por causa da reação dela.

— Disso e pelo medo do que Primrose vai dizer se descobrir que eu contei a ela, e de Kira deixar de me amar. — Hilda brincou distraidamente com um cacho azul. — Eu a amo. Detesto esconder isso dela. E acredito de verdade que posso confiar nela. Mas, toda vez que penso em contar, ouço a voz de Primrose. "*Eles se voltaram contra nós durante séculos, bonequinha.*" — Sua imitação de Primrose era assustadoramente precisa. — "*Farão isso de novo se dermos brecha.*"

— "*Apenas sozinhas conseguimos sobreviver*" — disse Mika baixinho.

— Também ouço essa.

Mika odiou ver a incerteza e a angústia no rosto de Hilda.

— Pelo que acabei de ver — comentou ela —, Kira te olha como se você tivesse subido ao céu e colocado a Lua lá pessoalmente, então acho que tem uma chance muito boa de ela te amar e te aceitar exatamente como você é. E isso é o maldito Santo Graal. Conte a verdade a ela. O que vocês duas têm compensa a ira de Primrose.

Com os olhos castanhos úmidos de emoção, Hilda exibiu um sorriso vacilante.

— Foi um bom discurso motivacional.

— Também achei, se me permite dizer. — Mika deu um cutucão nela. — Vai lá. Converse com ela. Planejem o casamento de vocês. E me conte tudo na próxima reunião.

Hilda soprou um beijinho para ela e saiu apressada. Mika se perguntou se ela contaria a Kira a verdade. Era fácil falar sobre dar um passo tão grande e assustador, mas colocá-lo em prática era algo completamente diferente.

Mika estava sozinha há menos de dez minutos quando ergueu o olhar e viu Jamie caminhando em sua direção. Fazia quanto tempo que ele tinha entrado? Menos de uma hora? Ela se endireitou, imediatamente procurando sinais de angústia em seu rosto. Em vez disso, ele abriu um sorriso, um sorriso lento e torto que fez coisas terríveis com o coração dela.

Então notou que Jamie trazia uma pilha de livros debaixo do braço e que eram volumes velhos e gastos, com uma encadernação surrada de couro. Ela arquejou.

— Não é possível! São os...?

— Os diários do meu pai.

— Você os recuperou!

Ele assentiu com a cabeça, seus olhos brilhando com uma espécie de euforia elétrica e vertiginosa. Havia entrado numa arena sem saber se seria devorado pelos leões, mas saíra ileso. Melhor ainda: voltaria para casa com algo precioso, algo que lhe fora tirado havia muito, muito tempo.

— Não quis ficar mais um pouco? — perguntou Mika enquanto caminhavam de volta para o carro.

— Acho que tudo de que minha mãe e eu precisávamos era nos vermos mais uma vez — disse Jamie, sua energia diminuindo ao pensar nisso. — Aconteceu muita coisa para esperar que algo voltasse a ser como era antes de o meu pai morrer, mas acho que éramos os fios soltos na vida um do outro. No momento em que a vi, percebi que tudo o que eu realmente queria era ter certeza de que ela estava bem. Na época em que fui embora ela estava destruída e eu queria saber se havia se recuperado. Ou perto disso. E ela está bem. Acho que ela queria o mesmo.

Mika deu uma cotovelada afetuosa em Jamie.

— Que bom que você conseguiu o que precisava.

— Você ficou bem? O que fez enquanto eu estava lá dentro?

— Encontrei uma bruxa — anunciou Mika.

Jamie a encarou surpreso.

— Uma bruxa desconhecida?

— Não, uma da Sociedade. Hilda. Acho que já falei sobre ela. Talvez. — Mika fez um resumo de sua conversa com Hilda e terminou com: — Espero que conte a Kira. Ela parece estar muito infeliz por esconder um segredo tão grande e importante sobre si mesma.

Uma sombra cruzou o rosto de Jamie, ofuscando um pouco daquela luz em seus olhos, mas ele apenas disse:

— Santo Graal?

Mika deu de ombros, envergonhada.

— Bom, é *mesmo*. Ser amado e aceito exatamente como somos... Não é isso que todos buscamos?

— Talvez — disse Jamie, quase para si mesmo —, mas nem sempre nos damos conta quando o encontramos.

Eles haviam chegado ao estacionamento onde tinham deixado o carro de Jamie. Estava quase deserto, com o crepúsculo de inverno se aproximando precocemente.

— Você não mencionou seus irmãos — ressaltou Mika. — Eles não estavam lá?

— Estavam. — Os olhos de Jamie se desviaram pensativos para a água. — Achei que eles ocupariam um enorme espaço, que eu entraria lá e não veria outra coisa. Mas não foi assim. Quase passei batido por eles.

Mika sorriu.

— Teias de aranha?

Ele sorriu de volta.

— Com certeza teias de aranha.

— Uma viagem que valeu a pena fazer, então.

Jamie concordou com a cabeça.

— Acho que ajudou o fato de eu ter começado a me recompor há muito tempo. Ian, Ken e Lucie têm boa parte do crédito por isso. Mas estou feliz por ter vindo. Talvez alguns traumas não possam ser revisitados, mas outros *precisem* ser.

Ele destrancou o carro enquanto falava, e Mika estava prestes a entrar quando ele a pegou pelo cotovelo, detendo-a.

— Se você não tivesse vindo comigo, eu teria passado o caminho inteiro até aqui afundado até o pescoço nos pensamentos mais pessimistas conhecidos pela humanidade — disse Jamie com sarcasmo, e ela riu de quão dramática, porém extremamente precisa, era aquela descrição. — Então, obrigado.

— Fico feliz em ajudar.

Ele sustentou o olhar dela por um instante, então deu a volta no carro e entrou.

Mika deu um suspiro e entrou também.

Ela lançou seu primeiro feitiço de velocidade assim que eles saíram da cidade, observando o costumeiro pó dourado ao seu redor vibrar em deleite. A magia adorava ser usada!

— Você faz muito isso — comentou Jamie, observando-a torcer preguiçosamente o pó dourado entre os dedos.

Para ele, provavelmente parecia que ela estava mexendo os dedos sem motivo.

— Faço isso desde que me entendo por gente — disse ela. — A magia é como se fosse uma velha conhecida das bruxas. Ela gosta de atenção. Já te falei sobre como pode se tornar travessa se não receber a atenção que deseja, mas, na maioria das vezes, é uma amiga leal que tenta ajudar. Como quando Ian me procurou pela primeira vez... Acho que eu não teria dado bola se não fosse pela forma como meu poder me deu um cutucão. O pedido dele era *muito* peculiar.

— Certamente era.

— Eu poderia ter ignorado o cutucão, é evidente. Porque não passou disso. Não é como se não fizéssemos nossas próprias escolhas. Mas eu não o ignorei, e aqui estou.

Havia um pequeno vinco entre as sobrancelhas de Jamie.

— Você nunca se perguntou por que o seu poder te deu aquele cutucão? Parece uma coisa estranha de se fazer, né? Quer dizer, de acordo com as Regras, você deveria ficar longe de outras bruxas, mas ele queria que você viesse até nós. E se estiver tentando te dizer que as Regras não estão funcionando? E se estiver dizendo a mesma coisa para outras bruxas? Talvez não tenha sido coincidência você ter encontrado Hilda lá em Liverpool. Sei que existem riscos reais quando as bruxas se reúnem, mas me parece que a magia, a força que une todas vocês, não *quer* que você fique sozinha.

Aquilo atingiu Mika com tudo. Ao longo dos anos, quando não havia nada mais nem ninguém, ela e a magia sempre tinham contado uma com a outra. Mas e se ambas quisessem — *precisassem* — de mais?

E se isso não fosse possível?

— Não posso transformar o mundo, Jamie. Ele é muito grande, muito confuso e muito teimoso.

— Quem falou em transformar o mundo? — Jamie deu de ombros. — Que tal apenas torná-lo um pouquinho melhor? E então mais um pouco? E mais um tanto, até que, um dia, talvez muito depois de partirmos, ele tenha *de fato* se transformado? Você merece mais do que está se permitindo ter.

Ela abraçou a si mesma, uma frágil proteção contra o peso dos seus sentimentos.

— Tenho medo.

— De quê?

— Da decepção quando eu falhar — respondeu ela simplesmente. — Da rejeição. De sonhar alto demais. De descobrir repetidas vezes que não sou digna de amor. Incontáveis babás entraram e saíram da minha vida, mas ninguém nunca me amou. E sequer se lembram de mim, graças a Primrose. As pessoas geralmente são como o mar, uma parte constante e inapagável de algo maior, mas eu sou mais como uma unica onda que lava a praia, se esvai e não deixa rastro.

Jamie engoliu em seco, os nós dos dedos quase brancos no volante.

Mika desviou o olhar.

— Tenho medo de nunca deixar uma marca em ninguém.

O silêncio durou tanto tempo que Mika desejou poder desdizer aquelas palavras impensadas e honestas demais, mas então ela o ouviu, numa voz tão rouca, instável e baixa que quase deixou passar:

— Lamento dizer, mas é um pouco tarde para isso.

CAPÍTULO VINTE E UM

Seis barras de chocolate, três feitiços de velocidade e trinta minutos depois, eles pararam no bosque novamente. Jamie não fingiu entender por que o Solstício de Inverno era mais poderoso que os dias anteriores ou posteriores, mas sabia que era importante para Mika. Então, quando viu a placa para o bosque, ele a seguiu.

— Jamie, a gente realmente não precisa...

— Você pode ficar sentada aqui ou pode vir procurar bagas de roseira, castanhas e sei lá o quê mais — interrompeu, abrindo a porta. — Eu recomendo vir, porque eu não reconheceria uma baga de roseira nem se ela me mordesse, então não seria bom eu fazer isso sozinho. A menos que você *queira* que todas as suas poções se tornem venenos, o que é uma escolha perfeitamente sensata pela qual ninguém iria culpá-la.

Após quase cair do carro de tanto rir, Mika o seguiu, resoluta, afastando-se da estrada sinuosa em direção aos arbustos.

Eles conversavam enquanto trabalhavam, ou pelo menos Mika falava — sobre as propriedades das plantas, por que *A Abadia de Northanger* era um forte candidato ao título de segundo melhor livro de Jane Austen e como preparar a xícara de chá perfeita —, enquanto Jamie ouvia, o que lhe agradava bastante, porque, apesar de estar ficando escuro e do fato de que até mesmo seus *cílios* pareciam dormentes de frio, ele poderia ficar ali parado ouvindo-a falar o dia todo.

Havia uma imprudência nele, que em parte se devia à adrenalina de finalmente deixar seu passado para trás, em parte à novidade de estar ali sozinho com ela no meio do nada. E ele *sabia* que era total e catastroficamente insensato pra cacete, mas, naquele momento, ele não conseguia se importar.

— Você alguma vez pensou em voltar para Belfast? — indagou Mika, e ele já estava tão acostumado com o hábito dela de dizer aquilo que lhe viesse à cabeça, não importando o que estivessem conversando antes, que nem pestanejou.

— Sim. Eu gostaria de visitar a cidade. Meu pai a adorava, e de vez em quando sinto falta de ouvir o sotaque irlandês. — O espaço entre eles havia praticamente desaparecido, e Jamie estava muito, muito consciente do fato de que estavam tão próximos que ele podia ver cada sarda espalhada pelo nariz dela. — Mas não me arrependo de ter ido embora. Isso me levou à Casa de Lugar Nenhum.

Mika sorriu.

— Onde você encontrou uma família.

— Isso.

E agora encontrei você, acrescentou a mente dele silenciosamente. E sem a sua permissão. Foi um pensamento estúpido e inconsequente. Jamie *sabia* que isso não tinha como terminar bem.

Eles se encararam por um longo momento. Havia dúvida, esperança e *desejo* no olhar dela, e correspondia tão perfeitamente com o dele que sua respiração falhou.

— Oi — disse ele baixinho.

O sorriso dela destruiu o pouco autocontrole que lhe restava.

— Oi.

Jamie sentia que estava se desfazendo, uma ruptura entre as peças que o mantinham inteiro. Ele examinou os olhos escuros e brilhantes, observou a luz dourada do entardecer dançar na sua pele marrom.

Jamie deu um hesitante passo à frente, enroscando uma das mãos no cabelo dela. Mika diminuiu o resto da distância entre eles, e Jamie passou o polegar sobre seu lábio inferior. A respiração de Mika ficou presa na garganta. O coração dele parou.

Por um momento, eles ficaram em suspenso, como se ambos estivessem se preparando para uma mudança cataclísmica no solo sob seus pés. E então, no espaço de uma batida do coração, a boca de Jamie grudou na dela, as mãos espalmadas de Mika tocavam-lhe o peito e o polegar dele sentia a pulsação violenta na base de seu pescoço. Foi feroz, voraz, sem amarras.

Ela tinha gosto de sal marinho e açúcar, e relâmpago também, se relâmpago tivesse algum sabor. O vento frio, o passado e o futuro, os terríveis segredos que ele vinha guardando — nada disso importava. Caramba, ele estava se afogando e não queria voltar à superfície. Mika pressionava o corpo com tanta força contra o dele que Jamie podia sentir o coração dela batendo bem ao lado do seu.

Quando interromperam o beijo, ele baixou a cabeça e encostou a testa na curva do pescoço dela, respirando com dificuldade. Uma das mãos de Mika brincou com o cabelo de sua nuca, eletrizando seu corpo com cada movimento dos dedos.

— Eu me recuso a fazer sexo no mato — disse ela, arrancando uma risada dele. — *Nem mesmo eu* tenho magia o suficiente para manter a terra fora de lugares onde nunca deveria entrar.

Ele sentiu algo parecido com deslumbramento.

— Como você consegue isso?

— Isso o quê?

— Me fazer rir.

— Eu me esforço *muito*.

— Bem, fique você sabendo que eu não estava presumindo que *iríamos* fazer sexo.

— Pois *deveria* — retrucou ela com firmeza. — Com certeza total e absoluta.

— Venha cá — chamou ele, e tornou a beijá-la.

Quando terminou, ela estava tremendo, seu corpo macio e espantosamente quente apertado contra o volume rígido e dolorido sob a calça jeans dele. Ele estava tão zonzo de desejo e expectativa que mal conseguia pensar direito.

E foi aí que começou a chover.

~

Mika olhou para o céu, os ombros se sacudindo de tanto rir.

— Maldito clichê.

O som áspero da risada de Jamie reverberou através do corpo dela, que estava incandescente de desejo e frustração. Ela ergueu os olhos para o pó dourado travesso dançando no ar ao redor deles, como uma centena de vaga-lumes inúteis, e pensou, injustamente, que o mínimo que ele poderia ter feito era manter a tempestade sob controle por mais *alguns* minutos.

— Vamos — chamou Jamie.

Com os olhos brilhando de diversão, ele pegou a mão de Mika. Ambos já estavam encharcados. Eles precisavam andar com cuidado pelo caminho molhado e escorregadio, por isso a volta para o carro foi lenta, mas Mika em geral não se importava com a chuva, e, de qualquer jeito, o frio estava ajudando a diminuir seu desejo ardente de se jogar em cima de Jamie. Mesmo assim, lançou seu feitiço Mantenha-me Aquecida recentemente aperfeiçoado e o deixou escoar dos próprios dedos para os dele.

— Pensei que você não me quisesse — admitiu ela, o final da frase ganhando a entonação de uma pergunta.

Jamie revirou os olhos.

— Acho que não houve um único momento desde o dia em que me disse que somos todos feitos de poeira de estrelas que eu não tenha desejado você.

O coração de Mika deu uma acelerada de surpresa e deleite, mas ela balançou a cabeça.

— Você me rejeitou no carro dois dias atrás.

Ele arqueou uma sobrancelha.

— Quando você estava delirando de febre? Naquele momento?

— Essa é uma desculpa irritantemente boa.

Seus passos lentos faziam barulho na vegetação rasteira e molhada. Jamie fechou os olhos.

— Meu Deus, Ian não pode saber sobre isso!

— Já pensou? — Mika não sabia se ria ou se chorava. — A soberba vai ser tamanha que pode nos matar instantaneamente.

A chuva tinha abrandado quando eles voltaram para o carro. Lá dentro, Mika remexeu na caixa de guloseimas até encontrar uma garrafa térmica com água quente e dois sachês de chá. Ela os mergulhou na água enquanto Jamie guiava o carro de volta à estrada e então lançou seu último feitiço de velocidade do dia.

— Aqui. — Ela entregou a garrafa térmica a ele. — Beba.

Jamie obedeceu e olhou para si mesmo com espanto, pois, a cada gole, suas roupas iam ficando cada vez mais secas, até parecer que nunca tinha sido atingido pela chuva.

Ela sorriu e pegou a garrafa térmica para beber o restante do chá.

— Dei uma olhada na previsão do tempo ontem à noite. Achei que essa preparação especial poderia vir a calhar.

— Você sabe que é *muito* boa no que faz, não é?

As palavras e a admiração em sua voz ao pronunciá-las penetraram fundo o coração de Mika e aqueceram uma parte dele que nem o chá conseguira alcançar.

— Tem uma cidadezinha a uns quinze minutos daqui — comentou Jamie, apontando pela janela. Eles já estavam bem perto da Casa de Lugar Nenhum. — Todos os jardins têm canteiros de flores. Cada poste de luz é decorado com dois cestos transbordando de flores. Uma cabine telefônica vermelha, que não funciona mais, foi entupida de flores. Existe uma estátua de um cavalo puxando uma carroça cheia de flores, e a carroça foi artisticamente inclinada para dar a impressão de que as flores estão se derramando para fora. Em suma, você não pode dar um passo sem tropeçar numa maldita flor.

Mika riu.

— Parece o meu tipo de lugar.

— Exatamente. — A voz de Jamie estava mais séria agora, e Mika olhou de soslaio para ele, confusa e curiosa sobre os rumos que a conversa estava tomando. — Alguém naquela cidade ama flores com a mesma intensidade que você ama magia. As pessoas se jogaram de cabeça, e você deveria se jogar também. E abrir uma certa loja encantada de chá e poções.

— Simplesmente não é possível — protestou Mika. — Não conheço um único lugar no mundo onde eu possa fazer isso.

Como se seguisse uma deixa, o carro fez uma curva e passou por um par de portões de ferro. A tempestade havia passado, e o ar tinha aquele cheiro maravilhoso e terroso de grama molhada e novas possibilidades. O sol baixo e dourado brilhava sobre as empenas e chaminés da Casa de Lugar Nenhum.

Mika foi tomada pela sensação de que tudo no mundo estava em seus devidos lugares.

— Nem sempre basta ir atrás do nosso lugar no mundo — disse Jamie, com os olhos na casa à frente. — Às vezes precisamos *criá-lo.*

CAPÍTULO VINTE E DOIS

Nos dias anteriores ao Solstício de Inverno, enquanto Ian e Lucie faziam listas de compras e estocavam comida suficiente para alimentar todo o condado, e Jamie e Ken se dedicavam à tarefa decididamente perigosa de pendurar luzes decorativas por todos os pontos mais elevados da casa, Mika aproveitava brechas para encaixar algumas aulas extras para as meninas.

Embora não fosse possível prever que efeito a tensão e o estresse com a visita de Edward teria no controle das crianças sobre o próprio poder, Mika sabia por experiência própria que a única maneira de manter *algum* controle era praticar ao ponto de a coisa se tornar automática. Por isso ela deu às meninas a tarefa de animar um enorme cavalo de metal que ela e Ian tinham feito com arame. O mero tamanho já o tornava uma boa evolução em relação aos pequenos bonecos de madeira e cisnes de papel nos quais as meninas vinham trabalhando; o objeto tinha as proporções de um cavalo de verdade, articulado em cerca de vinte lugares diferentes, e ela pediu às meninas que trabalhassem juntas para fazê-lo galopar para cima e para baixo pela entrada de carros.

Até aquele momento, o pobre cavalo havia sido puxado em três direções diferentes, provocando distorções na sua estrutura, e Mika precisara restaurá-lo com magia.

Altamira, que exibira um humor extraordinariamente rabugento antes mesmo de começarem, por fim abandonou o cavalo, se jogou na grama ao lado de Mika e ergueu o olhar para a casa, que estava parcialmente decorada com as luzinhas.

— Nada parece invernal e festivo este ano — choramingou ela. — Ian se esqueceu de postar a minha carta para o Papai Noel. Não está nevando. E ainda tem girassóis no jardim!

— Ele *acabou* de postar, então o Papai Noel ainda vai ter tempo de providenciar o seu presente — garantiu Mika. — A falta de neve é uma pena mesmo, concordo com você. Quanto aos girassóis, eles parecem *realmente* resistentes para uma flor que não deveria brotar depois de agosto. — Ela puxou carinhosamente a ponta da trança castanho-clara de Altamira e acrescentou: — Acho que só está meio difícil de pensarmos em outra coisa que não seja a visita de Edward agora, ainda por cima estando tão próxima. Mas prometo que esqueceremos tudo isso por um dia e teremos um Solstício perfeito juntos. Se derem sorte, posso até preparar para vocês uma taça de um vinho das fadas *muito* especial.

— Vinho das fadas? — guinchou Altamira, levando as mãos à boca. — O que é isso?

— Vai ter que esperar para ver.

— Nossa, estou *tão* empolgada!

Rosetta e Terracotta se juntaram a elas.

— Empolgada com o quê? — perguntou Rosetta.

— Mika disse que vai preparar vinho das fadas pra gente no Solstício!

— É *realmente* algo que as fadas bebem? — indagou Rosetta ansiosa.

— É *realmente* feito com vinho? — Foi o que Terracotta queria saber, ainda mais ansiosa.

Mika conteve uma risada.

— Como eu disse à sua irmã, vocês vão ter que esperar para saber. Por que as duas não estão praticando no cavalo?

— Esse cavalo é teimoso — reclamou Terracotta, categórica.

— *Você* é teimosa — Rosetta a corrigiu. — Deveríamos estar trabalhando *juntas*.

— Sempre nos disseram para *não* lançarmos feitiços juntas, lembra? — respondeu Terracotta. — Antes de Mika, nunca teríamos sequer tentado.

— Antes de vocês três, eu também nunca tinha tentado — admitiu Mika. — Na Sociedade Supersecreta de Bruxas, compartilhamos feitiços umas com as outras, mas nunca os *lançamos* juntas. Nós quatro somos incomuns nesse sentido. Na verdade — acrescentou ela, como se um pensamento lhe ocorresse —, alguém até poderia dizer que somos *rebeldes*.

— Rebeldes? — repetiu Altamira.

— Primrose sempre chama minhas ideias de rebeldes — contou Mika. — Estou achando que talvez seja a hora de abraçar isso. Podemos ser rebeldes juntas.

— Talvez pudéssemos ter a nossa própria Sociedade Supersecreta de Bruxas — sugeriu Rosetta.

— Sim! — gritou Altamira. — Só para nós quatro!

— A Sociedade Supersecreta de Bruxas *Rebeldes* — declarou Terracotta, sorrindo. — O que você acha, Mika?

— Acho perfeito — disse Mika, com o coração repleto demais para dizer qualquer outra coisa.

Foi um momento lindo, mas também uma prova de como ela havia falhado seriamente em cumprir a única promessa que fizera a si mesma por quase toda a sua vida adulta: *não se apegar*.

Mika queria que essa promessa não importasse mais, porque, afinal, aquele lugar e aquelas pessoas não eram como nenhum dos outros que conhecera antes. Eles sabiam quem ela era. Conheciam seus segredos. Ali, Mika era aceita, compreendida e até *querida*. Então, seria realmente tão ruim se apegar? Seria realmente tão ruim admitir para si mesma que amava o lugar, que amava as pessoas e que o que mais queria era ficar ali?

Mas não podia ficar, podia? Aquela era a casa de Lillian, e, quando ela voltasse, poderia não querer Mika ali. E, mesmo que quisesse, mesmo que concluísse que as aulas de Mika para as crianças valiam o risco de ter outra bruxa morando em sua casa, quem poderia garantir que os outros pensariam da mesma forma? Em um mês, ou três, ou seis, quem poderia garantir que eles não decidiriam, como todas as outras pessoas que ela havia tentado amar antes, que Mika simplesmente não era digna de ser amada de volta?

Esses eram pensamentos que se insinuavam quando estava escuro, o mar quieto demais e Mika ficava presa na roda de hamster de sua própria mente. Tentava não dar bola para eles durante o dia, mas havia algumas coisas que não conseguia ignorar mesmo em momentos como aquele.

Algumas coisas irritantes e devastadoramente atraentes que atendiam pelo nome de Jamie.

Ela mal o tinha visto nos dias que se passaram desde o episódio no bosque, e os dois não tinham estado sozinhos nenhuma vez. Poderia ser coincidência, mas Mika tinha certeza de que ele havia se afastado deliberadamente e voltado a evitá-la. Quando voltaram à casa naquele dia, vira algo parecido com pânico nos seus olhos. Pânico e culpa.

Os dois eram adultos. Se ele se arrependeu do que aconteceu no bosque, poderia simplesmente dizer. Então por que não dizia? Mika decidiu que, assim que o caos e as festividades do Solstício tivessem passado, iria perguntar a ele.

E de fato os dias prometiam ser cheios de caos e festividades. Na véspera do Solstício ainda havia tanta coisa por fazer que a mente de Mika estava em parafuso. Havia uma toalha de papel com tema de inverno para as meninas pintarem e decorarem para enfeitar a mesa no dia; elas penduraram um comedouro de pássaros e o encheram com um banquete invernal de nozes e frutas vermelhas; e um pinheiro grande e frondoso foi trazido do jardim e prontamente decorado da maneira mais feia e espalhafatosa possível.

A casa e o jardim haviam sido adornados com luzes decorativas, enfeites de porcelana em formato de pinguins e ursos-polares e estátuas de metal de renas que acendiam quando ligadas na eletricidade (ou quando enfeitiçadas por uma bruxa, eliminando assim a necessidade de ficarem perto de uma tomada). Ken, que nunca tivera o privilégio de contar com uma estufa encantada antes, estava exultante por poder colher todos os tipos de ervas, legumes e frutas fora da estação; Jamie se enclausurara na biblioteca planejando uma caçada aos flocos de neve; e as atividades de Ian e Lucie na cozinha faziam com que toda a casa cheirasse maravilhosamente a sidra, sobremesas alcoólicas, pernil assado lentamente e canela. Mika, por sua vez, socorria quem quer que precisasse de ajuda, achando a coisa mais natural do mundo se inserir em espaços que pareciam feitos para ela.

Circe, por outro lado, estava muito descontente. Era uma criatura doce, tranquila e preguiçosa que adorava suas rotinas, suas companhias e, acima de tudo, seus cochilos. Ela desaprovava completamente todo aquele barulho e agitação, e expressava seu desgosto fugindo para a relativa paz da biblioteca a fim de ficar emburrada e exigir a atenção de Jamie.

Ao soar da meia-noite, o início oficial do dia do Solstício, Mika colocou duas poções diferentes borbulhando nos caldeirões para aproveitar ao máximo a força que cada infusão teria naquele dia ultramágico. (Uma das poções era o lendário vinho das fadas, uma iguaria que a essa altura havia alcançado as proporções de um mito equivalente a Excalibur. É óbvio que ela não contou às meninas que o vinho das fadas era apenas um chá doce e viscoso de lavanda e poeira de estrelas com um toque especial do Solstício.)

Mika foi dormir, então levantou cedo para engarrafar suas poções prontas e preparar outras duas novas. Quando desceu as escadas, descobriu que, apesar de ser tão cedo, todos já estavam acordados — a promessa de presentes era animadora demais para manter as meninas na cama um segundo que fosse depois do amanhecer.

No entanto, o clima estava perigosamente tenso. Mika deu de cara com o que parecia ser uma briga acalorada entre Terracotta e Jamie, e foi só quando Rosetta se aproximou dela e sussurrou no seu ouvido que entendeu o que tinha acontecido: Altamira havia encontrado o quebra-cabeça que estava desaparecido havia semanas. Terracotta não o tinha pegado, afinal. Infelizmente, a descoberta viera um pouco tarde demais, porque Altamira já havia colocado uma cesta de peixes podres no quarto de Terracotta.

Para Mika, a discussão soava como um monte de bobagens e presepadas que se poderia esperar de crianças na idade das meninas, mas pelo jeito Terracotta tinha ido longe demais. Enfurecida com a injustiça de ser acusada de algo que não fizera e com o persistente cheiro de peixe podre no quarto — mesmo depois de ter sido jogado fora —, ela havia despejado uma poção de mudança de cor na cabeça de Altamira, deixando o cabelo castanho da irmã com um tom forte e horroroso de verde. Aquele era o motivo para Jamie e Terracotta estarem discutindo no meio da sala festiva e decorada.

— Eu não pego muito no seu pé, Terracotta, mas o meu limite é você machucar outra pessoa de propósito!

— Pffff — bufou Terracotta com desdém. — É só o *cabelo* dela.

— Isso não é uma palavra, e essa não é a questão! — esbravejou Jamie. — Nunca mais faça nada parecido com isso! Estamos entendidos?

— Não, não estamos — disse Terracotta, cruzando os braços sobre o peito. — Não vou prometer nada.

Jamie parecia achar que tal impertinência merecia uma resposta inteligente e definitiva, mas, antes que pudesse pensar em alguma, ele se distraiu com o fato de que Altamira havia passado os braços em volta de sua cintura e estava se acabando de chorar em seu suéter.

Isso provou ser mais eficaz que quaisquer palavras duras; o rosto de Terracotta se transformou instantaneamente.

— Ah, *não*, não chora, Altamira! Eu só estava zangada com você porque o meu quarto está fedendo horrores, me desculpa! Podemos consertar seu cabelo! Quer dizer, a *Mika* pode, não pode, Mika?

— Eu posso — confirmou Mika de imediato, agachando-se para ficar na altura dos olhos de Altamira. — Por que você não vai lavar o excesso? Depois eu removo o resto com um feitiço, tá?

Assim que Altamira se foi, Terracotta olhou para Jamie pelo canto do olho e soltou um suspiro.

— Eu sei que não deveria ter feito isso. Estou *mesmo* arrependida.

— Está mesmo? — perguntou Jamie astutamente. — Ou só está dizendo isso porque acha que é o que queremos ouvir?

— Não estou muito arrependida neste exato minuto — admitiu Terracotta, um tanto envergonhada. — Eu falei que não tinha roubado aquele quebra-cabeça, mas ela não acreditou em mim. Só que fui longe demais e sei que vou me arrepender daqui a pouco, então não vi nenhum problema em adiantar a parte do pedido de desculpas.

Rosetta tentou e não conseguiu conter uma risadinha. Até a boca de Jamie se contraiu. Mika, mordendo um lábio trêmulo, de alguma forma manteve a cara séria.

— Isso é muito eficiente da sua parte — comentou ela. — No mínimo, você economizou muito tempo.

— Exatamente — disse Terracotta, satisfeita.

— Venha — chamou Rosetta, ainda rindo. — Vamos ver se Altamira está bem.

Enquanto as duas trotavam para fora da sala, Mika se deu conta de que estava sozinha com Jamie pela primeira vez em dias. Ele olhou para as manchas de lágrimas em seu suéter e lançou a ela um olhar irônico.

— Era pedir demais termos um único dia sem algum tipo de confusão dramática, não é?

— Me desculpe — disse Mika encabulada. — Tenho me dedicado tanto a ensiná-las que a magia pode ser divertida que obviamente descuidei da parte em que deveria ensiná-las a serem responsáveis com ela.

— As meninas estão felizes como não as vejo há muito tempo — declarou Jamie, em voz baixa. — Não se desculpe por isso.

— Jamie, se você...

Mas foi impossível dizer mais alguma coisa, porque nesse exato momento a porta da frente se abriu e Ian entrou como um torpedo, gritando "Feliiiiiiiiiiiiz Solstício!" tão alto que todo o condado devia ter escutado.

Com isso, Mika deixou a conversa com Jamie para mais tarde e subiu para ajeitar o cabelo de Altamira e remover o fedor do quarto de Terracotta com um feitiço.

E, de fato, assim que esses tormentos foram removidos de suas vidas, as meninas esqueceram que estavam zangadas umas com as outras e se jogaram com tudo nas festividades. Sidra e vinho das fadas rolaram soltos, e Ian presenteou a todos com suéteres listrados nas cores do arco-íris que ele mesmo tricotara (e, para que não se preocupassem com a possibilidade de ofuscá-lo, ele tinha dado um jeito de destacar o seu próprio look adicionando um gorro de Papai Noel à cabeça).

Presentes foram distribuídos: livros, videogames, brinquedos para Circe, lã nova para Ian especialmente da loja A Ovelha Perdida e muito mais. Mika, profundamente comovida pelos adoráveis vasos de plantas e pelo lindo diário vintage que havia ganhado ("O seu livro de feitiços parecia estar ficando sem páginas, então Jamie e eu achamos que você iria gostar disso", Rosetta disse timidamente), quase se esqueceu de entregar os potes de folhas de chá que preparara para cada um deles, rotulados com seus nomes e uma lista caprichosamente imprecisa e divertida dos ingredientes que continham.

Mika, mais do que um pouco nervosa, observava Jamie e notou a maneira como a boca dele se curvou ao ler as palavras abaixo do seu nome no rótulo:

12 das carrancas mais atraentes
1/2 colher de sopa de risada áspera
o melhor coração
e um bocado de poeira de estrelas

Então ele ergueu os olhos para ela, e a expressão em seus olhos a deixou sem fôlego. O coração de Mika disparou.

Ao redor deles, enquanto todos liam seus próprios rótulos, houve um coro de fungadas, risadas e até mesmo o barulho de Lucie assoando o nariz ruidosamente. Emocionada e encabulada por ter provocado tal reação, Mika abaixou a cabeça, com as bochechas corando, e correu os dedos pelas páginas do seu novo livro de feitiços.

Depois disso, chegou a hora da caçada aos flocos de neve. Jamie havia confeccionado cem flocos de neve lindos, delicados e *únicos* em MDF, pintado-os com tinta iridescente em tons de prateado, branco e azul-claro, e elaborado pistas indicando aos intrépidos caçadores seus possíveis esconderijos nos jardins da frente e dos fundos.

Como ele mesmo havia escondido os flocos de neve, com a ajuda de Lucie, os dois acharam justo ficarem de fora da caçada. Mika assinalou que a ausência deles tornava as equipes muito desequilibradas, então se juntou a Ian e Ken com a aprovação das crianças, e o trio passou uma hora inteira feliz, revirando os jardins gelados tentando em vão encontrar mais flocos de neve que as crianças. (Não, eles nem se esforçaram, mas Mika não pôde deixar de achar que encontrar *onze* flocos de neve em comparação com os 89 das meninas era um pouco vergonhoso.)

Com as bochechas rosadas de frio e a sensação de vitória merecida, as crianças correram para dentro a fim de estender a toalha de mesa que haviam pintado. E então chegou a hora do trabalho de amor de Ian: um pernil deliciosamente curado e assado; purê de batata; batatas fritas; uma salada fresca direto da estufa; nabos assados com mel; um punhado de pãezinhos de Yorkshire perfeitos e fofos;

doces caseiros em formato de bengala; e dois bolos arredondados com chocolate, sal marinho e, naquele reservado somente aos adultos, *muito* conhaque.

Depois de tudo isso, um coma alimentar era inevitável, então passaram o restante da tarde assistindo a filmes de inverno sobre gravetos perdidos, pinguins que faziam amizade com garotos solitários e outras histórias fofas e sentimentais. Em seguida, veio o jantar com as sobras de comida, jogos de tabuleiro até tarde da noite e, finalmente, quando as meninas já estavam quase pegando no sono no sofá, a hora de ir para a cama.

Mika e os outros adultos ficaram acordados por mais um tempo, bebendo sidra demais e comendo uma quantidade exagerada de bolo batizado, e, quando chegou ao ponto em que parecia que Jamie iria se recolher antes dos outros, Mika decidiu que era hora de tomar a iniciativa.

— Podemos conversar? — perguntou a ele, e saiu rapidamente da sala antes que ele tivesse a oportunidade de recusar.

No instante em que Mika saiu da sala, Ian ficou embriagado e assumidamente eufórico. Estava prestes a expressar isso quando se deparou com um olhar fulminante e afiado, momento em que decidiu que seria melhor esperar até que Jamie tivesse seguido Mika para fora da sala antes de comemorar.

A viagem para o norte deveria ter dado em *alguma coisa*, mas Ian ainda não havia se recuperado da decepção de Mika e Jamie não terem trocado praticamente nenhuma palavra um com o outro depois de voltarem para casa. Tinha sido francamente desagradável da parte deles.

Então, quando Jamie seguiu Mika um momento depois, Ian tinha toda a intenção de ir atrás e ficar bisbilhotando de uma distância decorosa, mas Ken e Lucie, aqueles pacientes e sofredores bastiões do bom senso, não o deixaram. Ken chegou ao ponto de ameaçar fazer Ian dormir no sofá se ele insistisse (quando ele *sabia* que as costas de Ian precisavam da espuma de memória perfeitamente elástica do colchão da cama deles!).

Foi com o semblante visivelmente mal-humorado, portanto, que Ian voltou a se sentar para terminar sua taça de sidra, resignando-se às agonias da ignorância até a manhã seguinte.

CAPÍTULO VINTE E TRÊS

Jamie seguiu apenas um passo atrás de Mika enquanto ela atravessava o jardim, passava pelo portão dos fundos, pelos girassóis e saía para as dunas. Estava prestes a protestar que estava escuro como breu ali e um deles quebraria o tornozelo, mas então ela balançou a mão e mil luzinhas suaves e brilhantes parecendo vaga-lumes iluminaram o caminho.

Ele sabia o que estava por vir. Ao se distanciar dela depois daquele dia no bosque, odiando-se por isso, mas certo de que se odiaria ainda mais se não o fizesse, tinha visto sua confusão e sua mágoa. Ela escondera bem, mas Jamie a conhecia, desde como semicerrava seus olhos escuros até a maneira como ela mudava sua postura dependendo de como estava se sentindo.

Quando Mika finalmente parou de andar, eles estavam na praia de seixos. Os vaga-lumes artificiais pairavam em volta de suas cabeças, fazendo o rosto dela brilhar num tom de dourado, como acontecia quando ela estava sentada em frente à lareira na sala de estar da casa.

Ele quebrou o silêncio, numa voz apenas uma fração mais alta que o barulho das ondas.

— Então?

— Tem alguma coisa te incomodando — disse ela.

Não esperava que ela começasse por *aí*. Então se reorganizou, cerrando os punhos ao lado do corpo porque a tentação de tocá-la era quase irresistível.

— Edward estará aqui em poucos dias.

Ela não pareceu impressionada.

— É mais do que isso. É alguma outra coisa. Você não estava fingindo estar a fim de mim no bosque, mas desde então tem feito de tudo para me evitar. Se não quer repetir o que aconteceu, é só me dizer e eu esqueço o assunto.

Se ela soubesse...

Jamie estava lutando contra uma atração que parecia uma força da natureza. Era algo contra o qual *doía* lutar. Ele tentou memorizar cada detalhe dela parada ali, com um halo de vaga-lumes e a luz das estrelas do céu de inverno, o vento frio do mar açoitando seu cabelo no rosto, com alguns fios se prendendo naquela boca que ele queria beijar. Engoliu em seco. Céus, ela era linda pra cacete!

Ele respirou fundo.

— Não daria certo, você e eu.

As sobrancelhas dela se juntaram.

— Por que não?

— Você não namora sério. — Ele olhou para o mar, incrivelmente escuro e sem fim. — E acho que eu seria incapaz de *não ter* algo sério. Pelo menos com você.

O sorriso dela se foi. Ele a viu engolir em seco.

— Você sabe quem eu sou — disse ela. — Você sabe a verdade sobre mim. Todas as minhas razões habituais para isso não se sustentam com você.

— Só que eu acho que você vai encontrar novas desculpas — retrucou Jamie, baixinho. — Você nunca foi o suficiente para ninguém antes, então acho que não vai acreditar que seja para mim. Assim que eu fizer algo que te magoe, e eu *vou* te magoar, porque você não sabe nem a metade de como nossas vidas são ferradas, você vai embora.

— Então é isso? — Seus olhos escuros brilhavam com lágrimas. — A confiança não vem fácil para nenhum de nós, então não vamos nem tentar?

— Tem coisas que você não sabe...

— Então me conte.

— Não *posso.*

— Porque não é só sobre você — deduziu ela, seus olhos procurando os dele. — Porque você está protegendo alguém, ou alguma coisa.

— Eu estou protegendo *tudo.*

Por um momento, ela ficou em silêncio. Então falou baixinho:

— Tudo bem. Eu não vou perguntar de novo.

Mika passou por ele e começou a caminhar de volta para as dunas, os ombros muito eretos, as mãos enfiadas debaixo dos braços, suas luzes quase apagadas.

Jamie sabia como devia ter custado a ela aceitar sua explicação fajuta, ser informada sem rodeios de que estava mais uma vez sendo excluída, constatar de maneira definitiva que *não* era um deles e nunca seria, e ocorreu a Jamie, observando-a ir embora, que nada disso valia a pena se implicasse fazer aquilo com ela.

Mika nunca tinha sido amada. Ninguém jamais a havia escolhido.

Mas Jamie poderia escolhê-la agora.

Ele poderia dar isso a ela, mesmo que a consequência fosse nunca mais vê-la.

— Espere.

Mika parou, mas não se virou.

— Nós mentimos pra você — disse.

E então contou tudo a ela.

CAPÍTULO VINTE E QUATRO

Mika percorreu as dunas apressada. Em algum lugar dentro dela, havia um pavor sombrio e oco, e um mar de angústia impossivelmente profundo, mas eles estavam enterrados tão fundo que Mika esperava que nunca encontrassem a saída.

Ela deixou as urzes e os cardos-marítimos para trás, com as mil luzes parecidas com vaga-lumes iluminando seu caminho. No momento em que entrou pelos portões do jardim, as estrelas cintilavam no céu invernal e os girassóis peculiares e persistentes brilhavam tão intensamente que pareciam estar pegando fogo.

Havia um cisne no lago de carpas. O que não era tão incomum assim, porque patos-selvagens e cisnes já haviam sido atraídos para o lago antes (e, todas as vezes, à maneira educada de criaturas selvagens que têm um bom entendimento da magia, deixaram as carpas em paz), mas o vulto branco fantasmagórico, imóvel e silencioso não diminuiu o pavor de Mika. Atrás dela, o mar assobiava, uma canção de ninar que a firmou quando se aproximou do canteiro de girassóis.

Ela ergueu as mãos, com as palmas para fora, como se estivesse segurando uma bola invisível à sua frente. O que ela estava *realmente* segurando era a magia ao redor dos girassóis, então a enroscou ao redor dos caules, pétalas e raízes das flores até que as controlasse. Lentamente, todo o canteiro de girassóis se ergueu do chão, junto com meio metro de solo fértil e escuro, e Mika o depositou com cuidado no gramado próximo. Os girassóis escureceram quando o pó dourado os deixou e envolveu os punhos e a cintura dela.

Mika lançou um novo feitiço de levitação, desta vez sobre o objeto no fundo do longo buraco escuro que ela havia aberto. Algo pálido se ergueu no ar.

Então era verdade.

Mika baixou a coisa pálida para a grama a seus pés e imediatamente puxou as mãos para trás a fim de abrigá-las no calor sob os braços. O brilho do pó dourado e dos vaga-lumes pairava ao seu redor, tornando impossível que ela *não* identificasse a coisa pálida.

Era um esqueleto, branco e imaculado, envolto nos restos de uma manta de lã listrada e macia que Mika tinha quase certeza de que fora Ian quem tricotara. Um crânio, uma coluna vertebral, um fêmur, dedos dos pés. Ossos. Não havia odor de decomposição nem sugestão de podridão, apenas o cheiro úmido e terroso do solo e da chuva.

Era quase engraçado. Ela, com todas as suas ideias rebeldes, nunca havia suspeitado *disso*. Honestamente, tudo o que faltava agora era um medalhão antigo e então seria o conto gótico perfeito de...

Ah. Lá estava.

Em volta do pescoço do esqueleto havia um medalhão de prata manchada com a letra *L* gravada.

Ela precisara ver por si mesma. Não que duvidasse de Jamie quando ele lhe contou, mas algumas coisas você precisa ver com os próprios olhos. E ele tinha dito a verdade, desta vez: ali na frente dela, recuperado de onde ela havia sido enterrada e escondida sob os girassóis impossivelmente perfeitos, estava tudo o que havia restado de Lillian Nowhere.

Mika estava ali fazia semanas, e havia um *cadáver* sob os girassóis esse tempo todo.

— Onde está o resto dela? — perguntou Jamie, soando rouco e assombrado, sua voz bem atrás de Mika. Ele a havia seguido desde a praia, em silêncio, esperando. — Ela não deveria ter se reduzido a ossos tão depressa.

— Ela era uma bruxa — disse Mika, entorpecida. — A terra a levou, e em troca deu a vocês os girassóis.

E, com isso, o pavor e a angústia a encontraram.

Ela se virou para encará-lo.

— Quando ela morreu?

— Em junho — murmurou Jamie. — Foi na véspera de quando ela deveria partir para a América do Sul. Estava atravessando a cozinha à noite para pegar uma xícara de chá e simplesmente *caiu*. Morreu antes de atingir o chão. Deve ter sido um ataque cardíaco ou talvez um aneurisma.

— Então Lillian está morta todo o tempo que conheço vocês — declarou Mika, mantendo sua raiva e sua aflição contidas na voz mais baixa e firme que conseguia produzir. — As meninas sabem?

— Não. Só nós quatro, e agora você.

— Por quê?

Jamie olhou para o outro lado, com os punhos cerrados dentro dos bolsos do casaco.

— Durante a maior parte do tempo que convivemos, Lillian era muito aberta conosco sobre seu testamento. Uma das poucas coisas sobre as quais ela *era* aberta conosco, na verdade. Ela nos deixou ler o documento. Dizia que, quando morresse, Ken e Lucie receberiam uma soma em dinheiro, eu herdaria a casa dela e os demais bens, e a guarda legal das meninas iria para a irmã dela, Peony.

— Peony? Esta é a irmã que você mencionou uma vez? A irmã que nunca chegaram a conhecer? — perguntou Mika, incrédula, com algo semelhante a horror e pena encontrando espaço em meio a toda a dor. — Lillian queria que *ela* as levasse?

Jamie assentiu.

— Tentamos argumentar, mas ela insistiu que queria que as meninas tivessem uma bruxa adulta em suas vidas, alguém que pudesse protegê-las quando ela não estivesse mais por perto.

— Alguém para lançar as sentinelas — constatou Mika. — Como as que ela lançou e que vão se romper na primavera.

— Só que a melhor vida possível nem sempre é aquela em que se está mais seguro — disse Jamie, baixinho. — Você, de todas as pessoas, sabe disso.

— Eu sei.

— Tirar as meninas da única família que elas já conheceram fará mais mal que qualquer coisa que possa acontecer quando as sentinelas forem desfeitas. Tentamos dizer isso a Lillian, mas ela se recusou a ouvir. — Um músculo tremeu em sua mandíbula. — As meninas são nossas e nós somos delas. *Nós* somos a família delas. Não podemos perdê-las. Mas não há absolutamente nada que possamos fazer para contestar o testamento. Eu me informei.

— Foi *esse* o verdadeiro motivo de você ter ido ao escritório do advogado naquele dia na cidade? Não tinha nada a ver com o testamento do seu pai?

— Eu não esperava que você me perguntasse por que eu estava lá, então disse apenas a primeira coisa que me veio à cabeça. Desculpe. Mas, sim, eu fui lá para perguntar a eles se havia alguma brecha para contornar o testamento de Lillian. Não há. Eu só poderia obter a guarda das meninas caso a irmã de Lillian se recusasse a ficar com elas, e essa é uma aposta arriscada demais.

— Então, em vez de comunicarem a morte de Lillian, vocês a enterraram.

Ele assentiu.

— Sendo sincero, não sei o que esperávamos a longo prazo. Que pudéssemos de alguma forma esconder a morte de Lillian por uma *década*, até que as meninas estivessem muito crescidas para precisarem de uma tutela legal? Parece ridículo e improvisado, e foi *exatamente isso*. Entramos em pânico e fizemos a única coisa em que conseguimos pensar. Nós a enterramos. Precisávamos ganhar tempo para bolar um plano melhor.

— E quanto a Edward?

— Edward tem o testamento, então ele sabe exatamente o que está no documento e tem o poder de fazer com que seja cumprido. — A respiração de Jamie se condensava entre eles. — Cerca de um mês antes de Ian lhe enviar aquela mensagem, Edward ligou dizendo que não conseguia entrar em contato com Lillian havia meses e que estava preocupado. Tentamos lhe dizer que ela estava em algum lugar sem sinal de telefone, que estava ocupada, tiramos quase todas as desculpas da cartola, mas não colou. Ele nos enviou uma carta registrada informando que estaria aqui no dia 26 de dezembro e que esperava que Lillian também estivesse. Se não estivesse, ele daria queixa do desaparecimento dela e nos denunciaria por acobertar esse fato.

— Tudo bem — disse Mika, ainda reprimindo cada sentimento feroz e doloroso o mais forte possível. — Talvez eu careça totalmente de princípios morais, mas na verdade eu *entendo* tudo isso. Vocês não podiam deixar ninguém saber que Lillian estava morta antes de descobrir uma maneira de ficar com as meninas. E *agora* não podem deixar Edward saber que ela está morta porque perderão as meninas e ele irá denunciá-los por cometerem um crime. E também não podem permitir que ele dê queixa do desaparecimento dela, porque isso vai fazer a polícia montar acampamento aqui, o que, por sua vez, a levará a encontrar os restos mortais de Lillian e provavelmente acabará expondo a magia das meninas no processo.

— É mais ou menos isso.

— A parte que não entendo — continuou Mika, e sua voz falhou enquanto toda aquela angústia reprimida ameaçava explodir — sou eu.

— Não sabíamos mais o que fazer — confessou Jamie. — Daí Ian viu seus vídeos. Já havíamos conversado sobre como a vida das garotas era restrita e como elas sabiam pouco sobre o próprio poder, então a parte sobre a necessidade de uma tutora era real. Mas o *timing* da mensagem de Ian para você foi por causa de Edward. Esperávamos que você pudesse nos ajudar. Ian pensou que, se conseguíssemos te trazer até aqui, aí talvez, depois de conhecê-la melhor e saber que poderíamos confiar em você, contaríamos a verdade. E talvez você pudesse se passar por Lillian para fazer Edward nos deixar em paz.

— O que explica por que Ian estava tão ansioso para descobrir se eu conseguiria me disfarçar com um feitiço — apontou Mika um tanto amargamente, a sensação de ser traída agora quase insuportável. Existira uma segunda intenção em *cada uma* das conversas que tivera com essas pessoas que passara a amar?

— Mika...

— Você me conheceu de verdade. — Ela o interrompeu. — A ponto de eu te contar que já fui usada, manipulada e enganada antes, e te contar o que isso fez comigo, e em nenhum momento, nem uma vez *sequer*, você me parou e admitiu que estavam fazendo exatamente a mesma coisa! Meu Deus, Jamie! A gente se beijou no bosque, caramba! Por que não me contou nada disso antes? Por que continuou mentindo pra mim?

Os olhos de Jamie estavam cheios de culpa e arrependimento, e ele levou um momento para voltar a falar.

— Porque não sabíamos se você iria contar às outras bruxas.

Ah, ali estava. Ela tinha se colocado em risco ao ir até ali, se dedicado de corpo e alma a ensinar três crianças maravilhosas a usarem seu poder e deixado cada pessoa naquela casa entrar no seu coração — e, ainda assim, eles não tinham confiado nela. Nada do que ela fizera fora suficiente. *Ela* não fora suficiente.

Era a explicação óbvia para as mentiras que eles haviam contado, mas ela precisava ouvi-lo dizer, assim como precisara ver os ossos sob os girassóis.

Silenciosamente, quase como se estivesse sonhando, ela devolveu os ossos à cova e colocou o tapete de girassóis no lugar. Fios dourados de magia se enfiaram profundamente no solo, entrelaçando as raízes das flores de volta à terra.

— Acabamos por aqui — anunciou ela, bem baixinho. — Você estava certo. Você me magoou e eu vou embora. Você conhece nós dois muito bem.

— Mika, *por favor*...

— Não posso ficar aqui — disparou ela, e acrescentou, pensando melhor: — Volto dia 26, só para a visita de Edward.

— Esqueça Edward por um minuto. Apenas me escute...

Mas ela não conseguiria escutar. Não suportaria. Então continuou falando:

— Eu não conheço nenhum feitiço de disfarce, mas deve haver outra maneira de enganar Edward e fazê-lo pensar que Lillian ainda está viva e conseguir mais tempo para vocês. Vou ver o que consigo. É o mínimo que posso fazer pelas meninas. Depois vou pegar o resto das minhas coisas e ir embora de vez.

Jamie não disse mais nada.

— Obrigada — acrescentou ela. — Por me dizer a verdade, mesmo que tenha sido um pouco tarde demais.

Quando se afastou, ele não a impediu.

Ela atravessou a casa escura e silenciosa que aprendera a amar, passou pelas meninas dormindo profundamente em seus quartos e subiu para o sótão que havia sido, por tão pouco tempo, o lar mais maravilhoso que já tivera. Lá, separou uma variedade aleatória de roupas, o menor de seus dois caldeirões e seus suprimentos para fazer poções. Foi só quando algo pingou no caldeirão que ela percebeu que estava chorando.

Ela pegou mais uma coisa: uma chave de prata, presa com fita adesiva dentro de uma cópia de *Razão e sensibilidade*, o livro favorito de Primrose.

Então enxugou as lágrimas, acordou Circe e, juntas, elas saíram da casa.

Lá fora, o céu noturno era de um branco pálido e invernal, ainda prometendo uma nevasca que provavelmente não viria. Havia uma figura silenciosa perto do celeiro onde os carros estavam estacionados, e Circe correu para ela, ganindo com tristeza. Era um som que Mika queria ecoar, um grito desesperado e angustiado de perplexidade, traição e raiva, mas ela apenas colocou suas coisas silenciosamente no porta-malas do Vassoura Voadora.

— Diga às meninas que voltarei para me despedir direito delas no dia 26. — A voz de Mika vacilou, mas ela se forçou a falar: — Circe, é hora de ir.

Com outro gemido de partir o coração, Circe saiu do lado de Jamie e subiu no banco de trás do carro. Assim que Mika fechou a porta, ela pressionou o nariz molhado no vidro da janela.

Jamie pôs a mão no vidro, mas seus olhos estavam em Mika. Ele engoliu em seco, e sua voz saiu embargada quando disse:

— Me desculpe. Eu menti por vários motivos, mas nunca, *jamais* quis te magoar.

Na pálida meia-luz da noite do Solstício, Mika teve a impressão fugaz de que os olhos dele brilhavam feito diamantes, lágrimas não derramadas refratando a luz.

Ela entrou no Vassoura Voadora e partiu.

CAPÍTULO VINTE E CINCO

Mika dirigiu por mais de três horas. Poderia ter usado seu feitiço de velocidade, é óbvio, mas ela *não* queria ir mais rápido. Na verdade, se fosse possível simplesmente dirigir o Vassoura Voadora para sempre, ela teria feito isso.

Só havia um lugar para onde ir. Não podia voltar para a Casa de Lugar Nenhum. Não podia ir para a casa de Primrose, que faria perguntas que Mika não conseguiria e não iria responder. Ela não tinha mais ninguém.

Mas havia uma casa geminada alta numa rua tranquila da cidade de York, e ela tinha a chave.

Enquanto juntava suas roupas no sótão, ocorrera a Mika que, não importa o que ela fizesse, sempre se veria de volta à sua infância, de modo que poderia muito bem usar a casa que vinha no pacote. Tinha 31 anos agora, mas lá estava ela de novo, assim como estivera quando criança, presa na roda de hamster da sua mente, conduzindo uma autópsia em cada lembrança para descobrir o que tinha sido *real*, se é que alguma coisa tinha sido. Ela sempre havia chegado à conclusão, ao final das autópsias anteriores, que a resposta era nada. Nada tinha sido real. Seus cuidadores haviam sido pagos para cuidar dela, alguns foram bondosos e outros meramente gentis, e ela não tivera importância para nenhum deles. Alguns partiram sem magoá-

-la e outros partiram depois que Mika tinha sido rejeitada, usada ou enganada. E, sempre, no final, ela tinha sido esquecida.

Ao longo dos anos, Mika foi acolhendo todas as coisas que a tornavam diferente e descobriu que gostava muito de si mesma. Mas de que valia isso sem uma conexão humana? Como era possível viver, viver de verdade, sem a companhia de outras pessoas, sem uma família formada de qualquer uma das milhares de maneiras pelas quais famílias podiam ser formadas?

Era um pouco como aquela velha questão filosófica sobre uma árvore que cai na floresta, não é? Se ninguém se lembrava dela e ela não importava para ninguém, ela realmente existia?

Mika havia sido um fantasma até a Casa de Lugar Nenhum, indo embora sem deixar vestígios de si mesma em ninguém, mas, durante algumas semanas preciosas, havia pensado que talvez tivesse finalmente ganhado vida. Talvez, como Pinóquio ou o Coelho de Veludo, ela enfim houvesse se tornado real.

E agora não sabia mais. Ela não sabia *o que* tinha sido real. Aquelas madrugadas no sótão com Jamie haviam feito parte de um esquema maior para salvar a família dele? Todas as gentilezas de Ian, Ken e Lucie tinham sido fundamentadas em sondagens para determinar quão útil ela poderia ser?

E assim a roda de hamster seguiu, girando e girando, até que ela estacionou o Vassoura Voadora numa pequena entrada de automóveis em frente à conhecida porta branca de uma casa geminada.

Circe enfiou a cabeça entre os dois bancos da frente e lançou um olhar demorado e indiferente para o imóvel.

— Eu sei — concordou Mika. — Mas é tudo o que temos.

Por dentro, a casa estava exatamente do mesmo jeito que ela a havia deixado quando partiu para a universidade e nunca mais voltou. Os poucos móveis eram velhos e simples. As paredes estavam vazias; o chão, empoeirado; os cantos, cheios de teias de aranha; mas, além de todas essas coisas Mika conseguiu enxergar os rabiscos de giz de cera artisticamente escondidos sob uma almofada; as já desvanecidas manchas feitas pelo rosto de uma criança colado na janela para ter um vislumbre do mundo lá fora; o pequeno trecho gramado junto ao muro dos fundos onde uma garotinha havia cultivado narcisos e margaridas. Ela viu ecos das roupas que outrora tinham sido penduradas no gancho perto da porta da frente — casacos de tweed, casacos volumosos e casacos impermeáveis — e viu a quina arranhada da mesa da cozinha onde aquela mesma garotinha uma vez tinha batido e perdido um dente mole.

Era uma casa repleta de fantasmas.

— Talvez a gente pudesse morar no Vassoura Voadora — disse Mika a Circe. — Tem espaço. — Circe fungou, sonolenta. — Tem razão. Precisamos de água encanada. Acho melhor ficarmos, então.

O gás, a água e a eletricidade estavam em funcionamento porque Primrose jamais sonharia em deixar uma casa dela se deteriorar completamente, então Mika removeu as cortinas empoeiradas, tirou as capas desbotadas das almofadas, pegou um conjunto de roupas de cama do roupeiro no patamar da escada e colocou tudo na máquina de lavar e secar que ficava na cozinha.

Passou o restante da noite aspirando os tapetes, esfregando as superfícies e eliminando com feitiços as aranhas e mariposas mortas que tinham passado a residir na casa. Ela mudou os móveis de lugar, colocou de volta as cortinas, as capas e as roupas de cama recém--lavadas e espalhou os poucos livros que trouxera consigo. Quando terminou, a casa não parecia mais com aquela de que ela se lembrava.

A essa altura ela estava tão cansada que não conseguia pensar direito, o que era exatamente o objetivo, pois a roda de hamster finalmente havia parado. Ela foi cambaleando para o chuveiro, teve uma longa crise de choro e adormeceu no quarto que um dia tinha sido seu.

~

A melhor maneira de evitar que a roda de hamster começasse a girar era se distrair com uma tarefa útil e prática, então Mika deixou que os dias seguintes se fundissem uns nos outros enquanto se concentrava obsessivamente no problema representado por Edward. Ela recebia as entregas de comida, deixava a porta dos fundos aberta para que Circe pudesse correr no jardim cercado sempre que quisesse, organizava seu caldeirão e os suprimentos para fazer poções, verificava seu livro de feitiços e fazia brainstormings.

Não conhecia as runas de um feitiço que a fizesse se parecer com outra pessoa — isso se tal feitiço existisse para além da teoria —, mas seria possível preparar uma *poção* que fizesse? O que seria necessário? Que plantas e ingredientes ela conhecia que poderiam produzir o efeito de uma ilusão muito específica?

No entanto, com apenas quatro dias disponíveis para isso, ela não achava que tinha tempo para inventar uma poção tão peculiar e complicada como aquela. A chance de dar errado era maior que a de dar certo. Por outro lado, uma poção mais simples, menos eficaz que uma ilusão desse tipo, porém muito menos arriscada, talvez funcionasse. Ela poderia adaptar uma poção que já tivesse em seu arsenal, o que lhe permitiria aproveitar ao máximo o pouco tempo que lhe restava.

Ela fazia anotações em pedaços de papel, alternando entre uma dezena de abas de pesquisa no celular. Será que conseguiria preparar um chá para confundir os sentidos e tornar a pessoa que o bebesse mais propensa a acreditar numa mentira?

Em nenhum momento passou pela cabeça de Mika abandonar os habitantes da Casa de Lugar Nenhum à própria sorte. Ela ainda estava muito magoada para questionar seus sentimentos complicados pelos adultos da casa, sobretudo por Jamie, mas o que sentia pelas meninas não era nada complicado. Rosetta, Terracotta e Altamira mereciam as melhores e mais alegres vidas possíveis, e isso *só* seria viável se elas permanecessem juntas, em sua casa, com as pessoas que as amavam tanto que literalmente tinham escondido um cadáver no quintal.

Então Mika lia e relia seu livro de feitiços, estudava as propriedades das plantas e fazia experimentos no seu caldeirão.

A princípio, o enigma da poção a mantinha totalmente no presente, perdida num limbo de colheres tilintantes, poeira de estrelas luminosa e borbulhar brando. Ficava tão concentrada na questão que precisava resolver que não sobrava espaço para mais nada.

Isso não durava muito, é lógico. Nos momentos de silêncio, com Circe olhando tristemente pela janela, Mika não conseguia fugir da saudade que sentia do lar que tivera por tão pouco tempo. Sentia falta das empenas, do barulho do mar, da maresia, das *pessoas*.

Como podia sentir tanta falta deles se nada daquilo tinha sido real?

~

Antes que ela percebesse, chegou o Natal, um fato que ela percebeu somente porque as casas geminadas de cada lado dela estavam de repente ecoando com risos, talheres tilintando e canções natalinas. Mika, que se esforçava para estar radiante em todos os outros dias do ano, notou-se sentindo completamente rabugenta. Não pôde evitar; o Natal tinha um jeito de aumentar a intensidade de tudo. Sim, havia alegria, boa vontade e bondade, mas também havia solidão.

Ela ignorou as festividades através de suas paredes e ficou encolhida no sofá, com uma xícara de chá na mão, Circe a seus pés e o caldeirão fervendo suavemente na mesa da cozinha.

O barulho de uma batida na porta a pegou de surpresa. Certa de que era algum vizinho bem-intencionado vindo deixar um biscoito de gengibre que seu filho havia decorado — a única razão pela qual alguém já havia batido na porta de Mika em Natais passados —, Mika se levantou do sofá, forçou um sorriso e abriu a porta.

Ah.

Agulhas de pinheiro e oceano.

Jamie se balançou sobre os calcanhares, com um lado da boca se curvando num leve sorriso torto.

— Oi.

A visão dele em sua porta, *naquela* porta, fez algo engraçado com ela. Mika prendeu a respiração e, no espaço de um instante, esqueceu que estava com raiva, esqueceu que tinham mentido para ela, esqueceu que estava sofrendo. Quis jogar os braços em volta do pescoço dele e chorar. Quis se perder inteiramente no seu calor esguio e sólido, sua voz rouca e áspera, e sua estúpida e irresistível essência de agulha de pinheiro. Quis olhar nos seus olhos cinzentos angustiados e tempestuosos e ver algo *verdadeiro*.

Então, pela duração daquela única batida, enquanto seu coração batia violentamente em seu peito, ela apenas gravou cada detalhe de Jamie em sua memória: a pequena cicatriz branca na linha do cabelo, a maneira como a luz da tarde realçava o loiro em seus fios castanhos, o músculo se contraindo em sua mandíbula de traços marcantes, a esperança e o desejo em seus olhos cinzentos, a maneira como todo o corpo dele parecia preparado para receber o impacto de um soco.

Então a batida acabou, e ela respirou fundo, trêmula, e se lembrou.

— Eu disse que voltaria a tempo — disse ela sem emoção. — Você não precisava vir aqui para me convencer.

— Não é por isso que estou aqui.

— Então por que você está aqui? Não, espera, *como* você está aqui? — Ela franziu a testa. — Como soube onde me encontrar?

— Você colocou esse endereço no contrato que assinou com Ian. — Os olhos de Jamie analisaram seu rosto. — Me desculpe por aparecer do nada. Eu teria ligado primeiro, mas não achei que você atenderia.

O coração de Mika parecia prestes a explodir, e seus sentimentos estavam uma bagunça total. Circe, com um *timing* perfeito, passou por Mika e saltou em Jamie com um latido alegre, dando a Mika a oportunidade de que precisava para controlar seu coração caótico e confuso.

Ela se afastou, deixando a porta aberta.

— Acho melhor você entrar.

CAPÍTULO VINTE E SEIS

Mika ligou a chaleira elétrica e esperou que apitasse. Dava para ouvir Jamie e Circe na sala, uma mistura de murmúrios baixos e profundos e latidos alegres. Ela fechou os olhos, descansando a testa na superfície fria da porta da geladeira, lutando contra o desejo de voltar para o outro cômodo, se enterrar nos braços dele e agarrá-lo com força.

Quando o chá ficou pronto, ela pôs no rosto sua máscara mais calma e fria e levou as xícaras para a sala.

— As meninas sentem sua falta — disse Jamie em voz baixa. — Todos nós sentimos.

— Você contou para as meninas por que eu fui embora?

— Contamos tudo para elas. Estão furiosas conosco. — Ele sorriu de leve. — Não por mentirmos sobre Lillian. Mas por tirar *você* delas.

Mika engoliu em seco. Voltou para seu lugar no sofá, segurando sua xícara de chá quente e reconfortante.

— Por que você está aqui, Jamie?

— Estou deixando uma janela aberta.

— Eu deveria entender o que isso significa?

Ele se sentou na outra ponta do sofá, dando-lhe espaço. Em vez de olhar para ela, encarava a xícara de chá nas mãos.

— Significa que sabemos que fizemos merda. Sabemos que você pode partir para sempre. Mas queríamos que soubesse que queremos que você fique. Não só por agora. Mas para sempre. Então estamos deixando uma janela aberta para, caso um dia você queira voltar para casa, saber que sempre será bem-vinda.

Meu Deus, ele só estava ali havia dez minutos e ela já estava prestes a desmoronar. Engoliu em seco, o nó na garganta quase doloroso demais para suportar.

— A questão é: seria muito fácil esquecer as mentiras e as trapaças — disse ela. — Porque eu sei por que vocês fizeram isso. Fizeram por aquelas três crianças e pela estranha e maravilhosa família que formaram juntos, e isso é algo que eu entendo. Vocês não queriam um feitiço para fraudar um caixa eletrônico. Queriam que eu os ajudasse a salvar sua família. Eu posso perdoar isso. Eu já até *perdoei*.

Mika parou, sua expiração saindo com um tremor. Jamie esperou, sabendo que ela não havia terminado.

— A parte com a qual estou sofrendo — continuou Mika — é o fato de que nunca poderei saber quanto de tudo foi real.

Ele pousou a xícara com um baque e se virou para encará-la, as sobrancelhas franzidas.

— Foi *tudo* real. Mika. Olhe para mim. A única coisa sobre a qual mentimos para você foi o motivo para precisarmos da sua ajuda. Todo o restante, *tudo*, foi real. *É* real. O que sentimos por você é real.

Uma lágrima rebelde escapou para a bochecha de Mika, e ela a enxugou.

— Não, eu não acredito nisso. Se você realmente me conhecesse, se realmente confiasse em mim, teria me falado a verdade muito antes. Mas não falou. Você pensou que eu contaria às outras bruxas! — Sua voz vibrou de raiva. — *Por que* pensaria uma coisa dessas? Eu não contei a elas que as garotas existiam! Por que eu contaria *isso* a elas?

— Por causa das sentinelas — respondeu Jamie com a voz rouca, e a compreensão a atingiu como um golpe no peito.

— No dia em que levamos Rosetta para a cidade...

Ele assentiu.

— Íamos contar tudo a você naquela noite. Então você e eu conversamos sobre as outras bruxas.

— E eu disse algo como, se Lillian não estivesse por perto, não seria seguro para as meninas crescerem juntas sem as sentinelas — Mika concluiu para ele. Então afundou contra as almofadas fofas atrás de si, repentinamente exausta. — Eu disse que vocês precisariam de ajuda.

— Tivemos medo de que, se soubesse que Lillian estava morta, você mudaria de opinião sobre manter a existência das meninas em segredo da Sociedade — confessou Jamie em voz baixa.

Mika ficou em silêncio por alguns minutos, a roda de hamster acelerada, o chá esfriando nas mãos. Ela pousou a xícara.

Desejou que não tivesse deixado a Casa de Lugar Nenhum da forma que deixou. Ela tinha o direito de estar com raiva por ter sido enganada e manipulada, e o sentimento de traição era profundamente real, mas, sentada naquela casa — a casa com todos os seus fantasmas e todos os seus monstros debaixo da cama —, ela entendia que a fuga abrupta tinha sido uma reação instintiva à dor. Havia reagido como se a causa tivesse sido a mesma de todas as outras vezes que fora usada e traída, mas era diferente, não era? Porque ninguém na Casa de Lugar Nenhum havia mentido ou traído em benefício próprio. Eles mentiram para salvar a própria família. Ela não agiria da mesma forma se tivesse uma família para salvar?

— Eu só sabia de parte da situação, Jamie — disse ela depois de um tempo. — Se você tivesse me contado tudo, eu poderia ter dito que acho *mesmo* que vocês precisam de ajuda para reforçar as sentinelas, mas concordo que manter as meninas com vocês, na casa delas, é mais importante. Eu não teria contado às outras bruxas.

— Sei disso. — Ele balançou a cabeça. — Soube semanas atrás, mas não queria admitir. Porque, se admitisse, significaria que você tinha muito mais importância para mim do que eu queria que tivesse.

— Eu gostaria que você tivesse me contado a verdade antes — declarou Mika baixinho. — Você acabou me contando, e isso tem seu valor, mas estava certo sobre mim. Sobre o fato de que eu fujo quando sou magoada. Eu preciso fugir. Porque tudo aqui, dentro de mim, diz que devo confiar e acreditar que a Casa de Lugar Nenhum *foi* real, mas não sei se sou capaz de fazer isso. Estou *com medo*.

— Sei disso também — admitiu Jamie. Ele saiu do sofá e se ajoelhou no tapete na frente de Mika, com as mãos nos joelhos dela. — Você tem medo de se sentir assim de novo. Tem medo de que, se voltar, se entrar pela janela que deixamos aberta e se permitir ser parte da casa, não vai sobreviver se ela for tirada de você.

Mika assentiu, com lágrimas escorrendo pelo rosto.

— Eu já gosto *demais* de todos vocês, e me sinto *perigosamente* feliz por estar num lugar onde posso ser eu mesma, mas também é *muito* fácil para mim ser magoada por vocês, mesmo que não queiram me magoar. — As palavras escaparam dela num arroubo. — Eu deveria ter ficado para conversar sobre isso, mas não sei se posso voltar de vez. Não sei se posso pôr o meu coração bobo e frágil em risco de novo.

A voz dele saiu muito, muito baixa quando continuou:

— O seu coração é a coisa mais forte que eu já conheci. Me faz querer ser mais corajoso e mais *feliz*. — Os olhos dele se fixaram nos de Mika. — Fique. Fique comigo.

— Você ainda iria me querer se eu não fosse uma bruxa?

Os olhos de Jamie brilharam de alegria.

— Não.

— Nossa, você poderia dizer umas coisas gentis *às vezes*, sabia?

— Não, não poderia. Eu quero você, Mika. Existem um milhão de coisas que fazem de você a pessoa que é, como a sua risada, a escolha de se importar com Primrose apesar de tudo, a cor da sua pele, o fato de que, quando decidiu que precisava de uma máscara para se encaixar no mundo, você escolheu uma máscara vibrante em vez de uma carrancuda como a minha. Essas são algumas coisas. Quer saber de outra? — Ele ergueu uma sobrancelha. — O fato de você amar a magia. Você precisa dela como precisa respirar. Você não seria *você* se não fosse uma bruxa. E é *você* que eu quero. Você inteirinha.

A sala ficou em silêncio. Circe tinha ido tirar um cochilo ao lado do forno na cozinha, o lugar mais quente da casa, então até mesmo o seu fungar habitual enquanto dormia estava ausente. O relógio sobre a lareira tiquetaqueava. Mika esfregou os olhos molhados, o coração repleto e exposto e ainda assim desesperadamente temeroso.

Mas também desesperadamente *desejoso*.

— Vamos precisar de mais chá — disse Jamie, dando-lhe espaço novamente.

Ele ficou de pé, levou a xícara fria dela para a cozinha e ligou a chaleira novamente.

Mika se levantou do sofá e foi até a lareira para acendê-la. Era uma daquelas elétricas, com tijolos falsos. Ela observou as chamas artificiais tremularem e brincarem por um momento, então passou o dedo sobre um tijolo que era bem mais vermelho que os outros e que tinha uma textura diferente. Ela o havia pintado com giz de cera vermelho quando tinha 6 ou 7 anos. Pensara que seria repreendida por causa disso, porque Primrose, que estava lá na época, gostava das coisas *perfeitas*. Em vez disso, Primrose tinha apenas encolhido os ombros e falado:

— Arte é arte, bonequinha. Exiba a sua com orgulho. Aliás, que tal eu te ajudar a colorir o restante do tijolo?

Ela tinha se esquecido daquele pequeno gesto de bondade, e de outros parecidos. Mesmo naquela casa cheia de fantasmas, havia um pouco de luz.

— O chá está na água. — Jamie veio ficar ao lado dela. — Você está bem?

— Acho que sim.

— Sabe, quando cheguei à Casa de Lugar Nenhum, eu estava despedaçado. — A luz do fogo cintilou nos olhos dele. — Eu me encolhia ao menor ruído. Recusava-me a deixar que alguém me tocasse. Me trancava no quarto. Lillian me deu um lar, mas foram Ian, Ken e Lucie que me recompuseram, pedaço por pedaço. Levei muito tempo para permitir que se aproximassem. Eu também estava com medo; com medo do que aconteceria comigo se eu os perdesse. É um salto de fé amar as pessoas e se permitir ser amado. É fechar os olhos, pular de um penhasco e acreditar que vai voar em vez de cair. Não posso pular por você, Mika. É algo que só você pode fazer. E eu sei que você vai. Talvez não agora, mas eu te conheço. Mais cedo ou mais tarde, você vai voar.

Amar não era o problema para Mika. Ela o amava, amava todos eles, com uma ferocidade que doía. Já sabia disso há algum tempo.

Mas se deixar *ser amada*? Isso era muito mais difícil. Exigia coragem, confiança e a aniquilação dos monstros que viviam debaixo da cama. Jamie tinha dito, com razão, que não poderia pular por ela. Só ela mesma poderia fazer isso.

Poderia? *Conseguiria* ir até a beira do penhasco e, mesmo sabendo que sempre haveria uma chance de cair, ainda assim pular?

— E se eu não conseguir? — perguntou Mika, sua voz pouco mais do que um sussurro.

— Então eu vou aceitar qualquer coisa que você *conseguir* me dar — respondeu Jamie. Ele deu um passo para mais perto. — Mas, só para você saber, você pode ter tudo de mim. Se quiser.

— Eu quero. Quero isso mais do que qualquer outra coisa.

Ele deu um sorriso torto, mas não a tocou. Em vez disso, eles tomaram chá, e Mika mostrou a ele a poção ainda fervendo no caldeirão e explicou sua expectativa de que induzisse Edward a acreditar em qualquer mentira que lhe fosse contada. Por um instante, ambos se permitiram ter esperança de que a poção funcionasse, de que depois de amanhã nunca mais tivessem que se preocupar com um advogado impiedoso ou uma pilha de ossos escondidos no jardim.

E, pela primeira vez em dias, Mika riu — riu de verdade —, quando Jamie contou a ela o que as garotas haviam dito quando eles revelaram a verdade sobre Lillian.

— Acho que esperávamos que elas se mostrassem devidamente sérias e respeitosas, mas, pensando agora, essa era uma expectativa absurda. — Ele fez uma pausa. — Altamira disse que deveríamos ter enterrado Lillian na floresta.

— Não, acho que não — disse Mika sabiamente. — Raposas desenterram coisas na floresta, sabe. É um péssimo lugar para esconder um cadáver.

Jamie lançou-lhe um olhar irônico.

— Sim, foi exatamente isso que Terracotta disse.

Eles abriram uma garrafa de vinho, devoraram um cheesecake de limão como jantar e brincaram de beber um gole da garrafa de vinho toda vez que alguém na parede ao lado gritava "Pelo amor de Deus, vovô!".

Quando a noite por fim se aquietou, eles estavam embriagados, Mika se sentia *um pouco* mais corajosa e Circe sabiamente tinha ido para a cozinha passar a noite.

— Vou para a cama — disse Mika, parando ao pé da escada. — Você quer vir?

— Pode ter certeza!

Ele beijou a nuca de Mika no meio da escada e a segurou quando ela tropeçou. Ela se virou, pressionando a boca na dele, e, por alguns minutos, pareceu que os dois não iriam nem conseguir subir as escadas até o final.

Mas conseguiram. Jamie apoiou uma das mãos na porta perto da cabeça de Mika, acariciando, com o polegar da outra, sua boca inchada dos beijos. Ela mordeu o dedo dele, depois o lambeu. Ele grunhiu baixo. Ela estendeu a mão, brincando com a bainha das mangas arregaçadas dele, passando um dedo pelos músculos de seu antebraço.

— Antebraços são a minha perdição — disse ela, sonhadora.

Ele beijou-lhe a testa.

— A minha é *você*.

— Se continuar falando essas coisas, não vamos conseguir chegar até a cama.

— Prometo suportar nobremente esse sacrifício.

Ela riu e disparou por baixo do braço dele. Ele girou o corpo, pegando-a pela cintura, e a agarrou por trás. Usou a outra mão para afastar o cabelo dela de cima do ombro, deslizando as mechas sedosas por entre os dedos, e então abaixou a cabeça até a nuca nua dela.

Conseguiram chegar apenas até o tapete no chão. Ela o empurrou de costas e se sentou sobre ele, seu cabelo ondulando sobre um dos ombros enquanto o beijava. Seus dedos se atrapalharam com os botões da camisa de Jamie, e Mika esfregou-se nele. As mãos dele seguraram os quadris dela para mantê-la no lugar. Ele interrompeu o beijo e jogou a cabeça para trás, com a respiração entrecortada.

Mika se endireitou para puxar o vestido pela cabeça. Estava sem sutiã. Jamie deu um impulso e os girou, colocando-a sob si enquanto tirava a camisa desabotoada. Um gemido escapou entre seus dentes quando ele pairou sobre Mika por um instante, imóvel, apenas contemplando maravilhado cada centímetro da pele reluzente e suada que ela havia desnudado.

Ela o deixou contemplá-la até ficar impaciente e morder suavemente a boca dele. Jamie emitiu um ruído baixo, parte gemido e parte risada.

— Sinto muito.

— Acho que não sente não — sussurrou Mika contra a boca dele.

Jamie beijou o pescoço dela de cima a baixo, parando na pulsação selvagem que vibrava na cavidade entre as clavículas, e então sua boca estava nos seios dela. Jamie mordiscou, lambeu e beijou até ela estar se contorcendo, gemendo e restringindo sua fala a "*porra*", "*por favor*" e "*bom pra caramba*".

— Cacete, eu podia te assistir desse jeito o dia todo. — Ele sussurrou as palavras entre beijos, sua voz baixa e rouca. — Quero assistir de novo e de novo e de novo. Eu quero machucados nos meus ombros feitos pelos seus dedos. Quero minha língua entre as suas pernas. Eu quero estar dentro de você.

— James Kelly — sussurrou ela. — Você é muito bom nisso.

Ele se afastou o suficiente para sorrir para Mika, um sorriso tímido e juvenil que estilhaçou seu coração. Não conseguia acreditar que alguma vez o havia considerado carrancudo, frio e inalcançável. Jamie era a mais pura alquimia, do chumbo ao ouro. Cada vez que olhava para ela, era como se estivesse vendo-a pela primeira vez, e, cada vez que a olhava desse jeito, ela se perdia.

Mika deslizou as mãos pelo seu tronco magro e musculoso, deliciando-se com a forma como ele estremecia ao toque dela. Parecia justo, uma vez que cada parte dela que ele havia tocado e beijado ficara eletrizada.

— A gente devia ir para a cama — sugeriu ela. — Você não está mais na flor da idade, sabe. Pode forçar sua coluna se ficarmos aqui.

Com os olhos brilhantes, ele lambeu o nariz dela. Mika enroscou os dedos em volta do pescoço dele e o puxou para ela, beijando-o até que seu corpo amoleceu com o calor e os olhos dele ficaram turvos. Ele afastou a sua boca da de Mika, beijou-lhe o pescoço e foi descendo, fazendo-a rir impotente enquanto esfregava o nariz ao longo de suas costelas. Ela nunca tinha experimentado sexo assim, essa mistura absurda e desconcertante de luxúria, prazer alucinante, risadas e *diversão*, mas era perfeito.

Jamie enganchou as pernas dela ao redor de sua cintura e a pegou nos braços, e então eles foram para a cama. Ele a beijou, pondo uma das mãos entre suas pernas, então praguejou baixinho. As mãos dela estavam no botão de sua calça jeans.

— Agora — choramingou ela, contorcendo-se embaixo dele. — Por favor.

Ele tirou a calça. Seus olhos estavam fixos nos dela.

— Tem certeza de que quer isso?

— Não sei, Jamie — disse ela, séria. — É você que está com a mão no meio das minhas pernas. O que *você* acha?

Ele fez um ruído baixo, seus dedos ainda acariciando-a, e então afastou a mão e apoiou os braços em ambos os lados de sua cabeça. Numa única estocada, ele estava dentro dela. Mika arqueou o corpo com a onda selvagem de prazer. Ele estremeceu, entrando e saindo dela novamente, seus olhos se fechando como se estivesse sem forças.

Foi demais e não foi o bastante e foi tudo.

Depois, Mika enterrou o rosto no pescoço úmido dele, inspirando suor, agulhas de pinheiro e oceano. Jamie beijou-lhe o cabelo. Ela bocejou, espreguiçando-se feito uma gata. Ele vestiu a calça jeans, observando-a com tanta admiração e ternura que ela teve que desviar o olhar para não ser derrubada por uma onda de emoção poderosa demais para ser contida.

— Fique.

Ele voltou para a cama com um sorriso torto, uma das mãos se encaixando na curva da cintura dela.

— Não vou a lugar nenhum.

CAPÍTULO VINTE E SETE

Edward Foxhaven era um homem comum. Da estatura comum ao cabelo grisalho comum, passando pelos pés de galinha comuns agrupados em torno dos olhos azuis comuns, não havia nada em Edward que atraísse o olhar de alguém que passasse por ele. Seu terno, sua gravata e seus sapatos — todos caros, elegantes e em cores escuras e sóbrias — sempre foram usados com uma precisão que estendia a todas as outras áreas de sua vida. Ele prestava tanta atenção na posição dos punhos da camisa quanto nas letras miúdas de um contrato.

Sua única qualidade extraordinária (o adjetivo era dele, de mais ninguém) era que dava atenção meticulosa aos detalhes. Enquanto alguns advogados (e ele não citaria nomes, mas não era preciso ir mais longe que as mesas dos dois sócios mais indignos da firma) podiam simplesmente dar uma olhada breve num sumário ou passar parte do trabalho mais tedioso para um subordinado, Edward orgulhava-se do fato de que nada escapava aos seus olhos. Algumas pessoas poderiam reclamar que sua paciência e diligência eram uma desculpa para cobrar mais de seus clientes, mas estavam enganadas. Seus clientes *queriam* que ele fosse minucioso. *Queriam* lhe pagar muito dinheiro. (Além, é claro, daqueles poucos clientes pobres com os quais era obrigado a trabalhar para cumprir uma cota da firma. Era um incômodo, mas Edward seria dispensado de cumprir essa cota quando se tornasse sócio. E ele se tornaria, assim que alguém se desse ao trabalho de notar a excelência do seu trabalho.)

Veja o caso de Lillian Nowhere, por exemplo. Lillian era uma cliente encantadora e rica que confiava nele para cuidar de seus negócios e lhe pagava generosamente para isso. Edward não tinha intenção nenhuma de deixar de merecer essa confiança, ainda mais levando em consideração que a coitada da Lillian tinha decidido abrir a sua casa para pessoas altamente suspeitas.

Quando pressionado, ele se dera conta de que não conseguia articular com precisão qual era o problema dessas pessoas. Ele *sabia*, é claro, mas havia coisas demais que não se podia *dizer* hoje em dia. Era extremamente inconveniente.

No entanto, embora ele não pudesse *dizer* certas coisas, com certeza poderia *agir* com base numa preocupação muito real. Uma inglesa rica e de certa idade parara misteriosamente de manter contato e Edward não tinha dúvidas de quem era a culpa. Estava, portanto, determinado a erradicar quaisquer condutas suspeitas que estivessem acontecendo na Casa de Lugar Nenhum.

Foi nesse estado de espírito que Edward bateu na porta da casa na manhã do dia 26 e começou a interrogar seus moradores, só para dar de cara com um esqueleto cambaleante e trêmulo vestindo um terninho azul-marinho de blazer e calça e um chapéu com flores.

A partir *daí*, foi tudo ladeira abaixo.

~

Quando Mika e Jamie estacionaram no celeiro, apenas trinta minutos depois, já era tarde demais.

Mika saiu do Vassoura Voadora segundos antes de Jamie sair do próprio carro, e sua sensação gloriosa e perfeita de volta ao lar durou pouco. O carro sofisticado e desconhecido na entrada foi o primeiro sinal de que algo estava errado.

— Edward já está aqui? — perguntou ela a Jamie à meia-voz, alarmada. — Ele não deveria chegar só à tarde?

O rosto de Jamie ficou sombrio.

— Deve ter vindo mais cedo para nos pegar desprevenidos. É bem a cara dele.

Ao se aproximarem da casa, Mika avistou as meninas empoleiradas lado a lado na cerca, olhando fixamente para o pequeno depósito onde Ken guardava suas ferramentas de jardinagem. Ao ouvirem seus passos, elas se viraram. Altamira pulou da cerca na hora, gritando "Mika!" e correndo até ela. Rosetta veio atrás, parecendo aflita.

E Terracotta disse:

— Ótimo, vocês chegaram. Aconteceu um *pequeno* problema, mas a gente resolveu isso trancando Edward no depósito do jardim.

Mika e Jamie congelaram por um momento, depois se entreolharam e voltaram a olhar para as meninas.

— Vocês fizeram o quê? — disse Jamie por fim, muito, muito calmamente. — E onde diabos estão Ian, Ken e Lucie?

— Lá dentro — respondeu Terracotta. — Em pânico. Por causa do problema já mencionado. Eles não parecem concordar com a ideia de trancar Edward no depósito como uma solução de longo prazo.

Foi nesse exato instante que Mika notou algo fora do lugar. Bem ao lado da porta da frente, formando um amontoado confuso, estava o que parecia ser um terninho azul-marinho, um chapéu com rosas de cetim e *ossos*.

— Meu Jesus Cristinho! — exclamou Mika. — Vocês desenterraram a Lillian, não foi?

— Bem, sim — admitiu Terracotta. — Agora, antes que você fique zangada, sabemos que não foi a nossa ideia mais brilhante, mas nenhum de vocês dois estava aqui e não sabíamos mais o que fazer.

— Qualquer coisa, Terracotta! — disse Jamie, exasperado. — Vocês poderiam ter feito literalmente *qualquer coisa* em vez de desenterrar o cadáver que vínhamos tentando ocultar!

Mika observou o amontoado, estreitando os olhos para ver melhor.

— Por que ela está usando roupas?

— A gente não a desenterrou só por *diversão* — retrucou Terracotta, ofendida. Nem Rosetta, nem Altamira haviam dito uma palavra até então, ambas parecendo bem mais envergonhadas e muito menos pragmáticas que a irmã. — Edward foi horrível. Ele pareceu contente quando chegou aqui e não encontrou sinal de Lillian. *Contente*. Começou a fazer todo tipo de perguntas a Ian, Ken e Lucie, e disse que sabia que eles haviam feito algo com Lillian. Então Rosetta, Altamira e eu fomos ao quarto dela e pegamos algumas roupas. Depois fomos ao jardim e desenterramos os ossos. Daí montamos o esqueleto, o vestimos e o animamos.

— Vocês *animaram*...

— Nós trabalhamos juntas, Mika! — declarou Altamira com orgulho. — Lançamos o feitiço juntas! Como você nos ensinou!

Não havia absolutamente nada que Mika pudesse dizer a respeito disso, exceto:

— Bom trabalho, meninas.

Tinha sido sincera. Estava incrivelmente orgulhosa delas.

E também um pouco horrorizada.

— Acho que montamos mal o esqueleto — admitiu Rosetta. — Pusemos alguns ossos no lugar errado. Não parecia estar certo.

— Eram os restos de uma mulher morta vestindo as próprias roupas, Rosetta! Nunca ia parecer certo! — Jamie apertou a ponte do nariz e respirou fundo para se acalmar, cerrando os dentes com tanta força que Mika teve medo de que pudesse quebrá-los. — O que exatamente vocês acharam que iam conseguir desfilando um cadáver animado na frente de Edward?

Terracotta lançou a ele um olhar como se a resposta fosse óbvia.

— Achamos que conseguiríamos convencê-lo de que era mesmo Lillian.

Mika pôde ver pela expressão no rosto de Rosetta que em nenhum momento *ela* pensou que tal coisa fosse possível, mas era leal demais para confessar isso.

— Terracotta — disse Mika com firmeza, seu coração martelando de pavor. — Edward sabe que aqueles ossos são reais? Ele sabe que Lillian está morta?

Pela primeira vez, a presunção de Terracotta desmoronou. Ela assentiu.

— Sim. Ele sabe.

— Foi por isso que o trancamos no barracão! — Altamira entrou na conversa. — Ele surtou quando viu o esqueleto, então Lucie tentou acalmá-lo explicando a verdade. Ele não quis escutar. Nos chamou de aberrações, então fizemos o esqueleto persegui-lo até o barracão, pegamos o celular dele e o trancamos lá dentro.

— Ele chamou vocês de quê? — indagou Jamie, furioso. — Sabe, eu ia repreender as três por trancarem o homem num depósito de jardim no meio do inverno, mas desconfio de que ele tenha merecido.

— Merecendo ou não, não somos tão más — disse Altamira em tom de reprovação. — Deixamos o cobertor grande da casa na árvore com ele, aquele que Mika encantou com um feitiço de aquecimento.

Mas Mika não conseguia dedicar um só pensamento a depósitos frios e cobertores encantados. Ela repetia as palavras de Terracotta sem parar em sua mente.

Sim. Ele sabe.

Mika olhou para Jamie, e os únicos sinais externos do horror e do desespero que ele devia estar sentindo eram o rosto pálido e a mandíbula travada. Ele tivera pavor disso, do momento em que a verdade viria à tona e o testamento de Lillian precisaria ser honrado.

Tudo o que *todos eles* vinham temendo havia acontecido.

Eles iam perder as crianças.

— Vocês três precisam ficar aqui — ordenou Jamie. — Não entrem no depósito. Não saiam desta área específica do gramado. Não façam nada. A gente já volta.

Mika o seguiu até a casa. Assim que a porta da frente se fechou atrás deles, ouviram sussurros angustiados vindos da cozinha. Jamie se encostou na porta, como se não conseguisse mais se manter de pé sem apoio, e Mika viu que suas mãos tremiam.

— Tem alguma chance de... — a voz dele falhou. — Tem alguma chance de a sua poção nova conseguir consertar isso?

— Não — respondeu Mika baixinho, pesarosa. — A poção nos ajudaria a convencê-lo de que Lillian está sã e salva na América do Sul, mas ela não tem a capacidade de desfazer tudo o que acabou de acontecer. — O olhar no rosto de Jamie era desesperado demais para ela suportar. Hesitante, Mika lhe estendeu a mão, e ele pousou as duas mãos na sua cintura enquanto o corpo inteiro tremia. — Sinto muito.

Houve um barulho de passos quando os outros, que obviamente os tinham ouvido, vieram correndo da cozinha.

— Mika! — O sorriso de Ian era hesitante, e sua voz estava embargada. — Você voltou. Ah, minha menina mais querida.

Lucie começou a chorar.

— Nunca deveríamos ter mentido para você! Lamentamos muito, muito mesmo!

— Lucie, não. Já passou. Temos coisas maiores com que nos preocupar agora!

Ken e Ian a abraçaram.

— É tão bom te ver — sussurrou Ken.

Os ombros de Ian tremiam.

— A gente tem que voltar lá para fora — disse Jamie, com a voz grave. — As crianças estão esperando.

Então os cinco se juntaram às meninas e a Circe no jardim, com o depósito projetando uma longa sombra acima deles. O sol fraco não fornecia muito calor, e Mika esfregou os braços para afastar o frio e a angústia.

— Precisamos decidir a melhor maneira de lidar com isso — declarou Ken calmamente. — Não podemos deixar Edward no depósito para sempre.

— Podemos matá-lo — sugeriu Ian.

— Concordo — disse Terracotta.

Como todo mundo estava certo de que eles estavam falando pelo menos parcialmente sério, Lucie e Ken precisaram informar da maneira mais incontestável possível que o assassinato de Edward não era uma opção.

Ian bufou.

— Então eu vou entrar lá e falar com ele.

— *De jeito nenhum!* — exclamaram Ken e Jamie ao mesmo tempo.

— Eu vou — anunciou Mika.

— Não — protestou Jamie imediatamente. — Edward não te conhece. Não tem ideia de que você existe nem de que está envolvida nisso. Se ele a vir, encontrará uma maneira de culpá-la por alguma coisa. O que você *deve* fazer é entrar no Vassoura Voadora e dar o fora daqui até que tudo isso acabe.

— Até qual parte acabe? — perguntou Mika sarcasticamente. — A parte em que as garotas são despachadas para alguém chamado Peony? Ou a parte em que vocês são julgados por assassinato, bruxaria e sabe Deus o que mais? Sério, por que eu iria?

— Você deveria ir — disse Ian, e os outros assentiram.

Mika olhou feio para eles.

— Vocês decidiram que *agora* é a hora de me proteger? Jura? Por quê?

— Porque você tem nos protegido desde que chegou aqui — disparou Terracotta.

— Porque queremos que fique segura — acrescentou Altamira.

— Porque nós te amamos — completou Rosetta.

Jamie deu de ombros para ela como se dissesse "Sim, por isso tudo".

Ela *não* ia chorar. Não.

Passando o braço pelos ombrinhos de Rosetta, ela disse:

— Não vou a lugar algum. A não ser àquele barracão.

— Mika, isso pode ser imprudente — argumentou Ken, com a testa franzida de preocupação. — Ele é forte, está furioso e provavelmente entrará em pânico.

— Ele não é um monstro mitológico ou uma multidão enfurecida de forcados — retrucou Mika. — É só um homem. E, considerando que ele acabou de ver um esqueleto andando por aí com as roupas de uma mulher morta, o mínimo que posso fazer é inventar uma história que o impeça de tentar internar as garotas.

— Tudo bem — cedeu Jamie secamente. — Mas eu vou com você.

Altamira abraçou Mika pela cintura.

— Cuidado, Mika. Estou com um pouco de medo dele. Edward foi muito legal e educado quando entrou na casa, e daí começou a ficar todo irritado e bravo e *malvado*.

— Eu juro que não há a menor possibilidade de aquele homem fazer mal a vocês — declarou Mika ferozmente.

Ela se virou e atravessou o jardim até o depósito, com Jamie apenas um passo atrás dela. Destrancou a porta, abriu-a e entrou.

Mika percebeu de imediato por que Altamira tinha achado Edward Foxhaven intimidador. Ele era um homem alto e largo, de 40 e tantos anos, e pareceria perfeitamente respeitável se não fosse pela maneira como se virou para encará-los quando eles entraram, exibindo um rosto vermelho e desdenhoso. Além disso, havia o fato de que o depósito estava quase destruído, com ferramentas arremessadas contra as paredes e a madeira lascada.

Edward fez uma careta ao ver Jamie.

— Aí está você. Fiquei me perguntando aonde tinha ido. Estava ocupado escondendo outro cadáver? — Ele lançou a Mika um olhar breve e arrogante. — Quem é essa aí? A nova empregada?

Jamie fez um movimento brusco, seus olhos furiosos, mas num segundo Mika se colocou entre ele e Edward. Nuvens de pó dourado giravam furiosamente ao redor deles.

Ela tentou ser compreensiva. Edward devia estar com medo, afinal ele havia sido importunado por um esqueleto e depois trancado num barracão.

— Você deve ter muitas perguntas — disse ela gentilmente. — Vamos voltar para a casa e conversar sobre isso direito, que tal? Talvez, se você entender o que de fato está acontecendo aqui...

— Eu entendo perfeitamente — Edward a interrompeu, com escárnio. — Fui sequestrado e encarcerado por três crianças selvagens. Meu celular foi tirado de mim para me impedir de pedir ajuda ou denunciar qualquer um dos crimes que testemunhei. E alguém matou uma mulher inocente, sem dúvida pelo dinheiro dela. Eu a avisei. Eu disse a Lillian que nenhum de vocês era confiável. Que pena que ela não ouviu.

— Ninguém a *matou* — retrucou Jamie. — É ridiculamente irresponsável lançar acusações assim.

— Bem, caberá à polícia determinar isso de um jeito ou de outro.

— Edward, se você apenas escutasse...

— Acho que não. — Seus olhos cintilavam de um jeito maldoso. — *Você*, por outro lado, vai escutar, porque sinto que preciso ser muito, muito específico sobre o que vai acontecer a seguir. Você vai me libertar deste depósito. Vai me devolver o meu celular. Eu vou chamar a polícia. E, no fim do dia, se tudo der certo, todos vocês terão que desembolsar um dinheirão para arranjar alguém como eu para defendê-los das acusações que vou fazer chover sobre suas cabeças perversas e anormais.

Houve um silêncio retumbante após este discurso. Às suas costas, Mika sentia a raiva de Jamie zumbindo pelo corpo. Ela não conseguia se mover. Não conseguia respirar. Por um instante, tinha sido paralisada pela crueldade das palavras, pelo ódio na voz dele. Mika estava temendo, como sempre havia temido, que pudesse piorar as coisas de alguma forma.

Então o pó dourado se enrolou nos tornozelos de Mika como um gato mansinho, aquele momento terrível passou e ela riu.

Estava farta de ter medo. Farta de permitir que pessoas assim a fizessem se sentir diminuída, estranha e errada. Ela estava de pé na terra fria e úmida de sua própria casa, e Edward Foxhaven não era páreo para ela.

Mika mexeu apenas um dedo. Lentamente, o pânico substituiu a maldade no rosto de Edward. Mika assistiu, com a cabeça inclinada com interesse, enquanto galhos de trepadeiras cresciam na terra sob seus pés, envolvendo os tornozelos dele, enrolando-se nos braços, prendendo-o.

— Nenhuma dessas coisas que você mencionou vai acontecer — disse Mika, chegando tão perto de Edward que conseguia ver o tamanho de suas pupilas dilatadas e apavoradas. — Você não é o único com poder, e, nesta batalha em particular, eu me garanto. Vou deixar as plantas engolirem você antes de deixá-lo machucar qualquer uma dessas pessoas. Estamos entendidos?

Ele assentiu, com o suor escorrendo em sua testa pálida, seus músculos se contraindo contra os galhos.

— O que você *é*? — perguntou.

Mika sorriu.

— O monstro debaixo da cama.

Do lado de fora, com a porta fechada e trancada mais uma vez, Mika desfez o feitiço. Lá dentro, os galhos estariam se desprendendo, encolhendo-se de volta à terra.

— Você está bem? — perguntou-lhe Jamie em voz baixa.

Ele pegou sua mão e entrelaçou os dedos nos dela.

Mika estava mais abalada do que queria admitir. Não por causa de Edward, especificamente, mas sim pela constatação de que não fazia ideia de quantos outros como ele existiam no mundo. Não tinha dúvidas de que a maioria das pessoas que conheciam Edward o considerava um homem perfeitamente gentil. *Lillian* achara isso. Ele nunca a havia deixado ver sua perversidade.

O perigo raramente apresentava um rosto monstruoso e empunhava uma foice. Não, o perigo vinha com muito mais frequência na forma de pessoas como Edward, pessoas gentis cuja gentileza ia só até certo ponto, que guardavam essa gentileza para outras iguais a elas, que acreditavam ser mais merecedoras de poder e respeito do que qualquer um que fosse um pouquinho diferente. E Mika jamais saberia quantas outras pessoas gentis e comuns por aí eram tão perversas quanto Edward por dentro.

E, no entanto, ao mesmo tempo que esse pensamento cruzava sua mente, outro lhe ocorria: Edward estava em menor número. Havia pessoas ali com ela que não eram necessariamente gentis, mas eram todas, sem exceção, *bondosas*, o que era muito mais importante. Elas haviam criado três crianças incomuns com mais amor do que Mika tinha testemunhado em toda a sua vida. Elas as amavam plenamente, sem ressalvas. *Por causa* de tudo aquilo que eram, não *apesar* do que eram. Não importava nem um pouco para elas que Mika e as meninas fossem diferentes. Não seria possível, então, que lá fora todos os Edwards do mundo também fossem superados em número por todos os Jamie, Ian, Ken e Lucie?

— *Estou* bem, para falar a verdade — disse ela em voz alta. — Pelo menos, tão bem quanto qualquer um de nós poderia estar agora.

Eles voltaram para o outro lado do jardim da frente, onde os outros estavam esperando sem escutar o que se passava no depósito.

— Você o matou? — disparou Terracotta ansiosamente.

— Você o transformou em sapo? — perguntou Altamira.

— Não e não — respondeu Jamie. — Mas ele *está* morrendo de medo de Mika agora, então talvez isso o convença a não abrir a boca por um tempo.

Mesmo que isso acontecesse, as coisas que Edward sabia sempre iriam pairar sobre eles como a lâmina de uma guilhotina que nunca saberiam quando cairia.

— Então vamos simplesmente deixá-lo ir? — questionou Ian. — Mandá-lo embora e ver o que acontece?

— Bem, não podemos realmente matá-lo, Ian, e também não podemos mantê-lo trancado lá para sempre. E, até onde eu sei, não sabemos como voltar no tempo e fazê-lo esquecer tudo o que viu hoje. — A voz de Jamie estava baixa, sua raiva rigidamente contida. — Então, sim, parece que a única coisa que podemos fazer é deixá-lo sair e mandá-lo seguir seu caminho.

— Ou podemos nos dar uma ou duas horas para encontrar uma saída. Esta é a nossa família, James. Temos que lutar por ela.

Mika parou de ouvir, presa mais uma vez na roda de hamster de seus pensamentos, só que, desta vez, eram apenas algumas das palavras que Jamie tinha dito, girando e girando sem parar.

Voltar no tempo e fazê-lo esquecer tudo.

Havia *de fato* uma saída para isso, mas era como invocar uma górgona para derrotar uma gárgula. A górgona certamente derrotaria a gárgula, mas, quando a batalha terminasse, quem derrotaria a górgona?

— Uma batalha de cada vez, Mika — afirmou ela baixinho.

— O quê? — perguntou Ken a ela.

— Só tem um jeito de consertar isso — disse ela. — Vocês não vão gostar, mas é tudo que temos.

Mika explicou, e eles ouviram. *Não* gostavam da ideia, assim como ela, mas ninguém hesitou. Antes fazer aquilo do que deixar Edward livre com todos os segredos deles na manga.

Então Mika tirou o celular do bolso da calça jeans e apertou o botão de chamada ao lado de um certo nome. E, quando uma voz do outro lado atendeu, ela disse:

— Preciso da sua ajuda.

Como uma garotinha dissera uma vez: às vezes você tem que fazer coisas desagradáveis para proteger as pessoas que ama.

CAPÍTULO VINTE E OITO

Mika estava sentada de pernas cruzadas em sua antiga cama no sótão, puxando distraidamente os fios soltos na barra de seu suéter amarelo, olhando para o nada e pensando em tudo, quando Jamie veio encontrá-la. Ele se sentou na beira da cama, movendo um joelho para tocar o dela, e havia tanta compaixão e tão pouco julgamento em seus olhos que ela se apoiou em seu ombro e desenhou linhas vagas ao longo da palma de sua mão.

— Isso é uma péssima ideia?

— Não foi o que achou uma hora atrás — disse Jamie com sensatez. — Você achou que era a única saída para esta confusão.

— Altamira está muito brava comigo.

— Falando por experiência própria, até o fim do dia ela não estará mais. — Jamie tirou a palma da mão debaixo do dedo dela e entrelaçou os dedos nos de Mika. — Se quer saber, acho que você fez a coisa certa.

Mika fez uma careta, dividida entre o medo do que estava por vir e a ironia com o absurdo da situação.

— Se alguém tivesse me dito, há apenas algumas semanas, que eu pediria ajuda a Primrose...

— Se alguém tivesse *me* dito, há algumas semanas, que eu não estremeceria ao ouvir o nome dela...

Os dois riram.

— É bom estar em casa — admitiu Mika suavemente. — Senti falta desse sótão.

— Está disposta a compartilhá-lo?

Ela sorriu.

— Só se você trouxer gim rosa.

— Quantos você quiser.

O telefone dela tocou, interrompendo o breve momento de paz.

— É Primrose.

— Nossa, foi rápido.

— Foi com *ela* que aprendi o feitiço de velocidade — revelou Mika com tristeza, e atendeu a ligação. — Oi.

— Mika, não consigo encontrar essa casa de que você falou — respondeu Primrose, alto e bom som, parecendo irritada. — O GPS me informa que estou no lugar certo, mas não vejo nenhuma casa.

— Ah, me dá um minuto e eu vou te buscar — avisou Mika. — É fácil passar batido pelos portões por causa das sentinelas.

Ela desligou e desceu da cama. Jamie lançou-lhe um olhar interrogativo.

— Quer que eu vá com você?

— Não, preciso falar com ela a sós primeiro. Mantenha as meninas aqui dentro também, tá?

Demorou bem mais de um minuto até que ela descesse, calçasse os sapatos e corresse até os portões, mas seu telefone não tocou novamente, então ela presumiu que a velhice tivesse ensinado Primrose a ser paciente. Saiu por entre os portões, olhando para a esquerda e para a direita ao longo da estreita estrada rural, e avistou o lustroso carro preto de Primrose cerca de vinte metros adiante na estrada, estacionado no acostamento, com o pisca-alerta ligado.

Mika acenou, chamando a atenção dela, e deu um passo para o lado a fim de deixar o carro passar. Primrose desligou o motor no instante em que entrou pelos portões, abandonando o carro na entrada e saindo com um olhar de intensa curiosidade no rosto.

— Essas sentinelas são muito poderosas. Quem as lançou?

— Vou chegar a essa parte.

Primrose bufou. Ela inclinou a cabeça para a casa.

— Então é aqui que você tem estado desde que saiu de Brighton. E aquela história do reencontro da turma da universidade?

— Me desculpe.

— Não consigo imaginar o que fiz para você sentir que precisa mentir para mim — disse Primrose, fria e rígida, como se estivesse verdadeiramente chateada e tentando disfarçar. — Deixa pra lá. E a história improvável que me contou por telefone? Sobre três crianças bruxas e um advogado que sabe demais?

— Isso tudo é verdade — respondeu Mika, enquanto começavam a caminhar em direção à casa. — O advogado está no depósito do jardim.

— Eu tive a impressão de que você era contra mexer em lembranças.

— Estou começando a ver que algumas coisas não são tão preto no branco quanto eu pensava.

— Bem, estou mais do que disposta a remover todas as lembranças de magia da mente do advogado. Afinal, é do nosso interesse. — Primrose examinou a casa principal à frente, seus olhos acompanhando as graciosas linhas rústicas. — Onde estão essas crianças bruxas de que você fala?

— Estão lá dentro. Por curiosidade — continuou Mika —, *você* seria capaz de recriar essas sentinelas se fosse preciso?

— Não sozinha. Eu poderia chegar a algo perto disso, talvez. — Primrose franziu os lábios como se admitir que não podia fazer alguma coisa lhe doesse. — Minha irmã era quem tinha talento para encantamentos de proteção. Você provavelmente teria contado com a ajuda *dela*, se ainda estivesse viva. Por que pergunta? Onde está a bruxa que lançou essas sentinelas?

— Bem, o problema é que Lillian está morta. — Mika fez uma careta e não percebeu a maneira como Primrose parou abruptamente, como se tivesse sido eletrocutada. — Tem muita coisa que preciso explicar que não falei por telefone. Essas sentinelas vão se desfazer na primavera. Ela as lançava todos os anos enquanto estava viva.

— Mika — disse Primrose com urgência, e havia uma expressão em seu rosto que Mika nunca vira antes. — O que foi que você disse?

Mas, antes que Mika pudesse responder ou perguntar o que tinha feito com que ela parecesse prestes a desmaiar, elas foram interrompidas pelo barulho da porta da frente da casa se abrindo. Não havia sinal das crianças, mas Jamie, Ian, Ken e Lucie saíram apressados, com os olhos em Primrose, os rostos tão pálidos quanto os dela.

Mika estava atônita.

— Que merd...

E então um murmúrio de Ian:

— Lillian?

Lillian?

Primrose havia ficado completamente imóvel.

— Você conhecia a Lillian. — disse ela.

— *Você* conhecia a Lillian? — Mika quis saber.

— Você *não* é a Lillian? — perguntou Jamie.

— Por que ela *seria* a Lillian? — questionou Mika. — Como eu poderia ter ido buscar Primrose e voltado com Lillian?

— *Esta* é a Primrose? — indagou Lucie, de olhos arregalados.

Jesus Cristo, a situação era totalmente absurda. O que diabos estava acontecendo? Por que alguém pensaria...

Mika arquejou fundo.

— Ai, meu Deus.

Todos ficaram paralisados enquanto a ficha caía, enquanto a ultrajante injustiça daquela nova realidade os golpeava um por um.

— Vocês me disseram que o nome da irmã de Lillian era Peony! — protestou Mika.

— Peony? — Primrose se virou para encará-la. — O *meu* nome era Peony.

Mika estava atordoada. Como isso havia acontecido? Como ela tinha ligado para Primrose pedindo ajuda e acabando por chamar a única pessoa além de Edward que eles absolutamente *não* queriam que soubesse sobre a morte de Lillian?

Ian soltou um gemido baixo. Depois de um momento, com um suspiro, como se o peso da dor do mundo tivesse caído de repente sobre ela, Primrose tocou a corrente de prata em volta do pescoço. Mika viu agora que havia um medalhão de aparência familiar no final do colar, só que este estava gravado com a letra *P*.

— Puta merda! — exclamou Lucie, o que foi quase tão chocante quanto qualquer outra coisa que tivesse acontecido naquele dia.

Primrose pôs o medalhão sob a blusa.

— Lillian era minha irmã. Minha irmã gêmea. Nós éramos idênticas. Nascemos Peony e Lily Smith, mas mudamos de nome quando deixamos a casa dos nossos tios aos 20 anos. Não queríamos que eles nos encontrassem, sabe.

— Espere — disse Mika lentamente, ciente de que havia algo estranho. — Você disse que sua irmã estava morta. Você já sabia que Lillian estava morta?

— A gente não se via há cerca de quinze anos, mas senti quando ela se foi. — Os olhos de Primrose vasculharam o terreno, reparando nas empenas e chaminés da casa com bastante melancolia. — Então esta era a casa dela. Moramos separadas depois que deixamos nossa família, mas foi somente nos últimos trinta anos, mais ou menos, que ela começou a guardar segredo sobre onde estava vivendo. Tínhamos uma relação difícil.

Mika olhou para Jamie e o encontrou olhando para ela. Não havia recriminação no seu rosto, mas Mika se sentiu furiosa consigo mesma de qualquer maneira. Não, não tinha como ela saber que Primrose já tivera um nome diferente, nem qual era esse nome, mas, mesmo assim, ela não conseguia acreditar no que havia feito.

Primrose sabia que Lillian estava morta. Primrose era irmã de Lillian, o que dava a ela a guarda das meninas. E Primrose tinha ideias muito inflexíveis sobre como crianças bruxas deveriam ser criadas *e* um testamento irrevogável conferindo-lhe a autoridade para fazer exatamente o que quisesse com aquelas três crianças bruxas em particular. A única razão pela qual não tinha aparecido para levar as meninas antes era porque não sabia que elas existiam nem onde encontrá-las, e Mika acabara de lhe informar essas duas coisas.

Ela inspirou o ar frio do mar. Uma coisa de cada vez. Primeiro a gárgula, depois a górgona.

Se ao menos ela soubesse que a górgona era muito mais poderosa do que suspeitava.

— Minerva Hawthorn! — exclamou Primrose de repente, e Ian se sobressaltou. — Você é o filho de Minerva Hawthorn! Meu Deus, eu não te vejo desde que você batia na altura dos meus joelhos.

Ian deu a ela um sorriso fraco.

— Infelizmente não me lembro disso.

— Não, suponho que não. — Os olhos de Primrose retornaram para a casa, como se estivesse procurando por algum vestígio de Lillian ali. — Ela foi feliz no final? A Lillian?

Mika viu os outros se entreolharem.

— À sua maneira, ela foi — respondeu Lucie cautelosamente. — Estava sempre viajando. Era arqueóloga.

Primrose sorriu.

— Não, não era. Quer dizer, ela *era*, mas tratava-se apenas de uma desculpa para levá-la a lugares diferentes pelo mundo.

— Uma desculpa? — As sobrancelhas de Jamie se juntaram. — Uma desculpa para quê?

— Minha irmã e eu tivemos uma infância difícil — explicou Primrose. — Vou poupá-los dos piores detalhes, mas, resumindo, nossos tios descobriram muito cedo que éramos bruxas e fizeram de tudo para extirpar isso de nós. Certa vez, houve uma tentativa de exorcismo que quase nos matou. Reagimos a essa criação de maneiras muito distintas. Lillian se tornou imprudente, ao passo que eu me tornei cautelosa e desconfiada. Ela queria que as bruxas vivessem livremente por aí, enquanto eu preferia a segurança do segredo. Era o que ela fazia usando o disfarce de seu trabalho como arqueóloga.

Estava obcecada com a possibilidade de que em alguma parte do mundo pudesse haver um lugar onde as bruxas vivessem abertamente, sem medo, sem preconceito. Na última vez em que a vi, quinze anos atrás, tivemos uma grande briga sobre isso.

Houve uma pausa, e Mika sentiu um arroubo de compaixão pela finada Lillian. Ela tinha feito escolhas que Mika nunca entenderia, mas essa? *Essa* ela entendia.

— Imprudente ou não, ainda não consigo entender o que ela estava pensando quando trouxe três bruxas para morarem juntas aqui — prosseguiu Primrose, soando genuinamente horrorizada. Mika ficou tensa. — Aquela onda de poder pela qual Mika assumiu a culpa, foram as crianças?

— Fui *eu* — disse Mika com firmeza.

Primrose assentiu, fria e autoritária como sempre.

— Bem, podemos falar sobre tudo isso daqui a pouco. Primeiro, o advogado. Você precisa que eu extraia todas as lembranças dele dos eventos que aconteceram hoje, correto?

Mika levou Primrose até o depósito do jardim, certificou-se de que Edward estava enfeitiçado e dócil, e então os deixou a sós. Ela sabia, pelas recordações difusas de sua infância, que a magia da memória de Primrose era algo delicado, difícil e demorado.

Enquanto Primrose trabalhava, Mika entrou na casa para ver como estavam as crianças. Elas montavam um quebra-cabeça no quarto de Altamira (*o tal* quebra-cabeça, aquele que tinha causado tanto problema) e fingiam não estar morrendo de vontade de saber o que estava acontecendo lá fora. Mika contou a verdade, rapidamente. Elas ficaram mais fascinadas do que preocupadas com a revelação de que Primrose era a misteriosa Peony, mas Mika suspeitava de que fosse porque elas não haviam considerado a possibilidade de serem *realmente* levadas de sua casa e de sua família. Ainda tinham certeza de que os adultos consertariam tudo.

Quando ela voltou para fora, munida com uma bandeja lotada de xícaras de chá de cardo-marítimo para todos, o sol já mergulhava no horizonte. Mika colocou a bandeja sobre uma mesa de trepadeiras entrelaçadas e procurou abrigo do frio ao lado de Jamie, inclinando a cabeça em seu peito e inspirando o cheiro de agulhas de pinheiro e do oceano, que sempre a fazia se sentir melhor. Ele apertou o braço ao redor dela, brincando distraidamente com uma mecha do cabelo.

— O que vai acontecer quando ela sair? — perguntou Ken baixinho.

— Vamos decidir em que lugar queremos que Edward acorde do feitiço, digamos assim, e colocá-lo lá — explicou Mika. — Faz mais sentido que seja o banco do motorista do carro dele. Então Primrose vai acordá-lo e ele não se lembrará de nada do que descobriu hoje. De certa forma, nós conseguiremos *de fato* voltar no tempo.

— E começar esse fiasco todo de novo — disse Ian, sombrio.

Mas Mika de repente riu.

— Não! Porque, quando Edward acordar, ele verá *Primrose*. Quem precisa de um feitiço de disfarce quando se tem uma irmã gêmea idêntica?

~

Algum tempo depois, Primrose saiu do depósito com sua habitual postura elegante, deixando a porta aberta atrás de si. Ela parecia velha e frágil, do jeito que sempre ficava depois de usar muito de seu poder, mas também parecia satisfeita.

Ian olhou para dentro do depósito interessadíssimo, notando que Edward estava deitado de bruços no chão.

— Ele está morto?

Primrose lançou-lhe um olhar mordaz, como se esperasse algo melhor do único descendente de Minerva Hawthorn.

— Lógico que não. Ele vai ter um pouco de dor de cabeça, mas ficará bem. Removi todas as lembranças dele dos eventos de hoje. Não posso fazer nada em relação à desconfiança com que ele parece ver todos vocês.

— Bem, o negócio é o seguinte — começou Mika. — Interessa a todos nós tirar Edward de nossas vidas para sempre. E acho que tem um jeito de fazer isso.

Primrose ouviu a ideia de Mika em silêncio e, no fim, pareceu quase achar graça (se é que era possível Primrose achar graça de qualquer coisa). Ela esperou, sentada num banquinho e bebericando delicadamente seu chá de cardo-marítimo ("Isso é muito bom, bonequinha. É um dos seus?"), enquanto Jamie, Lucie e Ken carregaram Edward do depósito até o banco do motorista do carro dele.

Primrose se levantou e andou até ficar a alguns metros de distância do carro, fixando no rosto um sorriso encantador, porém frio, enquanto o acordava.

Todos assistiram, prendendo a respiração, enquanto Edward bocejava, abria os olhos e olhava ao redor como se estivesse um pouco confuso com a hora avançada. Ele abriu a porta do carro e saiu, ajustando os punhos da camisa.

Então ele viu Primrose e a cara que ele fez foi quase uma obra de arte.

— L-Lillian?

— Como vai, Edward? — disse Primrose, toda graciosa e elegante. — Como pode ver, estou viva, bem e completamente exasperada. Embora eu reconheça seu empenho, receio que tenha desperdiçado muito do meu tempo, e não gosto de receber ordens de me apresentar quando você bem entende. — Ela fungou. — Seu trabalho sempre foi excelente no passado, então não vou fazer uma queixa formal aos seus superiores, mas quero salientar que não precisarei mais dos seus serviços ou da sua firma.

— O quê? Mas...

— Mandarei uma carta para a firma. E você vai encaminhar toda a papelada para a casa, naturalmente.

A maneira de Primrose de se impor era tão educada e tão absolutamente inquestionável que Mika não ficou surpresa ao ver até mesmo Ian olhando para ela com um respeito que beirava a admiração.

Não demorou muito para que ela conduzisse Edward de volta ao carro, colocasse um par de biscoitos em forma de boneco de neve de Ian em suas mãos e o despachasse com um aceno majestoso.

Até mesmo Mika, que tinha visto Primrose passar por cima de babás e tutores temíveis e truculentos, e da mais obstinada das bruxas daquela mesma maneira doce e impiedosa, ficou impressionada.

— Não podemos deixar Lillian no limbo para sempre — anunciou Primrose, enquanto observavam o carro de Edward desaparecer pelos portões. — Proponho esperarmos dois ou três meses e depois informarmos que ela sofreu um acidente no exterior. Tenho algumas conhecidas em outros países que ficariam felizes em corroborar a nossa história, e, se os restos mortais de Lillian precisarem ser examinados, poderemos usar magia para mascarar a data da morte.

— E quanto ao testamento dela? — perguntou Jamie, estreitando os olhos. — Não podemos colocá-lo em prática se não relatarmos a morte dela.

— Mas sabemos o que ele diz — retrucou Primrose. — Pelo menos, eu faço uma boa ideia do que diz e tenho certeza de que existe uma cópia na casa que posso examinar. — Ela deu um tapinha gentil no ombro de Jamie. — Quer notifiquemos a morte dela, quer não, eu sou legalmente responsável pelas crianças desta casa.

— Você poderia se recusar — disse Mika. — Se fizer isso, a guarda das crianças fica com Jamie, que é quem deveria ter ficado com ela desde o início.

Primrose suspirou.

— Não dificulte isso, Mika. Você sabe que elas não podem viver aqui juntas.

Mas Mika sabia que podiam.

A górgona havia lutado contra a gárgula, mas agora Mika lutaria contra a górgona e, mais do que isso, ela iria vencer.

CAPÍTULO VINTE E NOVE

— Permita-me explicar algo bem direitinho, Primrose — disse Mika com calma, mesmo que seu corpo estivesse todo travado pelo nervosismo. — Essas crianças vão ficar aqui, juntas, na casa delas, com a família delas.

Primrose lançou-lhe um olhar de decepção e cansaço.

— Mika, você conhece as Regras. O fato de tê-las transgredido nas últimas semanas é algo que não tenho escolha a não ser ignorar nesse momento, mas você *sabe* por que é importante manter essas crianças separadas. Não gosto de fazer isso — disse aos outros com uma voz sincera e quase gentil —, e, se for para fazer vocês se sentirem melhor, é claro que eu ficaria feliz se cada um de vocês ficasse com uma menina, mas...

— Como diabos nós...

— Primrose, você não está me ouvindo — retrucou Mika, interrompendo a atitude explosiva de Ian.

Ela pegou Primrose firmemente pelo cotovelo e a levou para longe.

Primrose, desaprovando algo tão grosseiro quanto *sair puxando* alguém, apertou os lábios incomodada. Elas agora estavam paradas sob o abrigo de uma das empenas da casa com uma janela quente e iluminada ao lado. Luzes decorativas piscavam acima delas, e o crepúsculo havia tornado o ar ainda mais frio. A respiração de Mika se condensava.

— Não me obrigue a fazer um escândalo e chatear aquelas crianças ainda mais do que vão se chatear — disse Primrose. — Eu não deveria ter que lembrá-la de como isso funciona. Apenas sozinhas...

— ...conseguimos sobreviver, sim, você já falou — completou Mika. — Não sei se isso é verdade ou não, mas uma coisa que sei, Primrose, é que sozinhas não *vivemos*.

A testa de Primrose se enrugou. Ela tinha sido pega de surpresa e aquilo a irritava.

— O que eu teria feito hoje se não tivesse conseguido te pedir ajuda? — continuou Mika. — Sei que você tem medo do que acontece se não mantiver o controle mais rígido sobre tudo, mas, se estendesse para si as mesmas regras que estende para o restante de nós, você não estaria aqui agora. Eu nem teria sido capaz de te achar. Como podemos existir sozinhas neste mundo quando você sabe quanto precisamos umas das outras?

— Isso é diferente — replicou Primrose secamente. — Como eu disse antes, um encontro curto como este, ou uma reunião breve de bruxas adultas num só lugar, oferece muito pouco risco. Três jovens bruxas destreinadas morando *juntas*, por outro lado, é um desastre e não consigo entender como você pode ser incapaz de enxergar isso.

— Eu enxergo, sim — disse Mika, rindo ao relembrar as últimas semanas. — Na verdade, já vi alguns desastres. Também tive um vislumbre de um tipo de vida mais feliz que qualquer outra que já conheci.

— Suponho que você argumentará que essa felicidade vale qualquer risco — declarou Primrose, desdenhosa, mas Mika a conhecia muito bem e, por baixo daquele desdém, ela podia ouvir uma velha dor.

— Por que você mesma não me criou? — indagou Mika.

Isso pareceu confundir Primrose, que só fez piscar.

— Como é?

— Por que babás e tutores? Por que todas aquelas pessoas não bruxas, que precisavam ser substituídas com tanta frequência, quando você poderia simplesmente ter me criado e me ensinado? — Mika manteve sua voz gentil, embora fosse difícil, porque seu coração batia forte e ela estava ferozmente, furiosamente determinada a garantir que Primrose *não* fizesse as coisas a seu modo. — Eu sei que não foi porque você estava com medo do que aconteceria se duas bruxas de idades tão diferentes vivessem juntas, porque sei que uma bruxa adulta é perfeitamente capaz de manter o poder de uma criança sob controle. Então por quê?

— Mika, a irrelevância dessas perguntas está começando a esgotar minha paciência — disse Primrose friamente, mas Mika não se abalou.

— Você era boa comigo — afirmou ela. — Não exatamente *amável*, mas bondosa. Fazia pequenos gestos de bondade em que ninguém reparava. Quando voltei àquela casa em York, eu me lembrei de alguns deles. Também me lembrei de algumas coisas menos bondosas que aconteceram naquela casa. Como os cuidadores que fizeram que eu me sentisse diminuída e indigna. Esse trauma ficou comigo por muito tempo, Primrose. E agora me pergunto se a razão pela qual você me manteve à distância, se a razão pela qual você se apega tanto ao controle, é por causa do seu trauma. — Mika observou o rosto de Primrose se tornar lívido. — Foram seus tios? Eles te ensinaram a acreditar que você não é digna de amor? Que vai estragar tudo que tocar?

Os olhos zangados de Primrose pareciam em chamas e o ar ficou carregado com poder e eletricidade, como se uma tempestade estivesse a caminho. Mika manteve sua posição, recusando-se a quebrar o contato visual.

E, pela primeira vez na vida de Mika, Primrose desviou o olhar primeiro.

— Primrose — disse Mika com delicadeza. — *Por favor.* Não permita que o que eles fizeram com você a deixe com medo de se arriscar em algo que foge das Regras.

— Não posso levar em consideração apenas nós duas — argumentou Primrose. — Tenho *todas* as bruxas do nosso grupo para cuidar. Tenho que levar em consideração toda a nossa segurança, as consequências para todas nós, se aquelas crianças, sem qualquer responsabilidade por isso, expuserem o nosso poder ao mundo. A felicidade não pode valer o risco.

— Mas vale — insistiu Mika. — Sei que você fez o que acreditava ser melhor, mas a maneira como escolheu me criar me fez muito mais mal do que você jamais poderia ter feito diretamente a mim. Eu *sei* que existem riscos quando muito poder se concentra num só lugar. *Sei* que é arriscado compartilhar quem somos com outras pessoas, permitir que conheçam nosso poder e confiar a elas a grandiosidade do nosso segredo. Mas passei a acreditar, acreditar *de verdade*, que, se pudermos ser corajosas o suficiente, seremos fortes o suficiente para correr esses riscos. Podemos proteger a nós mesmas e umas às outras. Podemos lançar sentinelas e amenizar erros. Podemos crescer juntas em vez de separadas.

— Bobagens românticas — murmurou Primrose.

— Pode até ser, mas merecemos mais do que isso. Todas nós. — Mika olhou para a casa, onde as luzes eram quentes e acolhedoras. — Eu conheço essas crianças. Elas não estão apenas sobrevivendo juntas. Elas estão *florescendo*. Não tire isso delas.

— Minha irmã queria que elas fossem criadas por uma bruxa.

Mika sorriu.

— Elas serão.

Primrose ficou em silêncio por muito, muito tempo, sondando os olhos de Mika como se estivesse sondando sua alma. Mika não desviou o olhar. Em vez disso, ela estendeu a mão e pegou a mão macia e enrugada de Primrose, segurando-a com força.

— Preciso ficar a par de todo e qualquer desdobramento — exigiu Primrose por fim, cada sílaba enunciada alto e bom som.

Sua voz escondia apreensão, ansiedade e outros sentimentos antigos e complicados que não seriam facilmente superados, mas ela estava tentando.

Mika soltou um suspiro trêmulo, mas disse apenas:

— Você poderia vir visitá-las e ver como estão as coisas por si mesma.

Com isso, o rosto de Primrose suavizou um pouco.

— Isso seria aceitável.

Antes que Mika pudesse dizer outra palavra ou se virar para contar aos outros, a porta da frente se abriu e três garotas saíram, seguidas de perto por uma cachorra. Primrose ergueu as sobrancelhas delicadas diante da súbita investida ruidosa, que atingiu seu auge quando Altamira, correndo para Jamie e os outros, gritou:

— Mika conseguiu! Primrose não vai tentar nos separar! Ela não é tão assustadora, afinal!

— Elas gostam de escutar atrás da porta — admitiu Mika, envergonhada.

— Você disse a elas que eu era assustadora? — rebateu Primrose, ofendida.

— Bem, eu...

— Com licença, Mika — interrompeu Primrose. — Deixe eu me apresentar a essas crianças para que possam ver por si mesmas que eu não sou a Medusa terrível que você me fez parecer.

Altamira puxou a manga de Jamie para chamar sua atenção.

— Achei que Medusa fosse um peixe — sussurrou ela, confusa.

Mika, que havia vencido sua batalha e se sentia exausta e eufórica, praticamente desabou nos braços de Jamie.

— Obrigado — sussurrou ele em seu ouvido, e foi muito difícil não beijá-lo.

(Mas ela não o fez, porque, embora tivesse 31 anos completos, ela *nunca* teria idade suficiente para permitir que Primrose a visse beijando alguém!)

Acabou que Primrose e as meninas se deram muitíssimo bem. Quando terminaram de contar a ela todos os detalhes de suas vidas, a noite já havia caído.

— Ah! — Mika arfou. — Está nevando!

Então, com as chaves do carro cintilando na mão, Primrose se preparou para partir. Ela permitiu que as meninas a abraçassem, então se virou para Mika.

— E você? Devo esperar que use a casa em York?

— Não, *de jeito nenhum* — respondeu Terracotta no mesmo instante, se posicionando com firmeza na frente de Mika e direcionando todo o poder de sua beligerância para Primrose. — Você não pode ficar com ela. Ela é nossa.

Jamie tinha dito que era um salto de fé amar as pessoas e se permitir ser amado. Era como fechar os olhos, saltar de um penhasco e acreditar que vai voar em vez de despencar para uma morte trágica e poética.

Então Mika finalmente saltou do penhasco e sabe de uma coisa? Ela voou.

CAPÍTULO TRINTA

A Sociedade Supersecreta de Bruxas se reunia na terceira quinta-feira do mês a cada três meses, mas essa era a única coisa que nunca mudava. Elas jamais se encontravam duas vezes no mesmo local; a última reunião, por exemplo, tinha acontecido sob a luz da lareira na sala de visitas de Primrose Everly (sim, ela chamava de sala de visitas), e, a anterior, num píer frio e úmido nas Hébridas Exteriores. *Esta* reunião, por sua vez, estava ocorrendo numa bela manhã de abril num recanto tranquilo e bonito de Norfolk.

E havia muito mais do que 21 pessoas presentes.

Mika tinha demorado a convencer Primrose e Jamie — ambos bastante obstinados, cada um a seu modo —, a consentir com o que Primrose havia chamado categoricamente de arranjo desmiolado. Para ser sincera, Mika estava surpresa por ter levado apenas alguns meses para conseguir, considerando que ela vinha esperando precisar lutar contra os dois por *anos*.

Obviamente, as sentinelas tinham ajudado. Elas precisavam ser relançadas, e Mika não poderia fazer isso sozinha, de modo que assinalou que *precisava* das outras bruxas ali.

De sua parte, a objeção de Jamie não era à ideia em si, mas à invasão, como ele dizia, de estranhas no território que ele protegia da maneira mais rabugenta possível.

— Por que não podem fazer isso em outro lugar? — tinha sido o refrão. — Lancem as sentinelas, depois levem as crianças e *com certeza* o Ian, mas, pelo amor de Deus, simplesmente façam isso em outro lugar.

No fim, não tinham sido os argumentos bem fundamentados de Mika, os apelos apaixonados nem os favores sexuais desavergonhados que o haviam convencido.

— Eu vou concordar com isso — dissera Jamie, com os olhos brilhando maliciosamente —, se *você* parar de inventar desculpas e abrir logo sua loja de chás e poções mágicas.

Assim, Mika havia superado (heroicamente, na sua opinião) seu pavor de um fracasso catastrófico. Ela e Ian tinham convertido o celeiro numa loja de poções linda, extravagante e antiquada. Mika também criara um site cheio de fotos artísticas de folhas de chá e ervas, e Primrose imediatamente enviara a todas as bruxas da Sociedade o link e o endereço.

Mika tinha vendido todo o seu primeiro lote em menos de uma semana.

Com isso, Jamie teve que concordar em sediarem a próxima reunião da Sociedade Supersecreta de Bruxas, uma reunião que, depois de muita discussão com Primrose, seria *completamente* sem precedentes.

Porque *todo mundo* foi convidado. Todas as bruxas da Sociedade eram bem-vindas, é lógico, mas também todas as pessoas que as tinham criado, crescido com elas ou as amavam (desde que ainda fossem dignas de confiança e quisessem ir, obviamente). Primrose resistiu, protestou e teve um número infinito de razões muito sensatas para descartar essa ideia de imediato, mas nem mesmo ela foi capaz de resistir à força de Mika em seu ápice pleno e apaixonado de determinação.

Sendo assim, naquela manhã de primavera, com um sol grande e dourado no céu, o cardo-marítimo florescendo nas dunas, o oceano de azul infinito e jacintos crescendo selvagens na floresta, o jardim da frente da Casa de Lugar Nenhum havia se transformado em algo que Ian disse ser perigosamente parecido com uma *festa*.

Todas as bruxas tinham vindo, e algumas haviam aceitado o convite de Mika para levar acompanhantes. Belinda Nkala levou o irmão mais velho, um homem negro um tanto espantado e acanhado na casa dos 40 anos, que chegou com um cheesecake de limão feito por ele mesmo, o que o tornou instantaneamente um dos favoritos do encontro; Hilda levou as duas adoráveis tias coreanas que a haviam criado, cinco primos escandalosos, um gato mal-humorado e sua noiva, Kira ("Que agora é minha *esposa*, não minha noiva, e sabe de tudo!"); e Agatha Jones, para o choque de todas, levou um *namorado* que de alguma forma era ainda mais velho que ela.

Para Mika, parada na extremidade do jardim observando essa curiosa (alguns até usariam a palavra peculiar) diversidade de pessoas bebendo chá, comendo cheesecake e exibindo seus feitiços e livros de feitiços com orgulho, parecia algo saído de um sonho.

Lucie e Ian tinham se encarregado da mesa do bufê. Circe, bastante desconfiada do gato mal-humorado, estava seguindo a criatura para se certificar de que nenhuma deslealdade acontecesse sob sua vigilância. Já fazia meia hora que Ken conversava com o irmão de Belinda, os dois discutindo futebol entusiasmados, e Altamira, bastante satisfeita por se ver tão paparicada por tantos adultos, recitava solenemente cada palavrão que conhecia.

Em outro lugar, Rosetta estava com Belinda, fitando-a com um olhar de adoração, como se não pudesse acreditar que ela existia. Mika não tinha como saber como era ter 10 anos de idade e descobrir a existência de uma linda bruxa negra como Belinda — que tinha mechas roxas em sua cabeleira farta e encaracolada, sotaque escocês e um jeito prático de lidar com qualquer tolice —, mas imaginou que era possivelmente uma das três melhores experiências da vida de Rosetta. Enquanto isso, Terracotta exibia seu domínio do feitiço de animação.

— Vocês têm que me visitar em Wrexham — Sophie Clarke dizia para Hilda e Kira quando Mika passou por elas, seus cachos loiros balançando com entusiasmo. — E você também, é claro, Mika! Quero saber *tudo* sobre o seu bibliotecário!

— Se eu conseguir fazer com que ele supere a aversão crônica à interação social — respondeu Mika —, pode até ser que você o conheça!

No entanto, antes que Mika pudesse entrar na biblioteca onde Jamie havia se enclausurado, ela foi interceptada por Primrose, que, com um pratinho de cheesecake numa das mãos e um garfo na outra, parecia estar verdadeiramente se divertindo.

— *Não* iremos fazer disso um hábito, é óbvio — disse ela, porque Primrose era Primrose —, mas, fique sabendo, querida, que você realizou algo muito especial.

— Obrigada por dizer isso — declarou Mika, absurdamente contente com o elogio. — Sei que o mundo não vai se transformar da noite para o dia, e sei que você ainda tem suas dúvidas, mas agradeço por tentar.

— Hum — disse Primrose, suas bochechas ficando levemente rosadas enquanto ela seguia em frente.

Mika entrou.

Jamie estava sentado numa poltrona num canto da biblioteca, atrás de várias estantes, obviamente se escondendo para que nenhuma criança tentasse coagi-lo a sair. Ele lhe lançou um olhar cauteloso enquanto erguia os olhos do enorme livro aberto sobre o colo.

— Não — disse ele.

Mika colocou o livro no chão com muito cuidado e ocupou seu lugar no colo de Jamie. A expressão desconfiada e implacável se suavizou e ele acariciou sua bochecha.

— Eu sei que você detesta pessoas, então não vou insistir para que saia — começou ela. — Só vim dizer que iria adorar se você saísse.

— Eu não *detesto* pessoas!

— Detesta sim — contestou Mika carinhosamente. — Você tem a alma de um velho ranzinza que grita com as crianças para que saiam do seu gramado.

Jamie obviamente achou que aquilo era injusto.

— Crianças são o único tipo de pessoas de que eu gosto!

— Acho que está tudo correndo bem — comentou Mika, observando a mão dele traçar círculos preguiçosos no joelho dela.

— Não estou surpreso. A ideia é boa, mesmo que uma parte de mim ainda ache que é uma ideia boa para ser executada longe, bem longe daqui. — Ele fez uma careta. — Além do mais, eu me recuso a sair e deixar Primrose me observar como um espécime sob o microscópio. Ela faz isso todas as vezes. Acho que não está segura do que sinto por você.

— Só de curiosidade, o que você *sente* por mim?

Ele revirou os olhos.

— Você sabe exatamente o que sinto por você.

— Mas tem que dizer! — exclamou Mika, indignada. — Você lê livros! Sabe que as palavras arrebatadoras precisam ser ditas! Palavras como: "*A senhorita fere minha alma. Estou entre a agonia e a esperança.*" Ou como: "*Meus sentimentos não podem ser reprimidos. Preciso que me permita dizer quão ardentemente eu a admiro e...*"

Jamie pareceu achar graça.

— Você conhece alguma declaração de amor que não tenha sido escrita por Jane Austen?

— Bem, estou com elas na cabeça. Pode agradecer à obsessão de Rosetta pelo capitão Wentworth. Ela está prestes a passar para o Sr. Knightley.

— *Agradecer* é a palavra certa? Ou *culpar* seria mais apropriado?

Mika suspirou. Realmente, era uma tragédia.

— Pois bem — disse ela, animando-se. — Você vai ficar preso a mim por muito, muito tempo. Mais cedo ou mais tarde, você vai dizer.

O canto da boca dele se ergueu num sorriso, o sorriso que ele mostrava somente para ela, aquele que se insinuava lentamente nos seus olhos e os iluminava como o sol. O coração de Mika disparou. Jamais o vira olhar para ninguém do jeito que olhava para ela. Quem precisava de palavras?

Mika pulou do colo dele e o deixou com o livro, mas, antes de chegar à porta, houve um baque quando ele fechou o livro e se levantou.

— "*Se a amasse menos* — disse ele baixinho, as palavras não menos sinceras pelo riso que transparecia em sua voz —, *poderia ser capaz de dizer mais.*"

Mika se virou, atirando-se em seus braços.

— Eu também te amo.

— Eu sei.

— Isso significa que você vai sair e conhecer todo mundo?

— Com relutância — disse Jamie, sarcástico — e muita má vontade, mas, sim. Eu vou.

Mika sorriu para ele, feliz, então ficou na ponta dos pés para lhe dar um beijo demorado e profundo.

— Eu compenso depois.

— Promessa é dívida.

Então eles saíram juntos, e Primrose de fato ficou examinando Jamie criticamente, e Hilda decidiu que eles seriam melhores amigos, e Altamira insistiu em se balançar no braço dele, e Mika sentiu que o dia enfim estava perfeito, totalmente completo.

E, por falar nisso, ela também estava.

Talvez, em algum lugar lá fora, houvesse uma bruxa que iria revelar todos os segredos delas, uma bruxa que construiria uma ponte duradoura entre bruxas e não bruxas. Uma bruxa que iria, em suma, transformar o mundo. Era uma ideia maravilhosa, uma visão de um futuro precioso, mas Mika estava satisfeita em saber que essa bruxa não seria ela.

Ela, Mika Moon, não seria a bruxa que mudou o mundo, mas estava tornando-o um pouco melhor, dia após dia. Ela já havia acreditado que as bruxas nunca teriam amigos, uma comunidade, umas às outras... Mas ali estavam elas. Mika já havia acreditado que nunca teria uma família, mas ali estavam eles também. Ela, que antes acreditava que nunca deixaria uma marca em ninguém, agora sabia que as marcas que havia deixado eram indeléveis, tão parte da eternidade quanto o mar.

E, fala sério, quem poderia querer mais do que isso?

AGRADECIMENTOS

Quando comecei a escrever este livro, estávamos há oito meses enfrentando uma pandemia e tudo o que eu queria era trabalhar em uma história acolhedora, aconchegante e romântica sobre magia e família. Uma história que era, acima de tudo, sobre amor e conexão humana.

E foi o amor e a conexão humana que me levaram ao final de um primeiro rascunho, passando pelas edições e chegando até o momento em que o livro se torna um *livro*. Não teria sido possível escrever esta história sozinha, então quero agradecer a algumas das pessoas maravilhosas que contribuíram para isso.

Em primeiro lugar, ao meu marido, Steve, que me possibilita escrever livros. Obrigada pelas infinitas xícaras de chá, pelo tempo e pelo espaço, pelo amor e pelos últimos treze anos de torcida incansável.

À minha agente, Penny Moore, uma superestrela em todos os sentidos. Obrigada por seu apoio, seu talento, sua amizade e, acima de tudo, por olhar para minhas ideias estranhas e incompletas e dizer: “Sim, faça isso!”

À minha editora, Jessica Wade. Estremeço só de pensar no que este livro poderia ter se tornado sem você! Um milhão de agradecimentos por sua paixão, seu olhar atento, suas ideias incrivelmente inteligentes e sua orientação em cada passo do caminho.

A Katie Anderson e Lisa Perrin, pela capa dos *sonhos*.

Ao restante da fantástica equipe da Berkley e Penguin Random House: Miranda Hill, Megan Elmore, Megan Gerrity, Alexis Nixon,

Stephanie Felty, Elisha Katz e Tawanna Sullivan. Obrigada a todas por trazerem tanto talento para a história de Mika.

Aos Berkletes e a todos os outros autores que me acolheram com tanto entusiasmo no mundo da escrita para adultos. E, é claro, aos amigos autores com quem venho compartilhando os altos e baixos da carreira ao longo dos anos.

Agradeço a minha família, filhos e amigos, que me lembram de me manter conectada com outras pessoas, mesmo quando estou lutando para cumprir os prazos.

E a você, caro leitor. Obrigada por acompanhar Mika até o final.

Elogios a
A sociedade supersecreta de bruxas rebeldes

"Este livro é como um abraço caloroso, que com certeza será uma leitura reconfortante para muitos. [...] é, sem dúvida, uma fantasia romântica adorável." — *Library Journal*

"Um conto mágico sobre encontrar a si mesmo e o surgimento de uma família que deixará o leitor encantado." — *Kirkus Reviews*

"Mandanna criou uma gama de personagens vitoriosos e peculiares, cada um com seu próprio papel a desempenhar no caminho de Mika ao pertencimento... Esta envolvente fantasia romântica é uma verdadeira joia." — *Publishers Weekly*

Este livro foi composto na tipografia LTC Goudy
Oldstyle Pro, em corpo 11,5/16, e impresso em
papel off-white no Sistema Cameron da
Divisão Gráfica da Distribuidora Record.